걸프 사태

재외동포 철수 및 보호 4

이스라엘, 모리타니아, 걸프지역

걸프 사태

재외동포 철수 및 보호 4

이스라엘, 모리타니아, 걸프지역

한국학술정보

| 머리말

걸프 전쟁은 미국의 주도하에 34개국 연합군 병력이 수행한 전쟁으로, 1990년 8월 이라크의 쿠웨이트 침공 및 합병에 반대하며 발발했다. 미국은 초기부터 파병 외교에 나섰고, 1990년 9월 서울 등에 고위 관리를 파견하며 한국의 동참을 요청했다. 88올림픽 이후 동구권 국교 수립과 유엔 가입 추진 등 적극적인 외교 활동을 펼치는 당시 한국에 있어 이는 미국과 국제사회의 지지를 얻기 위해서라도 피할 수 없는 일이었다. 결국 정부는 91년 1월부터 약 3개월에 걸쳐 국군의료지원단과 공군수송단을 사우디아라비아 및 아랍 에미리트 연합 등에 파병하였고, 군·민간 의료 활동, 병력 수송 임무를 수행했다. 동시에 당시 걸프 지역 8개국에 살던 5천여 명의 교민에게 방독면 등 물자를 제공하고, 특별기 파견 등으로 비상시 대피할 수 있도록 지원했다. 비록 전쟁 부담금과 유가 상승 등 어려움도 있었지만, 걸프전 파병과 군사 외교를 통해 한국은 유엔 가입에 박차를 가할 수 있었고 미국 등 선진 우방국, 아랍권 국가 등과 밀접한 외교 관계를 유지하며 여러 국익을 창출할 수 있었다.

본 총서는 외교부에서 작성하여 30여 년간 유지한 걸프 사태 관련 자료를 담고 있다. 미국을 비롯한 여러 국가와의 군사 외교 과정, 일일 보고 자료와 기타 정부의 대응 및 조치, 재외동포 철수와 보호, 의료지원단과 수송단 파견 및 지원 과정, 유엔을 포함해 세계 각국에서 수집한 관련 동향 자료, 주변국 지원과 전후복구사업 참여 등 총 48권으로 구성되었다. 전체 분량은 약 2만 4천여 쪽에 이른다.

2024년 3월
한국학술정보(주)

| 일러두기

· 본 총서에 실린 자료는 2022년 4월과 2023년 4월에 각각 공개한 외교문서 4,827권, 76만 여 쪽 가운데 일부를 발췌한 것이다.

· 각 권의 제목과 순서는 공개된 원본을 최대한 반영하였으나, 주제에 따라 일부는 적절히 변경하였다.

· 원본 자료는 A4 판형에 맞게 축소하거나 원본 비율을 유지한 채 A4 페이지 안에 삽입 하였다. 또한 현재 시점에선 공개되지 않아 '공란'이란 표기만 있는 페이지 역시 그대로 실었다.

· 외교부가 공개한 문서 각 권의 첫 페이지에는 '정리 보존 문서 목록'이란 이름으로 기록물 종류, 일자, 명칭, 간단한 내용 등의 정보가 수록되어 있으며, 이를 기준으로 0001번부터 번호가 매겨져 있다. 이는 삭제하지 않고 총서에 그대로 수록하였다.

· 보고서 내용에 관한 더 자세한 정보가 필요하다면, 외교부가 온라인상에 제공하는 『대한 민국 외교사료요약집』 1991년과 1992년 자료를 참조할 수 있다.

| 차례

머리말 4

일러두기 5

걸프사태 : 재외동포 철수 및 보호, 1990-91. 전14권 (V.12 이스라엘 및 모리타니아) 7

걸프사태 : 재외동포 철수 및 보호, 1990-91. 전14권 (V.13 걸프지역 공관) 135

걸프사태 : 재외동포 철수 및 보호, 1990-91. 전14권 (V.14 기타) 331

정 리 보 존 문 서 목 록					
기록물종류	일반공문서철	등록번호	2020120203	등록일자	2020-12-28
분류번호	721.1	국가코드	XF	보존기간	영구
명 칭	걸프사태 : 재외동포 철수 및 보호, 1990-91. 전14권				
생 산 과	북미1과/중동1과	생산년도	1990~1991	담당그룹	
권 차 명	V.12 이스라엘 및 모리타니아				
내용목차	1. 이스라엘 2. 모리타니아 * 재외동포 철수 및 비상철수계획 수립 등				

0001

1. 이 스 라 엘

0002

	분류번호	보존기간

발 신 전 보

번 호 : WCA-0407   901012 1318 AO   종별 :

수 신 : 주 카이로   ~~대사~~ 총영사

발 신 : 장 관 (마그)

제 목 : 재 이스라엘 교민현황

대 : CAW-0687

대호 관련 재 이스라엘 교민현황(인원 및 체재사유등) 및 교민단체현황
상세 파악 보고바람.   끝.

(중동아국장 이 두 복)

19 90.12.31. 예고문에
의거 일반

앙고재	90년 10월 11일	마그렙과	기안자 유혜란	과장	심의관	국장 전결	차관	장관	보안통제	외신과통제

0003

주 카 이 로 총 영 사 관

문서번호 : 주카이로(영) 20830 - 21   1991. 1. 6.

경   유 :

수   신 : 장관(중근동) (참조:영사교민)

제   목 : 이스라엘 순회영사 활동보고

　　　　성락민 영사는 91. 1. 1 - 1. 3 간 이스라엘에 출장 순회영사 활동을
전개하였는바 동활동 결과를 아래 보고함.

- 아   래 -

1. 영사업무처리

　　. 영사확인 : 2건

　　. 여권갱신 교부 : 2건

　　. 여권갱신 접수 : 4건

2. 교민간담회 개최

　가. 르호봇지역

　　1) 일시 : 1991. 1. 2. 12:30-15:00

　　2) 장소 : Weizmann Institute of Science

　　3) 참석인원 : 11명

　나. 예루살렘 지역

　　1) 일시 : 1991. 1. 2 17:00-20:00

　　2) 장소 : Ticho House

　　3) 참석교민 : 23명

02270

0004

다. 교민간담회 내용 : 페르시아만 사태에 대한 교민들의 견해

　ㅇ. 이스라엘은 직접 교전국은 아니며 위험이 임박하였다고 할 수 없으며, 당장 철수할 단계는 아님.

　ㅇ. 교민 대부분이 유학생과 가족들로 철수에 따른 막대한 경비가 심각한 문제임.

　ㅇ. 현재 학기중이므로 철수할 경우 학업에 큰 지장을 가져옴.

　ㅇ. 유학생 다수가 각종 장학금을 받고 있는바 사태 발생전 철수는 도의적 책임과 함께, 이스라엘의 한국민에 대한 부정적 영향이 염려됨.

　ㅇ. 이곳 주재 외국인들에 대한 구체적 철수계획이 실행되지 않고 있는 단계임. 상황 발생시 그들과 공동보조가 바람직함.

　ㅇ. 현재 이스라엘의 군사적 우위와 준비상태를 감안할때 , 이스라엘에 대한 직접적 공격가능성은 적은 것으로 생각됨.

　ㅇ. 사태 발생시 육로를 통한 카이로로의 철수가 고려되며 영사관의 직.간접적 지원과 협력이 필요함(항공철수는 여러가지 이유로 어려움이 예상됨).

3. 비상대책

　가. 화학전에 대비해 방독면을 대부분 지급받은 상태임.

　나. 비상사태 대비상황과 민간방어 응급대책 교육실시 (90.8.28 공문첨부).

　다. 비상연락망 조직 완료 (1990. 8.28) 및 가동연습 (91.1월초 실시예정).

　라. 비상시를 대비한 현금의 은행인출 권장.

　마. 비상대책위원회 구성 (한인회 자문위원 및 임원).

　바. 한인회 주관하에 이집트 입국비자 취득계획 (1월초)

　사. 철수를 위한 버스예약 교섭중(이집트 라피아 국경까지).

　아. 교민소유의 차량활용 방안 강구.

0005

4. 이스라엘 교민회 건의사항

가. 외국에서의 제2세 교육이 가장 시급하고 중요한 문제인바 1990년엔 문교부의
   재정적 지원이 전무하여 예루살렘 한인 (주말)학교 운영에 큰 어려움이 있었음.
   따라서 문교부로 부터의 지원이 절실히 요청됨.

나. 유학생으로 구성된 본 한인회 교민활동을 위해 카이로 영사관의 지원금이 큰
   도움이 됨. 특히 예상되는 비상사태의 경우 교민을 위한 지원금 요청이 예상.

다. 정기적인 순회 영사업무 처리와 주카이로 총영사관의 이스라엘교민에 대한 계속
   적인 관심이 요망.

라. 박동순대사님(주카이로 총영사)의 이스라엘 방문 초청 (3월경).

5. 관찰 및 건의

가. 관찰

   ○ 수차에 걸친 이락대통령의 미사일 공격 위협에도 불구하고, 이스라엘 국내는
     평온상태를 유지하고 있으며 모든 상점, 사무실등은 정상가동을 하고 있었음.
     다만 관광객이 거의 없는 상태이나 항공기등은 정상 운항되고 있었음.

   ○ Moshe Arens 이스라엘 국방장관이 12.26 Knesset 외교국방청문회 증언에서
     이락이 보유한 소련제 스커드 B 미사일은 조잡하고 정교치 못하여 이스라엘에
     효과적인 피해를 입히지 못할 것이라고 밝혔으며 이스라엘 언론에서도 이락의
     미사일 공격이 비거리, 소요시간, 이스라엘의 미사일 방어망등으로 그 피해는
     크지 않을 것이라고 분석하고 있고, 또 만약 이락이 이스라엘을 공격할 시
     대량보복을 하겠다고 이스라엘 정부가 수차 공언하고 있어 이스라엘 국민들은
     걸프지역에서 다국적군과 대치하고 있는 이락이 이스라엘을 쉽게 공격하지
     못할 것이라 하는 정부측 의견을 신뢰하고 있는듯 하였음.

0006

o 한편, 아국교민들도 이러한 이스라엘의 자신감을 믿고 있어 위기의식을 느끼지
  못하고 있는듯 하며 특히 교민들의 대부분이 주재국 장학금을 받는 유학생인
  입장에서 학문적, 경제적, 도의적으로나 현재 평온 상태인 이스라엘을 전쟁
  으로 위험하다고 떠나기 어려운 실정임이 감촉되었음.

나. 건 의

o 이스라엘 김주경 교민회장과 긴밀한 연락체제 구축 필요

o 만약 비상사태로 이스라엘 교민들이 육로로 버스편 라파아지역으로 철수시
  당관은 버스를 임차 이집트측 라파지역에서 동교민들을 영접토록 조치 필요

o 년4회 정기적인 순회영사 활동 필요

o 교민사기 앙양 및 유학생인 교민들의 경제적 지원필요상 한인학교(주말학교)
  지원(년 $2,000수준) 필요.

별 첨 : 1. 이락의 대이스라엘 공격가능성에 대한 이스라엘 정부 분위기

        2. 주예루살렘 미국총영사 접촉결과

        3. 재이스라엘 교민현황

        4. 교민 비상연락망

주 카 이 로 총 영

0007

이락의 이스라엘 공격가능성에 대한 이스라엘 정부 분위기

　　　　Moshe Arens 국방장관은 90.12.26 Knesset외교 국방위원회에서 행한 답변에서 이락 미사일은 조작이 복잡하고 정교치 못하여 이스라엘을 향하여 발사한다 해도 그 능력은 제한되어 있으며 실제적인 피해를 입히는 정도는 극히 제한적이라고 할 수 있으며,

이스라엘은 이락과 국경을 맞대고 있는 것도 아니며 이락은 걸프지역에서 막대한 미국 군대와 대치하고 있으므로 육군에 의한 이스라엘 공격은 어려울 것이며 이락의 이스라엘에 대한 위협은 별문제가 아니라고 증언하고, 다만 이스라엘 정부는 만일의 사태에 대비 만반의 태세를 갖추고 있다고 밝혔음.

　　　　한편 12.28자 예루살렘 post지는 이락의 미사일 공격을 분석한 기사에 의하면

가. 이락이 미사일을 발사하는데에는 미사일 장전, 발사대준비, 연료주입, 순항프로그램 입력, 발사대 입직등 준비시간이 2시간이상 소요되어 발사되기전 포착, 전폭기가 발사대를 폭파할 수 있을 것이며

나. 만약 사전 폭파시키지 못한다 하더라도 미사일이 이스라엘 도착에 5-8분이 소요되는바 인공위성이 미사일이 발사되는 불꽃을 포착, 국민들로하여금 대피준비를 할 수 있으므로 5-8분이면 미사일 피해의 80%를 줄일 수 있을 것임.

다. 또 이스라엘은 자체개발한 Arrow 미사일로 보유하고 있는 Jericho 미사일 격추실험에 성공하였는바 이락미사일도 이스라엘영토에 도착하기전에 미국 Patriot미사일 및 Arrow미사일에 격추시킬 수 있을 것임.

　　　마라서 만약 이락이 이스라엘을 미사일 공격해도 큰 피해는 없을 것이며 만약 시리아와 함께 같이 이스라엘을 공격한다해도 10-18개 이상을 넘지 못할것임.

라. 이스라엘은 이락미사일 발사대로부터 560KM내지 480KM나 멀리 떨어져 있어 이란.이락 전시 1,000Kg의 폭약을 실었을 경우 10-15명을 살상했으나 거리가 멀 경우 60-70% 수준으로 무게가 줄어들 것이며 사전예고에 의한 대피등으로 실제 피해는 크지 않을 것임.

0008

주예루살렘 미국총영사의 현이스라엘 상황에 대한 의견

1. 접촉자 : 성락민영사, 김주경 이스라엘교민회장

2. 접촉대상자 : 주예루살렘 미국총영사 Philip C. Wilcox, Jr

3. 접촉시간 : 1991. 1. 3 11:30-12:10

4. 접촉장소 : 예루살렘 미국총영사실

5. 면담요지 :

 ○ 이스라엘 정부는 이락의 공격가능성을 imminent하다고 보고있지 않으며 이락은
    이스라엘의 보복공격을 감안하여야 하므로 섭사리 이스라엘을 공격치 못할 것임.

 ○ 재이스라엘 미국교민은 약 11,000명으로 5-6천명이 이스라엘 아메리칸으로 이스라엘
    에 더 충성심을 갖고있는 듯함. 아랍계 미국인도 4천어명으로 미국정부는 이스라엘
    에 있는 미국인에게 아직 철수명령을 내린바 없으며, 교민전체를 한꺼번에 철수
    시킬 아무런 계획도 갖고있지 않다고 밝혔음.

 ○ 필요한 경우 김주경 교민회장과 수시접촉, 가능한 편의제공을 하겠음.

0009

꽤 이스라엘 교민 현황

유학생 : 56명

주 부 : 21명

어린이 : 28명

종교인 : 8명

기 타 : 7명

총교민 : 120명

0010

재 이스라엘 한인회 주소록   1990. 12. 27 현재

성 명	주 소	전화번호
이정복	55/5. BARCOKBA ST., FRENCH HILL. JERUSALEM	02-827850
윤정숙	" "	
(유 니)		
(진 원)		
정효제	18/7. BURLA ST.,	02-637362
이명회	" "	
(내 영)		
(재 은)		
정순덕	31/8. HEL HAAVIR ST., PISGAT ZEEV. JERUSALEM	02-890548
김미애	" "	
(의 현)		
신장식	55/5. BARCOCHBA ST., FRENCH HILL. JERUSALEM	02-813508
이주명	18/17. ARBAAH ST., PISGAT ZEEV. JERUSALEM	02-852674
이춘제	7. SHISHIMEN MAIMON ST., TEL AVIV	03-5238927
김진태	38/4. NELSON GLIK ST., RAMOT B. JERUSALEM	02-885158
이현미	" "	
김진해	63/22. STERN ST., KYRIAT YOBEL. JERUSALEM	02-412172
정재현	" "	
(영 하)		
김하연	63/63. " " "	02-422639
이명회	" "	
(안 나)		
(사 라)		
김제연	" " " "	

0011

```
박 홍 우   24(K)/11.    "                "                "                    02-410088
양 영 아     "               "
박 홍 욱     "               "


└ 허 주 엽   #5  DOCTOR'S RESIDENCE. HADASSA HOSPITAL,
김 은 숙         EIN KAREM. JERUSALEM  91120                              02-416151
( 진 경 )
( 진 혁 )


└(김 주 경)  3/11. SULAM YACOB ST.. RAMOT A. JERUSALEM           02-863828
양 천 근     "               "
( 한 이 )


└ 최 창 모   403/3. BUBLIK ST.. RAMOT A. JERUSALEM               02-861965
황 영 자       "               "
( 형 욱 )
( 명 인 )
( 나 경 )


(  손 혜 신   20/80. HAROE ST.. RAMOT A. JERUSALEM               02-862502


└  이 대 우   18/5. ZONDAK ST.. RAMOT B. JERUSALEM               02-864187


(  권 성 달                      "


└  박 성 현                        "


─  최 영 철   1/8 IDELSON DORM. HEBREW UNIV. MT. SCOPUS. JERUSALEM  02-811872
주 점 이     "               "
( 강 인 )
( 정 인 )
( 경 인 )


└ 조 성 욱   40/ .          "                        "
```

0012

신 중 준 40/1,   "   "

권 순 재 8/305, LEZNIK DORM.   "

김 영 화 8/304,   "   "

김 영 진 P.O.BOX 24067, MT. SCOPUS 91240, JERUSALEM

김 성 임   GIVAT RAM DORM. HEBREW UNIV. GIVAT RAM, JERUSALEM

강 태 운 P.O.BOX 1276, MT. ZION 91912
오 창 임   "
오 창 도   "

김 성 P.O. BOX 24067, MT. SCOPUS   02-784997
김 수 연   "

안 베 다

강 (신부)

전 (수사)

박 기 용
ㅡ

박 호 군 9/10, ZIONISM ST., KIRYAT YOBEL, JERUSALEM   02-411561
박 춘 희   "   "
(예 팀)
(예 찬)

조 철 수
안 성 임
(바 다)
(산 내)

0013

김 형   02-433179

박 (수녀)

박 엘리사벳

김 (수녀)

서 병 선   8/11. NEVEH MATZ. VEIZMANN INST. REHOVOT   08-342896
허 정 신   "   "
(지 혜)
(명 철)

김 종 진   30/30. KOROVITZ ST., REHOVOT.   08-482010
안 혜 경   (P.O.BOX 4178 REHOVOT)
(민 경)

전 상 영   DEPT. OF HORMONE RESEARCH. VEIZMANN INST. REHOVOT 08-342782
이 순 희   "
(현 섭)

도 명 숲   DEPT. OF CELL BIOLOGY.   "   08-343558
오 정 희   "

나 승 열   11/9 MENUHA VENAHALA ST., REHOVOT   08-459837
온 은 숙   "
(유 영)
(영 균)

김 수 현   FACULTY OF AGRICULTURE. HEBREW UNIV. REHOVOT

박 철 원   BEIT CLORE 108. VEIZMANN INST. REHOVOT   08-482733

이 병 철   DEPT. OF CELL BIOLOGY. "   "
박 내 행   "   "   "

0014

조 성 근   DEPT. OF CHEMICAL IMMUNOLOGY, WEIZMANN INST. REHOVOT

최 인 숙   58, HACHORESH ST., KFAR SHMARIYAHU   052-582020

이 은 하   14, WEIZMANN ST., RAMAT HASHARON   03-5409060

이 규 찬   20, HAGDEROT ST., SAVYON   03-346326

박 길 자   "

조 태 연   "   "

—

최 매 자   12,   "   "

오 송 학   "   "

조 정 욱   052-580156

윤 순 현   80-7, BIELEK ST., RAMAT-GAN, TEL AVIV

이 종 구   3/12, SEGAL-ZUTAR DORM., TECHNION CITY, HAIFA   04-258442

김 대 현

최 경 미   P.O.BOX 155, HAIFA 31001   04-510703, 522151

윤 택 승   KIBBUTZ NAAN

김 연 식   "

손 인 수   "

이 은 숙   KIBBUTZ EIN HAROD

최 병 욱   MOSHAV   063-97024

장 오 남

0015

영 미 탄 KIBBUTZ DOROT   051-808948

김 영 혜 KIBBUTZ GALON. D.N. SDEH GAT. 79555   051-872777

박 예 영 KIBBUTZ HANITA. 22885   94-859580

진 경 애

김 경 숙

이 영 춘

0016

재 이스라엘 한인회 비상 연락망

```
┌─────────────┐        ┌──────────────────┐
│ 카이로 영사관 │───────│ 한인회장(김주경)   │
└─────────────┘        └──────────────────┘
```

성지교회(이정복) / **키리얏요밥(박홍우)** / **타 못(손혜신)** / **하르하쪼핌(신충훈)** / **브로봇(김중진)**

성지교회(이정복)	키리얏요밥(박홍우)	타 못(손혜신)	하르하쪼핌(신충훈)	브로봇(김중진)	
정효제 윤순현	김제현	권성담	최영철	전상영	박철원
정순혁	김진해	이대우	김영화	서병선	도명술
김진태	김하연	박성현	김성임	나승열	김수현
이주형	허주입	최창모	권순재	이병철	박배행
신장식		강대윤	조성욱	조성근	박기용
이춘재					

영미탑
박예영

이스라엘 가족
김영혜
김경숙
진경애

전주교(박호균)
안베다 강아고비
조철수 전노벨토
김 형 신 신부
박엘리사벳
떼 아
바아순시아
카리타스
이요안나

하이파
이중구
박재호
최경미

기브츠(전상영)
최병욱 윤태승
장오남·이온숙
손인수·김연식

진리교회(김성)
김영진

텔아비브(이온하)
최인숙·조정욱
최매자
오송학
이규찬
조대연

0017

관리 번호	91- 19

외 무 부

종   별 : 지 급

번   호 : JOW-0030　　　　　　　　　　　　일   시 : 91 0111 1530

수   신 : 장 관(마그,기정)

발   신 : 주 요르단 대사

제   목 : 이스라엘 교민철수대책

대:WJO-0028

　　주재국과 이스라엘과는 평시에도 봉신수단이 없으며, 현재는 비상경계하 국경이 완전 폐쇄 상태에 있어 체류 유학생등 교민관련 확인 방법이 없음

　　(대사 박태진-국장)

　　예고:91.6.30 까지

중아국　　안기부

발 신 전 보

WCA-0030   910111 1719 FK   종별 :

WJO -0028

번   호 :

수   신 : 주   수신처참조 대사 . 총영사

발   신 : 장   관   (마그)

제   목 : 이스라엘 교민철수 대책

1. 미·이락 외무장관의 1.9.제네바 회담이 성과를 거두지 못한채 끝나고
유엔이 정한 1.15.시한이 다가옴에 따라 대부분의 국가들이 이락은 물론 기타
전쟁피해가 예상되는 주변국들로 부터 자국 대사관을 폐쇄키위한 조치를 취하는
한편 자국민에 대해서도 철수를 적극 권유하고 있는 실정임.

2. 이와 관련하여 정부는 이락, 사우디, 요르단, 바레인, 카타르, UAE의
공관원가족 및 진출업체 근로자에 대한 철수계획을 추진중에 있으며 현지교민에
대해서도 철수토록 적극 권유하고 있음.

3. 전쟁피해가 예상되는 주변국의 하나인 이스라엘에 현재 체류하고 있는
유학생을 포함한 교민의 수, 이들의 안전성 여부등을 파악하고 비상사태에 대비한
철수계획도 수립 조속 보고바람.

4. 본부에서 파악한 바에 의하면 90.6.30.현재 이스라엘거주 아국인은
유학생, 종교인등 총 115명(예루살렘 72명, 텔아비브 43명)이라는바 참고바람.

(중동아프리카국장 이 해 순)

수신처 : 주 카이로 총영사 , 주 요르단 대사

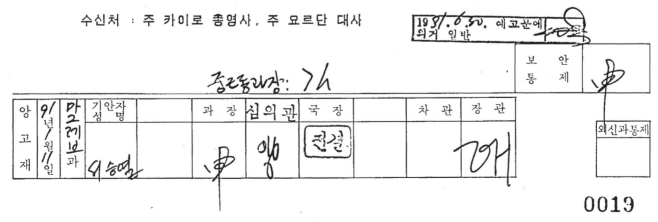

國名: 이스라엘 管轄公館名: 駐카이로總領事館		國 또는 管轄地域 總計			地域別					
					에루살렘			텔라바브		
男 女 別		男	女	總計	男	女	小計	男	女	小計
滯留者總數		59	56	115	38	34	72	21	22	43
登錄者數		50	49	99	35	30	65	15	19	34
職業別	留學生 人文	15	6	21	14	6	20	1		1
	自然	9	1	10				9	1	10
	計	24	7	31	14	6	20	10	1	11
	公務員									
	國營企業體職員									
	民間商社駐在員									
	言論人									
	銀行員									
	商業									
	技術者	2		2	1		1	1		1
	勞務者	1	3	4				1	3	4
	文藝人		1	1		1	1			
	宗敎人	9	1	10	9	1	10			
	醫師									
	看護師		2	2		2	2			
	船員									
	主婦		18	18		10	10			
	一般 其他	23	24	47	14	14	28	9	8	8
	計	59	56	115	38	34	72	21	10	19
年齡別	0歲～9歲	9	18	27	7	11	18	2	22	43
	10歲～19歲	2	2	4	2	1	3		7	9
	20歲～29歲	22	12	34	10	9	19	12	1	1
	30歲～39歲	21	19	40	15	11	26	6	8	15
	40歲～49歲	4	2	6	4	2	6			14
	50歲～59歲	1	3	4				1	3	
	60歲～以上									4
	計	59	56	115	38	34	72	21	22	43

0020

원 본

외 무 부

종 별 :

번 호 : CAW-0035   일 시 : 91 0112 1730

수 신 : 장관(마그)

발 신 : 주 카이로 총영사

제 목 : 이스라엘 교민철수계획

대: WCA-0030

연: 주카이로(영)20830-21(91.1.)

1. 91.1.12. 현재 재 이스라엘 아국교민은 유학생 포함 총 120 명중 9 명이 일시 해외로 대피하여 **총 잔류인원은 111 명**(에루살렘 57 명, 텔아비브지역49 명, 기타지역 5 명)임.

2. 이스라엘 당국은 이락의 대이스라엘 미사일 공격시 이스라엘의 대미사일 방어능력에 비추어 피해는 크지 않을것으로 분석하고 있으며, 이스라엘측은 아국교민을 포함 모든 국민에게 방독면을 지급하여 유사시에 대비하고 있음.

연이나, 1.9. BAKER-AZIZ 회담 결렬 이후 대부분의 주요 항공사들의 이스라엘 취항 축소 또는 중단 예정, 미국등 서방선진국들의 자국민 철수권고 등으로 인해 아국교민들도 동요하고 있는 상황임.

3. 당관은 지난 91.1.1-3. 간 담당 영사 이스라엘 출장(연호 참조)에이어, 금 1.12. 재 이스라엘 한인회장을 통해 현 사태를 설명하고 아래와 같이 비상철수 계획을 확인함.

. 한인회를 중심으로 교민 비상연락망 재점검, 비상시 신속대처

. 이집트 입국비자 사전취득

. 비상시 육로를 이용 라파아(이스라엘, 이집트 국경지역)지역 집결시 당관은 버스를 임차, 라파아 지역에서 동교민들을 영접토록 조치.

. BBC, VOA 등 주요국제방송을 비롯한 주재국의 주요뉴스 방송청취와 취득뉴스 교민사회에 신속전파

. 유사시 이스라엘 정부의 대피명령 준수및 방독면 사용방·법숙지, 교민회를중심으로 비상연락망 유지, 비상식량 준비및 수시로 전화 또는 당지 KOTRA

중아국   차관   2차보   중아국   청와대   안기부

FAX 등을 이용 당관과 접촉유지.

4. 한편, 당관은 불요불급 교민의 사전 해외 대피를 적극 권고하고 있으나,재이스라엘 교민들의 대부분은 유학생으로 학업및 경제적 이유등으로 인해 인근지역 또는 본국으로의 철수를 망설이고 있는 실정임.

5. 당관은 사태추이를 예의주시 비상시에 신속 대처위계임.끝.

(총영사 박동순 - 국장)

예고:91.6.30. 까지

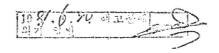

발 신 전 보

번   호 : WJA-0161   910113 1918 DA   종별 :

수   신 : 주 일   대사//총영사   (사본:주카이로총영사) WCA-0036

발   신 : 장 관 (마그)

제   목 : 폐만 사태관련 교민 안전

1. 이스라엘에는 현재 111명의 아국인 (예루살렘 57, 텔아비브 49, 기타
   지역 5)이 체류하고 있는바 당부는 주카이로 총영사에 폐만 사태관련
   위급시에 대비한 교민 안전 대책을 강구토록 지시하였고 주카이로
   총영사는 유사시 교민들이 이스라엘의 라파아 (이집트 국경지역)를
   통해 이집트로 피신토록 계획을 수립하고 있음을 보고해 왔음.

2. 이와관련 귀지 주재 이스라엘 대사에게 이스라엘 정부측에서 아국
   교민의 안전에 각별히 유의해 주고 유사시 이집트 및 인근 안전지역
   으로의 대피에 적극 협조해 주도록 요청 바람. 끝.

(중동아프리카국장 이 해 순)

예고 : 91.6.30.까지

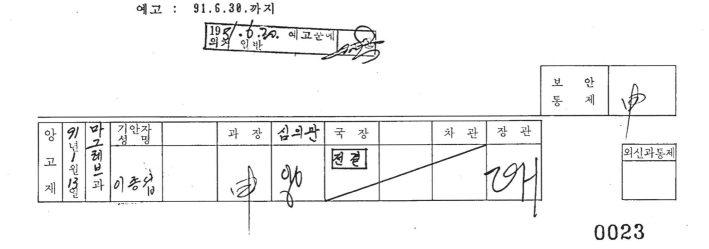

		기안자 성 명		과 장	심의관	국 장	차 관	장 관	
앙 고 지	91년 1월 13일 마그레브과	이종입				전결			

보 안 통 제

외신과통제

0023

管理번호 91-(0)

분류번호	보존기간

발 신 전 보

WCA-0037   910113 1918 DA   종별 :

번   호 :

수   신 : 주 카이로   대사// 총영사

발   신 : 장 관 (마그)

제   목 : 페만 사태관련 교민 안전

대 : CAW - 0035

1. 대호 ~~아스라엘 체류 아국 교민의 안전 문제 및 유자지 이집트등으로의~~ ~~대피에 이스라엘 정부가 적극 협조해 주도록 주일 아스라엘 대사를 통해~~ ~~요망하였는바, 참고 바라며~~ 재이스라엘 한인회 연락처를 보고 바람.

2. 아울러 철수시 이집트 입국 비자 취득등을 위한 이집트 정부측의 협조를 사전 부탁해 놓고 철수후의 사후 대책도 사전 강구해 놓기 바람. 끝.

(중동아프리카국장 이 해 순)

예고 : 91.6.30. 까지

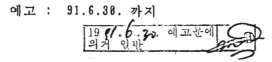
1991.6.30. 예고문에 의거 일반

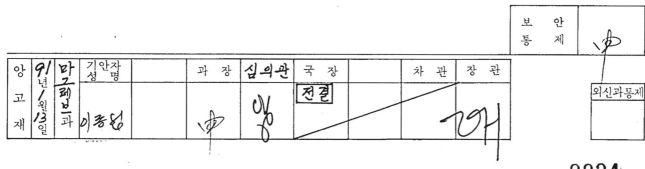

앙고재	91년 1월 13일	마그과	기안자 성명 이종섭		과 장	심의관	국 장 전결		차 관	장 관

보 안 통 제	
외신과통제	

0024

31

외 무 부

종 별 :

번 호 : CAW-0047　　　　　　　　　　　일 시 : 91 0114 1615

수 신 : 장관(마그)

발 신 : 주 카이로 총영사

제 목 : 페만사태관련 주민대책

대:WCA-0037

　1.14. 대호건 대아국인의 이집트 입국비자 발급에 주재국 정부의 협조를 EL-HAWARY
외무부 아국담당 공사에게 요청하였던바, 동인은 본건 상부에 보고 필요협조를
강구토록 하겠다고 하였음. 끝.

　(총영사 박동순-국장)

　예고:91.6.30. 까지

1991.6.30 예고단에
의의 의함

중아국　　장관　　차관　　1차보　　2차보　　중아국

관리번호	91- 100

분류번호	보존기간

발 신 전 보

번 호 : WCA-0049   910115 0116 DP   종별: 긴급

수 신 : 주 카이로   대사. 총영사//

발 신 : 장 관 (중근동) 마그

제 목 : 이스라엘 교민 안전

대 : CAW - 0044

1. 1.14. 이라크 의회의 성전 촉구 결의이후 개전위험이 급격히 높아지고 있는바, 재이스라엘 교민 전원의 조기철수 또는 안전지대 (이집트 국경 부근)로의 대피를 촉구 바람.

2. 대호 KAL 편에 의한 본국 수송은 이스라엘과 요르단간의 통행 불능 및 항공일정상 불가하니 이스라엘 한인회측에 주시시키기 바람.   끝.

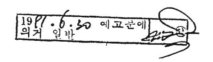

(중동아프리카국장 이 해 순)

예 고 : 91.6.30. 까지

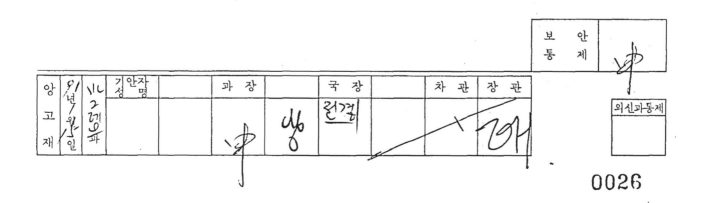

앙고재	기안자성명	과 장	국 장	차관 장관	보 안 통 제
91년 1월 2일 경 기					
				외신과통제	

0026

관리 91-
번호 138

외 무 부

종 별 : 지급

번 호 : JAW-0172

일 시 : 91 0115 1125

수 신 : 장관(중근동,아일)

발 신 : 주 일 대사(일정)

제 목 : 이스라엘 거주 아국민 대피

당지 영자지 JAPAN TIMES 금 1.15. 자 조간에 아국정부가 이스라엘 거주 아국교민 전원을 대피시키기로 하고 당지 이스라엘 대사관측에 대피관련 협조를 요청 하였다는 기사가 게재된바, 당지 이스라엘 대사관 참사관은 금일 아침 당관 이준일 참사관에게 전화, 상기 기사 관련 아국정부가 실제로 대피작업을 진행중에 있는지 여부 및 향후 대피시킬 계획인 경우, 대피와 관련 구체적으로 어떠한 사항에 대해 협조를 요청하는 지를 문의해 왔는바, 동건 지급 회시 바람. 끝.

(공사 김병연-국장)

예고:91.6.30. 일반

1991.6.30 예고문에 의거 일반

중아국   장관   차관   1차보   2차보   아주국

관리 번호	11- 139

분류번호	보존기간

발 신 전 보

번   호 : WJA-0200   910115 1856 BX   종별 : 지급

수   신 : 주   일   대사. ~~총영사~~

발   신 : 장   관   (마그)

제   목 : 재이스라엘 교민안전

대 : JAW-0172

연 : WJA-0161

1. 정부는 페만전쟁 발발의 위험성이 고조되고 있는 현재 KAL 특별기를 파견 이라크등 위험지역내 교민들을 철수시키고 있으며 이스라엘내 교민들은 만약의 사태에 대비하여 제3국으로 철수하거나 안전지대(이집트 국경지역)로 우선 이전토록 ~~하여 유사시 이집트로 대피하도록~~ 주카이로총영사를 통해 촉구 하고 있음.

2. 이는 이스라엘의 전쟁 개입 가능성을 전제로한 교민에 대한 사전 안전 조치인바 이스라엘 정부에 대해서는 아국인 대피시 안전한 통행 및 이집트로의 월경시 가능한한 최대의 협조 제공 요망과 이스라엘내에서 일반 외국인에 대한 안전조치 제공시 아국인에게도 똑같은 배려를 해주기를 요망하는것임.   끝.

예고 : 91.6.30. 일반.

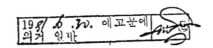

(중동아국장 이 해 순)

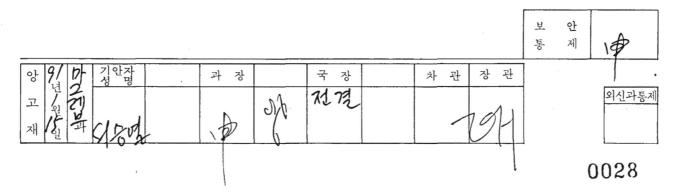

보 안 통 제	印

앙 고 재	91 년 1 월 15 일	기안자 성명	과 장		국 장		차 관	장 관	외신과통제
		이충명			전결				

0028

관리 번호	91- 136

외 무 부

종 별 : 지 급

번 호 : JAW-0211

일 시 : 91 0116 1820

수 신 : 장관(중근동,아일)

발 신 : 주 일 대사(일정)

제 목 : 이사라엘거주 아국교민 안전

대 : WJA-0161,0200

연 : JAW-0172

1. 대호관련, 이준일 참사관은 1.14(월)에 이어 1.16(수) 재차 당지 이스라엘 대사관 MARGALIT 공사와 접촉, 대호(WJA-0200) 2 항관련 이스라엘측의 협조를 요청함.

2. 상기 요청에 대해 동공사는 잘 알겠으며, 이를 즉각 본국에 보고, 협조 조치가 이루어 지도록 하겠다고 언급함. 끝

(공사 김병연-국장)

예고:91.12.31. 일반

접토필(1991.6.30.)

1991.12.31. 에 예고문에
의거 일반문서로 재 분류됨.

종아국	장관	차관	1차보	2차보	아주국	청와대	총리실	안기부

대책1반

PAGE 1

91.01.16 19:42

외신 2과 통제관 DO

0029

長 官 報 告 事 項

報 告 畢

1991. 1 . 18 .
中東.아프리카局
마그레브 課(19)

題 目 : 在 이스라엘 僑民 安全對策

1. 이라크의 이스라엘 공격현황

o 텔아비브, 하이파 공격(1.18. 10:05 주명대사관 전화보고)

- 1.18. GMT 0:30 (한국시간 1.18. 09:30) 스커드 미사일 발사

- 텔아비브 지역에 3-5발, 하이파 지역에 8발 투하

- 미국방부 동사실 확인

- 이중 적어도 1개는 화학무기 장착설(미국 NBC 보도)

· 미국방부 및 이스라엘 국방부 대변인 동사실 부인

o 주미 이스라엘 대사 성명(1.18. KST 12:35)

- 이스라엘은 사태의 복잡성을 감안하고 미국정책에 호응하기 위해
즉각 보복하지 않는다는 어려운 결정을 내렸음.

2. 이스라엘 철수 및 잔류현황

o 총 교민수 : 120명 (90.12.31. 현재)

o 철수자 : 55명 (1.16.까지)

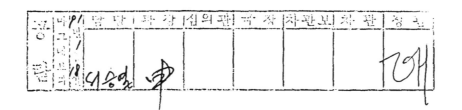

0030

ㅇ 잔류자   : 65명 (1.17.현재)

　- 신부 및 수녀 : 8명 (카톨릭 본부지시없이 철수 불가입장)

　- 연구원 및 가족 : 20명 (연구소 대피계획에 따라 대피예정)

　- 유학생 : 30명 (학기가 끝나는 1.26. 까지 잔류희망)

　- 기타 : 7명

3. 교민안전 조치현황

가. 안전 조치사항

　ㅇ 주 카이로 총영사관 영사 이스라엘 출장 (91.1.1~3)

　　- 고민회와 안전대책 협의

　ㅇ 주 카이로 총영사관에 지시

　　- 고민 안전대책 점검 및 필요시 이집트 대피(1.11, 1.13)

　　- 전고민 조기철수 또는 이집트 국경지대 대피토록 지시(1.15)

　ㅇ 주일 이스라엘 대사관을 통해 고민의 안전 및 대피협조요청(1.13, 1.15)

　※ 현재 본부에서 모든 고민연락처 보관중

나) 주 카이로 총영사관의 고민안전 계획

　ㅇ 한인회를 중심으로 고민비상연락망 수립(10개반으로 편성)

　ㅇ 비상시 육로이용 라파아(이스라엘, 이집트 국경지역)집결후 버스로
　　이집트 수송

다) 주카이로 총영사관 대피 조치사항

　ㅇ 고민 8명, 버스로 이집트 대피조치(1.15)

　ㅇ 대피고민을 위해 한인 학교건물 2층에 임시숙소 마련

0031

외 무 부

종 별 :

번 호 : CAW-0063　　　　　　　　　　　　　일 시 : 91 0116 2130

수 신 : 장관(중근동,마그)

발 신 : 주 카이로 총영사관

제 목 : 교민 비상철수

대:(1)WCA-0053 (2)WCA-0054
연:(1)CAW-0035 (2)CAW-0052

1. 연호(1), 작 1.15 라파아 국경지역을 봉하여 재 이스라엘 아국교민 8 명이 당관이 주선한 버스를 이용 동일 밤늦게 당지로 무사히 대피, 당관이 주선한 호텔에 체재중임.

2. 한편 재이스라엘 한인회에 확인한바, 금일(1.16)중 약 15 명의 교민들이 서울및 파리등으로 대피할 예정으로 있어 1.16. 현재 이스라엘 교민중 잔류인원은 65 명임.

3. 상기잔류교민 65 명중, 케볼릭 신부및 수녀등 8 명은 카도릭교리에 따라카도릭본부의 지시없이는 전쟁 발발시에도 철수 하지않을것이라고 하며 나머지57 명은 유사시 철수를 희망하고 있으나, 이들거의 대부분은 본국철수시 여비(1000 불)를 당장 지불할수 없는자들임.

4. 또한 상기 57 명은 여비 지불무능력 이유이외에도 텔아비브소재 와이츠만 연구소에서 연구중인 약 20 명(가족포함)은 연구소 당국의 대피계획에따라 이스라엘내에서 대피할것도 고려중이며,30 여명의 잔여인원은 유학생들인바 이들은학기가 끝나는 1.26 까지는 이스라엘내에 체류할것을 고려하고 있어 철수또는 대피여부를 결정하지 못하고 있는 실정임.

5. 따라서 당관은 유사시기가 언제인가를 예측할수 없으나 일단 안전지대로대피할것을 재차 촉구하고 이집트로 대피하는 교민에 대해서는 당지 한인학교건물 2 층에 임시숙소를 마련해줄것임을 통보함.

6. 한인회측은 상기 당관 통보에따라 대피인원을 재확인 당관에 알려주기로함.

7. 또한 한인회에 의하면 8.2 이후 이미 상당수 인원이 철수했으며 잔류인원은 예비지불 무능력 및 상기 제반 이유등으로 대피하지 못한자들이며, 또한 대호

중아국	장관	차관	1차보	2차보	중아국	청와대	총리실	안기부

PAGE 1　　　　　　　　　　　　　　　　　　　　　91.01.17　05:21

특별기(항공루 1000 불)에 의하지 않고도 일반항공기(요금 930 불)로도 철수할수 있다고 생각하고 있기때문에 현재로서는 특별기 탑승희망자가 거의없는 실정임.

8. 따라서 당관은 일차적으로 이스라엘 교민이 당지로 대피토록 하는데 역점을 두고 추진코저하며 진정상황 계속 보고위계임.끝.

(총영사 박동순-국장)

예고:91.6.30. 일반

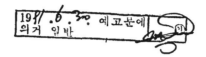

분류번호	보존기간

발 신 전 보

WCA-0062　　910118 1119　DA

번　　호 :　　　　　　　　　　　　　종별 :　긴급

수　　신 :　주　카이로　대사 : 총영사

발　　신 :　장　관　　（마그）

제　　목 :　재 이스라엘 교민안전

대 : CAW-0063

연 : WCA-0049, 0053

1. 외신보도에 의하면 09:20 (한국시간) 이라크는 SCUD 미사일(약10기)을 텔아비브, 하이파 지역에 발사하여 이스라엘을 공격했으며 이스라엘도 이에 반격했다하는바 동 공격현황 및 이스라엘의 반격현황을 파악 보고바람.

2. 아울러 이스라엘 한인회측과 긴급연락, 교민들의 피해여부등을 파악하고 이들을 안전지대로 대피토록 조치바람.　끝.

(중동아국장 이 해 순)

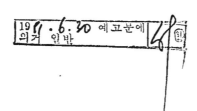

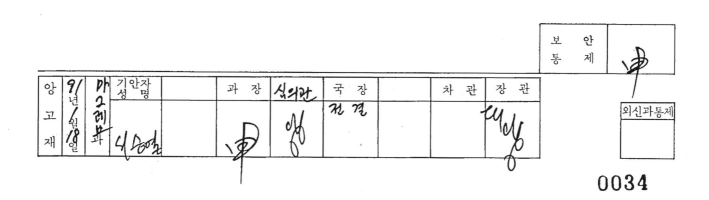

0034

	분류번호	보존기간

발 신 전 보

번 호 : WCA-0065   910118 1905 AO   종별 : 긴급

수 신 : 주 카이로   ////대사. 총영사

발 신 : 장 관 (중근동)

제 목 : 이스라엘 교민 안전

대 : CAW 0063

연 : WCA 0049(1), 0062(2)

1.   대호 보고에 의하면 이스라엘 잔류 아국 교민은 1.16일 현재
65명인바, 그간 이스라엘 국외로 철수한 인원 및 잔류 인원의 정확한 현황을
지역별로 지급 보고바람. (동 현황은 곧바로 상부 보고 및 언론에 보도되고
있으므로 정확성, 신속성에 유의바람.)

2.   아울러 연호(1)로 지시시한 바와같이 이스라엘 체류 전 교민이
안전지대로 대피토록 촉구 할것을 지시하니 시행에 만전을 기하기 바람.
금번 전쟁은 단기전으로 끝날 가능성이 크므로 약 1주일정도 안전차태로
파신도록 설득바람.

3.   이라크, 이스라엘 무력 충돌 현황, 피해 현황 및 교민 안전
문제는 매일 수시로 보고바람.   끝.

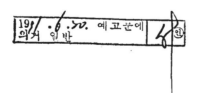

(중동아국장 이 해 순)

양고재	91년 1월 18일	기안자 성명	과 장	국 장	차 관	장 관
	12 2 21 과	이승명		전결		

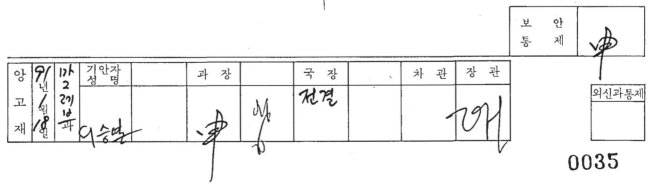

보 안 통 제	
외신과통제	

0035

이스라엘 僑民의 安全對策

○ 이스라엘에는 120명의 僑民이 있었는바 同僑民들의 安全對策을 위해 취한
   措置는

   - 駐 카이로 總領事舘 領事가 이스라엘에 出張가서 僑民會側과 僑民安全
     對策을 協議하였고(91.1.3)

   - 政府는 駐 카이로 總領事舘에 僑民非常撤收 및 安全對策을 매일 指示,
     點檢하고 있으며 (91.1.11, 1.13, 1.14, 1.15, 1.16, 1.17, 1.18)

   - 駐日 이스라엘 大使를 통해 이스라엘 政府의 協調를 부탁해왔음(1.13, 1.15)

○ 이러한 措置結果 120명의 僑民중 1.17.現在 55명이 撤收하고 65명이 殘留
   하고있는바 이들 殘留者들중

   - 神父 및 修女 8명은 카톨릭 本部指示 없이는 撤收가 不可한 사람들이며

   - 研究所 勤務者 및 家族들 20명은 研究所 待避計劃에 따라 待避할 豫定이며

   - 留學生 30명은 學期가 끝나는 1.26.까지 滯留하고자 하는 사람들 임.

○ 1.18. 이라크의 이스라엘 攻擊開始에 따라 政府는 駐카이로總領事에게
   僑民安全 與否를 把握토록하고 狀況에 따라 이집트 國境附近의 安全地帶나
   이집트영내로 待避토록 指示하였음.(총영사관에서 버스로 카이로로 수송,
   韓人會 學校건물을 宿所로 쓸수있도록 計劃樹立)

0036

(이라크의 이스라엘 공격현황)

ㅇ 텔아비브 공격(1.18. 10:05 주영대사관 전화보고)
- 1.18. GMT (한국시간 1.18. 09:05) 3-5발의 스커드 미사일 발사
- 미국방성 동사실 확인
- 이스라엘 당국 가스마스크 착용지시

ㅇ 하이파 지역 (주영 대사관 전화보고)
- 1.18. GMT 0:30 8발의 스커드 미사일 발사
- 이중 적어도 1개는 화학무기 장착(미국 NBC 보도)

(이스라엘 교민현황)

ㅇ 총 교민수 : 120명 (90.12.31. 현재)
- 유학생 : 56명
- 주 부 : 21명
- 어린이 : 28명
- 종교인 : 8명
- 기 타 : 7명

ㅇ 대피 및 잔류현황
- 1.16.까지 철수 및 이집트로 대피 : 55명
- 1.16.현재 잔류자 : 65명
  · 신부 및 수녀 8명 : 카톨릭 본부지시없이 철수 불가
  · 연구원 및 가족 20명 : 연구소 대피계획에 따라 대피계획
  · 유학생 30명 : 학기가 끝나는 1.26. 까지 잔류희망
  · 기타 7명

0037

(교민안전 조치현황)

o 외무부 조치사항
- 주 카이로 총영사관 영사 이스라엘 출장 교민회와 안전계획 협의
  (91.1.1 - 1.3)
- 주 카이로 총영사관에 이스라엘 교민 안전대책 점검지시(1.11)
- 주 카이로 총영사관에 교민의 이집트 입국을 위한 이집트 정부측의
  협조요청 지시(1.13)
- 주일 이스라엘 대사관을 통해 교민의 안전 및 대피협조 요청(1.13)
- 주 카이로 총영사관에 특별기 운항계획 통보(1.14)
- 주 카이로 총영사관에 교민의 조기철수 또는 안전지대로 대피토록
  지시(1.15)
- 주일 이스라엘 대사관을 통해 교민 대피협조 재차요청(1.15)
- 주 카이로 총영사관에 잔류자 현황파악 지시(1.16)
- 주 카이로 총영사관에 이라크 공격 외신통보 및 교민의 피해여부보고,
  안전지대로 대피 지시(1.18)

o 주 카이로 총영사관의 교민안전 계획
- 한인회를 중심으로 교민비상연락망 수립(10개반으로 편성)
- 이집트 입국비자 사전취득 조치
- 비상시 육로를 이용 라파아(이스라엘, 이집트 국경지역)집결후
  버스로 이집트 수송
- BBC, VOA등 주요뉴스 방송청취와 교민사회에 신속전파
- 유사시 이스라엘 정부의 대피명령 준수 및 방독면 사용법 숙지

o 주카이로 총영사관 대피 조치사항
- 교민 8명, 버스를 이용 이집트로 대피후 호텔에서 체류(1.15)
- 교민들이 안전지대로 대피할것을 재차 촉구
- 추후 대피교민을 우해 한인 학교건물 2층에 임시숙소를 마련

0038

ㅇ 연락처

   - 주 카이로 총영사관 (001-20-2)

     · 공관 : 719290, 719673, 714563, 714227

     · 관저 : 3503339, 3503163

   - 재이스라엘 한인회 (001-972-02)

     · 신광식 회장대리 : 818508

     · 한인회 회계 : 411561

     · 김진해 목사 : 885158

   - 기타 교민주소록 및 연락처 보관중

0039

외 무 부

종 별 : 긴 급

번 호 : CAW-0070

일 시 : 91 0118 1150

수 신 : 장관(대책반,마그)

발 신 : 주 카이로 총영사

제 목 : 재이스라엘 교민

연:CAW-0063(1), CAW-0066(2)

1. 재이스라엘 아국교민 안전확인

당관이 당지시간 금 91.1.18(금) 08:00 이락이 이스라엘에 발사한 스커드미사일에 의하여 피해를 입은 교민은 한명도 없음을 확인했음.

2. 이락의 대이스라엘 미사일 공격

당지뉴스(CNN 및 현지방송)보도에 의하면 금조 02:00 시 이락이 발사한 7 기의 미사일은 텔아비브및 하이파의 주태지역에 각각 2 기가 투척되어 아파크 건물이 다소 파괴되고 15 명의 부상자가 발생했으나 중상자는 없었다고 함.

3. 이스라엘 긴급 동원령 발동

현지 교민회에 의하면 이스라엘 전역에는 비상동원령이 발동되어 차량운행및 민간인의 외부출입이 전면 금지되어 아국교민은 전화로 안전여부를 상호확인하고 있으며 현 단계로서는 개별 또는 집단적인 국외 대피는 불가능한 실정이라고 함.

4. 안전대책및 대피촉구

가. 당관은 상기 사정에 비추어, 이스라엘 비상 동원령 해제시까지

1) 일단 이스라엘 민방위측의 지시에 따라 행동할것과

2) 교민 상호간의 비상연락망 긴밀 유지

3) 비상 동원령 해제시 전 교민이 일단 당지로 대피할것을 강력히 촉구함.

나. 당관은 또한 매일 오전 및 오후 2 회, 교민회츠과 전화 연락하여 사태진전에 따라 긴밀히 대처키로 했으며, 재이스라엘 교민 당지 대피시 임시 체재를 위해 당지 한인학교 2 층에 임시 숙소를 마련해 놓고 있음.

5. 재 이스라엘 교민수

91.1.18 현재 재이스라엘 교민은 1.16. 국외 대피예정이던 15 명의 교민 대부분이

중아국	장관	차관	1차보	2차보	중아국	청와대	총리실	안기부

(연호 1,2 항)항공기 운항 취소등 이유로 출국하지 못하여 총 71 명임.
　(총영사 박동순-대책반장)
　예고:91.12.31. 일반

検토필(`91.6.20) `91

`91. 12. 31. 예 예고문에
의거 일반문서로 재 분류됨.

PAGE 2

관리번호 91/493

외 무 부

종 별 : 지 급

번 호 : CAW-0073　　　　　　　　일 시 : 91 0118 1500

수 신 : 장관(대책반,마그)

발 신 : 주 카이로 총영사

제 목 : 재이스라엘 교민

대:WCA-0065

연:CAW-0070

1. 재이스라엘교민 지역별 현황은 아래와 같음.

JERUSALEM 40 명

TEL AVIV 8 명

REHOVOT 13 명

ELAT 6 명

HAIFA 2 명

키브츠 거주 3 명

계 72 명

2. 연호 보고와 같이 당관은 재이스라엘 교민회측과 계속 접촉, 통행금지가해제되는대로 일단 당지로의 대피를 강력히 촉구하고 있음. 끝.

(총영사 박동순-대책반장)

예고:91.6.30. 까지

중아국　　장관　　차관　　1차보　　2차보　　중아국　　청와대　　안기부

폐灣 非常對策 本部 (외무부)

1991. 1. 18.

題 目: 이라크의 미사일공격에 대한
이스라엘의 공식 반응

※. 이스라일은 주미 이스라엘대사의 성명을 통해
이스라일의 입장 발표 (한국시간 12:35)

<내용>

- 피해상황
  - 현재까지 자세한 사항을 모르나 민간인 6~7명이
    부상 하였으며 많은 재산 피해

- 동 사태 직후 이스라엘은 미국 국무부, 백악관과
  긴밀히 접촉 하였음.

- 이스라엘의 향후 대응

  i) 동 공격에 대한 보복권은 이스라인 정부는
     유보 (reserve) 하고 있으며 그 내용과 시기는
     미 결정.

  ii) 이스라일은 사태의 복잡성은 감 안하고
     미국 정책에 호응하기 위해 즉각
     보복하지 않는다는 어려운 결정을 내렸음.

0043

외 무 부

종   별 : 지 급

번   호 : CAW-0077   일   시 : 91 0118 1945

수   신 : 장관(대책본부)

발   신 : 주 카이로 총영사

제   목 : 재이스라엘 교민현황 및 이스라엘 국내사정

연:CAW-0070,0073

대:WCA-0062,0065

당관이 현지시간 금 91.1.18(금) 18:00 시 재 이스라엘 한인회측에 전화로 확인한 이스라엘 국내사정은 아래와같음.

1. 교민현황

가. 연호, 교민수(72 명)에는 변동이 없으며 동 교민들은 1.18 18:00 시 현재 모두 무사함.

나. 동 교민들은 1.19 현지에서 자동차 주선 가능성및 이스라엘내에서의 이동가능성등을 고려, 당지로의 대피문제를 협의할 예정이라고함.

다. 당관은 당지에 임시수용소가 마련되어 있음을 재통고하고, 현지 사정상대피가 가능한 경우 당지로 대피할것을 강력히 재 촉구함.

2. 이스라엘 국내사정

가. 대이락 반격여부

금 1.18. 이스라엘 외무장관은 이락의 미사일 공격에 대해 이스라엘은 반격할 권리를 가지고 있다고 주장하고 있으나, 동주장이 바로 대이락 반격을 의미하는것은 아니며 특히 미국의 강력한 요청에따라 이락의 추가적인 공격이 없는한 반격을 하지 않을것이라는 것이 현지의 일반적인 관측이라고함.

나. 동원령 발동

이스라엘 정부는 금조 이락의 미사일 공격후 긴급동원령을 발동, 약 25 만명의 예비군이 동원되었다고 함.

다. 이락의 공격상존 가능성

1) 이스라엘 정부는 이락의 대 이스라엘 공격가능성이 상존하고 있음을 국민들에게

중아국   장관   차관   1차보   2차보   청와대   총리실   안기부

경고하고, 불요불급한 외출금지, 경보 사이렌시 개스마스크 착용, 개스마스크 착용법 숙지(동 사용법 무지로 4 명 사망)등을 촉구했다고 함.

    2) 그러나 주간에는 거의 대부분의 상점및 은행등은 정상적인 영업을 하고 있다고함. 끝.

    (총영사 박동순-대책반장)

    예고:91.12.31. 일반

검토필(19ℓ.6.20.)

1991. 12. 31. 에 예고문에 의거 일반문서로 지 전까됨.

관리번호 91/541

외 무 부

종 별 : 긴 급

번 호 : CAW-0079

일 시 : 91 0118 0900

수 신 : 장관(대책본부)

발 신 : 주 카이로 총영사

제 목 : 걸프사태

당관이 재이스라엘 교민회및 언론을 통해 확인한 이락의 사정및 교민현황을아래 보고함.

1. 현지시간 91.1.18(금)-1.19(토) 08:30 간 이스라엘내에서는 4 회 공습경보가 발령되었으나 최초 3 회는 이락의 공격과는 관계없는것이었으나 마지막 경보(1.19.07:30-08:00 경) 시에는 예루살렘 지역에 3 개 텔아비브지역에 5-6 개(상기 미사일수는 교민회측의 말이나 당지 TV 는 예수살렘의 공격은 없었으며 텔아비브지역에 3 개의 미사일이 부착되었다고 보도함)의 이락 미사일이 부하 되었다고함.

2. 당관이 재이스라엘 한인회측과 확인반 현재시간 1.19 08:45 시 현재 교민에대한 피해는 없다고함.(피해있을시에는 각 지역 교민책임자가 교민회 최영철 총무에게 통보키로 되어있는바, 상기 시각 현재 피해통보가 없다고 하며 동 총무가 확인한바로도 아직까지는 피해가 없는것으로 확인되었다고함)

3. 이스라엘 정부당국은 T.V. 를 통해 이락의 미사일공격이 있었다고 발표했으나 피해규모, 미사일에 적재된 폭탄의 종류(재래식 또는 화학무기)및 부하된미사일의수에 대해서는 상금까지 발표하지 않고있다고 함. 연이나 당지 T.V 는동 이스라엘에는 화학무기가 아닌 재래식 폭탄이 적재되었다고 보도함.

4. 현재 상기 이락의 미사일공경에 대한 이스라엘 정부의 공식반응은 없으나 이스라엘 내에서는 금번 이락의 공격에 대해서는 보복조치를 하지않을수 없을것이라는 것이 일반적인 관측이라고 함. 본건 교민회 안전상황 대피문제등 현지 교민회측과 긴밀 접촉 추보 위계임.끝.

(총영사 박동순-대책반장)

예고:91.6.30. 일반

1991. 6. 10. 에 예고문에 의거 일반문서로 재 분류됨.

중아국   장관   차관   1차보   2차보   정와대   총리실   안기부

長官報告事項

報告畢

1991 . 1 . 18 .
中東.아프리카局
마그레브 課(18)

題 目 : 在 이스라엘 僑民 安全對策

1. 이라크의 이스라엘 공격현황

o 텔아비브, 하이파 공격(1.18. 10:05 주영대사관 전화보고)

- 1.18. GMT 0:30 (한국시간 1.18. 09:30) 스커드 미사일 발사

- 텔아비브 지역에 3-5발, 하이파 지역에 8발 투하

- 미국방부 동사실 확인

- 이중 적어도 1개는 화학무기 장착설(미국 NBC 보도)

· 미국방부 및 이스라엘 국방부 대변인 동사실 부인

o 주미 이스라엘 대사 성명(1.18. KST 12:35)

- 이스라엘은 사태의 복잡성을 감안하고 미국정책에 호응하기 위해
즉각 보복하지 않는다는 어려운 결정을 내렸음.

2. 이스라엘 철수 및 잔류현황

o 총 교민수 : 120명 (90.12.31. 현재)

o 철수자 : 55명 (1.16.까지)

o 잔류자 : 65명 (1.17.현재)

- 신부 및 수녀 : 8명 (카톨릭 본부지시없이 철수 불가입장)

- 연구원 및 가족 : 20명 (연구소 대피계획에 따라 대피예정)

- 유학생 : 30명 (학기가 끝나는 1.26. 까지 잔류희망)

- 기타 : 7명

0047

3. 교민안전 조치현황

가. 안전 조치사항

  o 주 카이로 총영사관 영사 이스라엘 출장 (91.1.1-3)

    - 교민회와 안전대책 협의

  o 주 카이로 총영사관에 지시

    - 교민 안전대책 점검 및 필요시 이집트 대피(1.11, 1.13)

    - 전교민 조기철수 또는 이집트 국경지대 대피토록 지시(1.15)

  o 주일 이스라엘 대사관을 통해 교민의 안전 및 대피협조요청(1.13, 1.15)

  ※ 현재 본부에서 모든 교민연락처 보관중

나) 주 카이로 총영사관의 교민안전 계획

  o 한인회를 중심으로 교민비상연락망 수립(10개반으로 편성)

  o 비상시 육로이용 라파아(이스라엘, 이집트 국경지역)집결후 버스로
    이집트 수송

다) 주카이로 총영사관 대피 조치사항

  o 교민 8명, 버스로 이집트 대피조치(1.15)

  o 대피고민을 위해 한인 학교건물 2층에 임시숙소 마련

0048

（고민안전 조치현황）

ㅇ 외무부 조치사항
- 주 카이로 총영사관 영사 이스라엘 출장 고민회와 안전계획 협의
  (91.1.1 ~ 1.3)
- 주 카이로 총영사관에 이스라엘 고민 안전대책 점검지시(1.11)
- 주 카이로 총영사관에 고민의 이집트 입국을 위한 이집트 정부측의
  협조요청 지시(1.13)
- 주일 이스라엘 대사관을 통해 고민의 안전 및 대피협조 요청(1.13)
- 주 카이로 총영사관에 특별기 운항계획 통보(1.14)
- 주 카이로 총영사관에 고민의 조기철수 또는 안전지대로 대피토록
  지시(1.15)
- 주일 이스라엘 대사관을 통해 고민 대피협조 재차요청(1.15)
- 주 카이로 총영사관에 잔류자 현황파악 지시(1.16)
- 주 카이로 총영사관에 이라크 공격 외신통보 및 고민의 피해여부보고,
  안전지대로 대피 지시(1.18)

ㅇ 주 카이로 총영사관의 고민안전 계획
- 한인회를 중심으로 고민비상연락망 수립(10개반으로 편성)
- 이집트 입국비자 사전취득 조치
- 비상시 육로를 이용 라파아(이스라엘, 이집트 국경지역)집결후
  버스로 이집트 수송
- BBC, VOA등 주요뉴스 방송청취와 고민사회에 신속전파
- 유사시 이스라엘 정부의 대피명령 준수 및 방독면 사용법 숙지

ㅇ 주카이로 총영사관 대피 조치사항
- 고민 8명, 버스를 이용 이집트로 대피후 호텔에서 체류(1.15)
- 고민들이 안전지대로 대피할것을 재차 촉구
- 추후 대피고민을 우해 한인 학교건물 2층에 임시숙소를 마련

0049

o 연락처

- 주 카이로 총영사관 (001-20-2)

  · 공관 : 719290, 719673, 714563, 714227

  · 관저 : 3503339, 3503163

- 재이스라엘 한인회 (001-972-02)

  · 신광식 회장대리 : 818508

  · 한인회 회계 : 411561

  · 김진해 목사 : 885158

- 기타 교민주소록 및 연락처 보관중

0050

분류번호	보존기간

발 신 전 보

번   호 : WCA-0068   910119 2225 DA 종별: 초긴급

수   신 : 주   카이로 총영사 ~~대사//총영사~~

발   신 : 장   관 (중근동)

제   목 : 이스라엘 잔류교민 보호

앞으로
~~향후~~ 이라크의 대이스라엘 미사일 공격이 ~~강화될~~ ^{있을} 것으로 예상되는바, ~~별도~~ 보고한

대로 ~~이럴 경우에 대비~~ 이스라엘 잔류 교민과 ^{매일 2회} ~~수시~~ 연락, 이들의 안전 여부를

확인하고 결과 즉시 보고바라며, 동 잔류자들의 안전에 만전 기하기 바람.

(특히 미사일 공격후)

(중동아국장 이 해 순)

예 고 : 91.6.30. 일반

1991. 6. 30. 대 예고문에
의거 일반문서로 재 분류됨. ⑩ 심

보 안 통 제 7h

앙고재	91년 1월 19일 중근동과	기안자 성 명 박종순	과 장 7h	심의관 국 장 전결	차 관 장 관	

외신과통제

0051

외 무 부

종 별 :

번 호 : CAW-0090

일 시 : 91 0120 1200

수 신 : 장관(대책반,마그)

발 신 : 주 카이로 총영사

제 목 : 이스라엘교민현황

연:CAW-0079

대:WCA-0068,0066

당관이 현지시간 금 1.19(일) 08:00 시 재이스라엘 한인회측과 전화접촉 확인한 재이스라엘 교민현황및 동국내 사정을 아래 보고함.

1. 교민현황

91.1.19(토) 18:00-1.20(일) 08:00 시간 이스라엘내에는 1 차 공습경보가 있었으나 외부로부터의 공격과는 관계없는 것으로 확인되었으며 아국교민 모두 안전함.

2. 이스라엘 국내상황

가. 1.19 조조 이락의 미사일 공격이후 만 24 시간이 지난 금조(1.20) 까지 이락으로부터의 미사일 공격이 없었기 때문에 시민들은 한결 안도하고 있으며 정부 당국에서도 북부 일부지역을 제외한 남부지역 거주 주민들에 대해서는 그동안 실시해온 활동제한을 거의 해제했으며 따라서 이지역 주민들은 자유로이 활동하고 있다고 함.

나. 이스라엘 정부의 상기 완화조치는 과거 24 시간내에 이락의 미사일 공격이 없었으며, 또한 미국이 지원한 PATRIOT 미사일이 이미 이스라엘내에 배치되어 이락의 미사일공격에 대체할 수 있게 된데 연유한 것으로 보고있음.

3. 아국교민 철수

가. 금 1.20. 09:00 시 약 20 명내외의 교민이 당지로 대피코자 이스라엘을 출발했는바, 당관은 주재국 입국수속을 지원하기 위해 송응엽 영사를 당관에 주선한 버스편으로 국경지대에 파견했음.

나. 상기 철수 교민은 현지시간 1.20. 22:00 시경 당지 도착예정임.

중아국	장관	차관	1차보	2차보	중아국	정와대	총리실	안기부

PAGE 1

91.01.20 19:47

외신 2과 통제관 DO

0052

다. 지난 24 시간중 이스라엘 국내사태의 다소의 호전으로 철수교민의 수가 다소 감소하였는바, 정확한 숫자는 당지 도착후 보고 위계임.

라. 상기 철수교민 대부분 이스라엘 당국으로 부터 장학금을 지급 받고있는 유학생이기 때문에 당지 체류 비용을 갖지 못하고 있어 당관은 이들을 당지 한인학교 2층에 임시 수용, 이스라엘 사태 진전에 따라 금후 대책을 강구 예정임. 끝.

(총영사 박동순-대책반장)

예고:91.6.30. 일반

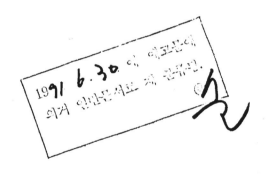

PAGE 2

0053

주카이로 공선섭 부총영사 전화 보고

(1.20. 16:00)

o 현재 이스라엘 잔류 교민 71명 전원, 피해 전혀없이 안전한 상태라 함.

? o 텔아비브 시가지는 어제보다 상황이 더 좋아지고 있으며, 시민들도 별 동요가 없다 함.

o 1.20. 애급으로 긴급 대피예정인 이스라엘 잔류 교민 27명을 위해, 주카이로 송욱엽영사를 애급 국경지대에 파견함.

공람	제만배산대수 본원경원이	담 당	과 장	심의관	국 장	부차장
		박흥순	엽	전결		

분류번호	보존기간

발 신 전 보

번 호 : WSB-0172   910121 1712 AO 종별: 초긴급

WBH -0052	WAE -0063
WJO -0111	WQT -0041
WOM -0047	WIR -0071
WYM -0038	WTU -0034
WJD -0037	WCA -0071

수 신 : 주 수신처 참조 ////대사//총영사

발 신 : 장 관   (중근동)

제 목 : 교민 신변 안전 보호

각하께서는
 대통령은 걸프전쟁의 확전 가능성에 대비, 전쟁 위험지역에 잔류중인
아국민의 보호 대책에 만전을 기하고 교민 철수 방안도 적극 강구하라는 지시가
있었는바 귀직은 귀직 책임하에 귀지에 잔류중인 아국민의 보호(철수 포함)에
만전을 기하기 바람.   끝.

(장관)
(중동국장   이 해 순)

수신처 : 주 사우디, 바레인, UAE, 요르단, 카타르, 오만, 이란, 예멘, 터키 대사
 주 젯다 총영사, 주 카이로 총영사.

예 고 : 1991.6.30. 일반

보보강:

보 안 통 제	15

앙 고 재	91년 1월 21일 중근동 과	기안자 성명 박종순	과 장 가	심의관 국 장	차 관	장 관

외신과통제

관리번호 91/200

외 무 부

종 별 :

번 호 : CAW-0092

일 시 : 91 0120 1900

수 신 : 장관(대책반,마그)

발 신 : 주 카이로 총영사

제 목 : 재 이스라엘 교민일부 철수

연:CAW-0087

1. 연호 재 이스라엘 철수교민 9 명의 당지시간 금 1.20(일) 16:00 시 이슬엘 애급국경을 넘어 당관이 파견한 송응엽영사의 지원으로 주재국 입국소속을 마치고 카이로로 향발했음. 당지에는 금 22:00 시경 도착 예정임.

2. 1.19 당관이 교민회를 통해 조사한 철수 희망 교민은 연호와 같이 약 27 명이었으나 지난 24 시간 동안에 이락의 추가공격이 없었기 때문에 이스라엘 내의 긴장분위기가 호전됨에 따라 당초 철수하고자 했던 다수교민이 당분간 사태의 추이를 더 관망한 후 대피 여부를 결정키로 심경변화를 일으켜 철수교민수가 감소 된것임.

3. 따라서 재 이스라엘 현재 잔류교민 총수는 기보고에 의하면 62(71-9)명이나 금일 오후 그간 교민회에 누락되었던 유아 1 명과 최근 이스라엘에 입국한 국민일보 임시특파원 1 명, 게 2 명이 새로 추가됨에 따라 현 총 잔류인원은 64 명임.끝.

(총영사 박동순-대책반장)

예고:91.6.30. 일반

1991. 6. 30 에 [도장]

중아국 안기부	장관	차관	1차보	2차보	중아국	영교국	청와대	총리실

PAGE 1

91.01.21   03:10

외신 2과 통제관 DO

0056

관리
번호 91-21

외 무 부

종 별 :

번 호 : CAW-0093

일 시 : 91 0120 2110

수 신 : 장관(대책반,마그)

발 신 : 주 카이로 총영사

제 목 : 이스라엘교민 철수

연:CAW-0087,0092

연호, 이스라엘 철수교민 9 명은 1.20(일)20:00 시 당지에 무사히 도착, 당관이 주선한 숙소에 부숙했음. 끝

(총영사 박동순-대책반장)

예고:91.6.30. 일반

중아국	장관	차관	1차보	2차보	영교국	청와대	총리실	안기부

PAGE 1

외 무 부

종 별 :

번 호 : CAW-0095   일 시 : 91 0121 1215

수 신 : 장관(마그)

발 신 : 주 카이로 총영사

제 목 : 이스라엘교민

연:CAW-0092,0093

　　1. 당관은 당지시간 금 91.1.21(월) 09:00 이스라엘 최영철 한인회장 대리와 접촉 확인한바, 1.19(토)조조 이락의 미사일공격 이후 추가공격이 없었으며 동일 현재 아국교민 64 명(에루살렘 지역 34 명, 텔아비브 1 명, 갈릴리 지역 6 명, 르호붓 9 명, 에일라트 8 명, 키브츠 3 명, 하이파 3 명)은 전원 무사하며, 텔아비브 및 하이파 일부지역을 제외한 이스라엘 전역의 일상생활이 정상화되고 있다함.

　　2. 연이나, 당관은 이락의 대 이스라엘 추가공격및 이에따른 이스라엘의 대이락 보복이 예상되는 상황을 설명하고 전 교민의 안전지역 대피를 재차 촉구하였는바, 현재 이스라엘 잔류 아국교민 대부분은 가족이 없는 유학생, 신부 및 수녀등이며 이들은 학기말고사 일정상 또는 이스라엘 잔류에 따른 신변 위험을 비교적 적게 느끼는 이유등으로 인해 국외 대피를 망서리고 있는 상황임.

　　3. 한편 연호 작 1.20 이스라엘 교민철수시, 당관 요청에 따라 주재국 당국은 라파아 국경지역 출입국관리소에 사전 통보하여 동 아국교민의 신속한 입국소속및 제반 편의를 제공하는등 아국교민 철수관련 최대한 협조를 보여주고 있음. 끝

　　(총영사 박동순-대책반장)

예고:91.6.30. 일반교류에 의거 일반

중아국	장관	차관	1차보	2차보	청와대	총리실	안기부

이스라엘 체류 교민 안전 문제

o 91.1.21 현재 49명이 철수하고 64명이 체류중인바, 현재까지 이락의
   대 이스라엘 공격으로 피해를 입은 교민은 없음.

o 주 카이로 총영사관은 수시 재 이스라엘 교민회와 전화 연락, 교민 안전을
   파악하고 있으며, 교민들의 이집트 대피시 이들이 체제할 임시 숙소를
   카이로 한인 학교에 마련해 놓고 있음.

o 또한, 그간 수차에 걸쳐 교민들의 이집트로의 긴급 대피를 종용하여 왔으며,
   대피 교민에 대해서는 공관 직원을 이스라엘 국경으로 출장케하여 이들의
   입국 수속 및 교통 편의등을 제공하고 있음.

o 잔류 교민들에 대한 신변안전을 위해

   - 화학전에 대비, 보유 방독면을 항상 휴대하고 이스라엘 민방위 본부에
      지시에 따라 행동 할것과

   - 공관 및 교민회와의 수시 접촉을 통해 상황에 관한 정보를 교환하고
      신변안전을 수시 체크하는 한편

   - 조속한 시일내에 국외로의 긴급대피를 추진하고 있음.

o 한편 정부는 1.14. 및 1.16.등 그간 수차에 걸쳐 동경 주재 이스라엘 대사관에
   교민들의 신변 보호 및 대피시 제반 편의를 요청하였으며, 이집트 정부에도
   대피 교민에 대한 입국 등 제반 편의 제공을 협조 요청한바 있음.

0059

이스라엘 교민 현황

(1.21. 주카이로 총영사 보고)

1. 지 역 별

    o 예루살렘   34
    o 텔아비브   1
    o 갈 릴 리   6
    o 르 호 붓   9
    o 에일라트   8
    o 키 부 츠   3
    o 하 이 파   3
                  ─────────
          계   64 명

2. 현지 상황

    o 교민 전원은 무사하며, 텔아비브 및 하이파지역을 제외한 이스라엘
       전역의 일상 생활은 정상화

    o 주 카이로 총영사관은 이락의 대이스라엘 추가공격 및 이에따른
       이스라엘의 대이락 보복이 예상되는 상황을 설명하고, 전 교민의
       안전지역 대피를 재차 촉구하였던바,

    o 잔류교민 대부분은 가족이 없는 유학생, 신부 및 수녀등이며, 이들은
       학기말고사 일정상 또는 이스라엘 잔류에 따른 신변 위험을 비교적 적게
       느끼는 이유등으로 국외 대피에는 소극적 반응을 보이고 있음.

    o 한편, 주 카이로 총영사관의 요청에 따라 이집트 정부는 라파아 국경지역
       출입국 관리소에 사전 통보하여, ~~교민의~~ 신속한 입국 수속등 아국 교민의
       대피를 위해 최대한 편의를 제공하고 있음.

이스라엘 교민 현황

(1.21. 주카이로 총영사 보고)

1. 지 역 별
   - 예루살렘   34
   - 텔아비브   1
   - 갈 릴 리   6
   - 르 호 붓   9
   - 에일라트   8
   - 키 부 츠   3
   - 하 이 파   3

   계   64 명

2. 현지 상황
   - 교민 전원은 무사하며, 텔아비브 및 하이파지역을 제외한 이스라엘 전역의 일상 생활은 정상화
   - 주 카이로 총영사관은 이락의 대이스라엘 추가공격 및 이에따른 이스라엘의 대이락 보복이 예상되는 상황을 설명하고, 전 교민의 안전지역 대피를 재차 촉구하였는바,
   - 잔류교민 대부분은 가족이 없는 유학생, 신부 및 수녀등이며, 이들은 학기말고사 일정상 또는 이스라엘 잔류에 따른 신변 위험을 비교적 적게 느끼는 이유등으로 국외 대피에는 소극적 반응을 보이고 있음.
   - 한편, 주 카이로 총영사관의 요청에 따라 이집트 정부는 라파아 국경지역 출입국 관리소에 사전 통보하여, ~~교민의~~ 신속한 입국 수속등 아국 교민의 대피를 위해 최대한 편의를 제공하고 있음.

공 람	편 비 상 대 책	심 사	담 당	과 장	심의관	국 장	본부장
			↵				

0061

이스라엘 僑民의 安全對策

o 이스라엘에는 ~~120명~~의 僑民이 있었는바 同僑民들의 安全對策을 위해 취한
   113명
   措置는

   - 駐 카이로 總領事舘 領事가 이스라엘에 出張가서 僑民會側과 僑民安全
     對策을 協議하였고(91.1.3)

   - 政府는 駐 카이로 總領事舘에 僑民非常撤收 및 安全對策을 매일 指示,
     點檢하고 있으며 (91.1.11, *1.13*, 1.14, 1.15, 1.16, 1.17, ~~1.18~~)

   - 駐日 이스라엘 大使를 통해 이스라엘 政府의 協調를 부탁해왔음(1.13, 1.15)

o 이러한 措置結果 120명의 僑民중 *1.17.* 現在 ~~55~~명이 撤收하고 ~~65~~명이 殘留
   하고있는바 이들 殘留者들중   *1.21*   *出國* ~~58~~ 62

   - 神父 및 修女 8명은 카톨릭 本部指示 없이는 撤收가 不可한 사람들이며

   研究所 勤務者 및 家族들 ~~20명은~~ 研究所 待避計劃에 따라 待避할 豫定임 ~~X~~

   - 留學生 30명은 學期가 끝나는 1.26.까지 滯留하고자 하는 사람들임.

o 1.18. 이라크의 이스라엘 攻擊開始에 따라 政府는 駐카이로總領事에게
   僑民安全 與否를 把握토록하고 狀況에 따라 이집트 國境附近의 安全地帶나
   이집트영내로 待避토록 指示하였음.(총영사관에서 버스로 카이로로 수송,
   韓人會 學校건물을 宿所로 쓸수있도록 計劃樹立)

0062

- 이라크, SCUD 이동미사일 8-10대 발사
——— 에브릿 하이파지역
- 7명 부상

(이라크의 이스라엘 공격현황)

제 1차   KST √(09:05)

o 텔아비브 공격(1.18. 10:05 주영대사관 전화보고)

- 8-10여대

- 1.18 GMT (한국시간 1.18. 09:05) 3-5발의 스커드 미사일 발사

- 미국방성 동시실 확인

- 이스라엘 당국 가스마스크 착용지시

o 하이파 지역 (주영 대사관 전화보고)

- 1.18 GMT 0:30 8발의 스커드 미사일 발사

- 이중 적어도 1개는 화학무기 장착(미국 NBC 보도)

o 제2차 공격 (1.20 KST 14:20)
- SCUD 미사일 3개~11기
- 텔아비브 및 하이파지역

(이스라엘 교민현황)

o 총 교민수 : 120명 (90.12.31. 현재)

- 유학생 : 56명

- 주 부 : 21명

- 어린이 : 28명

- 종교인 : 8명

- 기 타 : 7명

o 대피 및 잔류현황

- 1.16.까지 철수 및 이집트로 대피 : 55명

- 1.16.현재 잔류자 : 65명

  · 신부 및 수녀 8명 : 카톨릭 본부지시없이 철수 불가

  · 연구원 및 가족 20명 : 연구소 대피계획에 따라 대피계획

  · 유학생 30명 : 학기가 끝나는 1.26. 까지 잔류희망

  · 기타 7명

0063

관리
번호 91/322

외 무 부

종 별 :

번 호 : CAW-0099

일 시 : 91 0121 1805

수 신 : 장관(대책반,중근동)

발 신 : 주 카이로 총영사

제 목 : 교민 신변안전 보호

대:WCA-0071

연:(1)CAW-0095,(2)CAW-0087

1. 대호, 본직은 금 91.1.21(월) 오후 재이스라엘 한인회장 대리, 각지역 책임자및 접촉이 가능한 교민들에게 각각 전화를 걸어, 대이스라엘 추가 미사일 공격및 이에대한 이스라엘의 보복에 다른 확전 가능성을 포함한 현 걸프 전황과 동전쟁이 예상보다 장기화 될전망등을 설명하고 아국교민 전원이 당지등으로 대피할것을 강력히 재 촉구함.

2. 본직은 또한 이미 주재국당국과 주카이로 이스라엘 대사관을 통해 국경지대에서의 이집트입국비자 취득등 유사시 아국교민 철수를 위한 사전조치를 강구했으며, 연호(2)당지 대피교민을 위한 임시 거처등 제반편의를 마련 하였음과 일부 경제적 문제로 대피를 주저하는 교민들을 위해서는 당관및 재카이로 한인회등이 적극 협조할 테세가 되어있음을 재차봉보함.

3. 연호(1), 재이스라엘 잔류 아국교민(총 64 명)들 대부분은 학업 또는 소속직업상 불가피한 개인사정 및 현재로서는 안전하다는 나름대로의 확신하에 출국을 늦추고 있으며, 일부교민은 출국 비행기표를 예약해 두는등 개별적으로 대책을 강구한경우도 있음.

4. 연이나, 본직은 현사태추이를 예의 주시, 매일 2 회 이상 재이스라엘 한인회측과 접촉, 아국교민들의 안전여부를 확인하고 추가대피를 촉구할 예정인바, 동건 관련 계속 보고위계임.끝.

(총영사 박동순-대책반장)

예고:91.6.30. 일반

1991 6.30에 예고문에 의거 일반으로 재분류함

중아국   차관   1차보   2차보   정와대

PAGE 1

91.01.22   05:54

외신 2과 통제관 CE

0064

관리 번호	91/3/6

외 무 부

종 별 :

번 호 : CAW-0104

일 시 : 91 0122 1140

수 신 : 장관(대책반,마그)

발 신 : 주 카이로 총영사

제 목 : 이스라엘 교민

연:(1)CAW-0063

(2)CAW-0093, (3)CAW-0099

1. 연호(2), 지난 91.1.20 당지로 대피해온 이스라엘 교민 9 명중 금 1.22(화) 4 명은 서울로, 4 명은 독일로 출국할 예정이며, 1 명(유학생)은 미처 처리하지 못한 긴급한 연구실 정리관계로 일단 이스라엘로 재입국한후 이스라엘 교민추가 대피시 재 합류키로 함.

2. 한편, 당관이 금 1.22.09:00 이스라엘 한인회 권성달 간사와 접촉 확인한바, 예루살렘지역에 거주하던 교민 1 명이 금일중 귀국할 예정이어서 1.22 현재 총 잔류교민은 64 명(상기 재 입국자 포함)이며, 이스라엘내 학교 휴교상태를 제외하고는 전 지역이 정상화 됨에따라 현재로서는 추가 대피를 희망하는 교민은 거의없는 것으로 파악됨.

3. 연이나, 당관은 연합군 공습으로 이락내 화학무기 공장등을 포함한 주요군사시설이 대부분 제거되었으나 완전 파괴되지는 않았으며, 이에따라 이락의 대이스라엘 위협은 상존함을 설명하고, 아국교민의 국외로의 대피를 재차 촉구함.

4. 한편, 당지 라파아 국경지역을 통해 당관이 주선한 버스편(1 회 운행시 500 불 소요)을 이용, 2 차에 걸쳐 이스라엘 거주 아국교민을 당지로 대피시켰으며 금 1.22 현재 10 명의 교민이 당지에 체류하고 있는바, 당관은 교민철수에 따른 제반경비는 원칙적으로 자담임을 주지시켰으나, 당지 대피 대부분의 교민들이 동비용을 부담할수 없는 실정이며 오히려 당지 체재경비도 지원해 주어야 할 실정이니 재이스라엘 교민대피소요예산(2000 불정도)을 지원해 줄것을 건의함. 끝.

(총영사 박동순-대책반장)

예고:91.6.30. 일반

중아국 안기부	장관	차관	1차보	2차보	중아국	영교국	정보대	총리실

PAGE 1

91.01.22   19:47

외신 2과 통제관 DO

0065

분류번호	보존기간

발 신 전 보

WCA-0079   910123 1051   DP   초긴급

번 호 : 　　　　　　　　　　　　　　　　　종별 :

수 신 : 주 카이로 //대사. 총영사

발 신 : 장 관   (중근동)

제 목 : 이스라엘 잔류교민 긴급 대피

대 : CAW - 0087, 0099

연 : WCA - 0071

　　　　이라크의 대 이스라엘 미사일 공격으로 다수의 이스라엘 거주인
사상자가 발생 하였다고하며, 이라크의 추가 미사일 공격 및 이에따른 확전
가능성으로 많은 인명피해가 예상될수 있는바, 재 이스라엘 한인회와 긴급
접촉, 이스라엘 잔류 교민 전원이 귀지 등으로 긴급 대피토록 강력히 재 촉구
하고, 결과 지급보고 바람.

1991. 6. 30. 예고공에
의거 일반문서로 재 분류됨.

　　　　　　　　　　　　　　(중동아국장 이 해 순)

예 고 : 1991. 6. 30. 일반

| 보안
통제 | 26 |

앙 고 재	91년월3일중근동과	기안자 성명 박정순	과장 76	심의관	국장 전결 후결	차관	장관	외신과통제

0066

외 무 부

판리번호 91/621

종 별 : 지 급
번 호 : CAW-0110
수 신 : 장관(대책반,마그)
발 신 : 주 카이로 총영사
제 목 : 이스라엘 교민

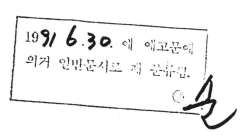

일 시 : 91 0123 0035

1. 당관이 청취한 금 1.22(화) 23:45 당지에서 방영된 CNN 방송에 의하면 동일 20:45 분경 이락이 발사한 스쿼드 미사일 1 기(재래식무기 적재)가 텔아비브 주거지역 중심부에 투하되어 약 60 명이 부상했다고 하는바, 당관은 즉시 이스라엘 교민의 권성달 간사와 접촉 이를 확인한바 현재로서는 아국교민은 전원 무사하다함.

2. 현재 텔아비브에는 7 명의 아국교민(갈릴리지역으로 대피했던 6 명의 아국교민은 최근 2 일간 사정이 호전됨에 따라 텔아비브로 귀환함)이 거주하고 있으나 이들전원은 가정부, 요리사, 또는 정원사로서 이스라엘 부유가정에 취업한 자들인바 이스라엘 부호와 행동을 같이 하고있음.

3. 동 한인회측에 의하면 금번 공격에도 불구하고 이스라엘은 이락에 대한 보복을 자제한다는것이 시민들의 일반여론이라고 하며, 또한 1 월 21 일 이스라엘에서 실시한 여론조사에서도 약 90 퍼센트가 이락에대한 보복자제를 지지했다고 함. 끝.

(총영사 박동순-대책반장)
예고:91.6.30. 일반

1991. 6. 30. 에 예고문에 의거 일반문서로 재 분류함.

| 대책반 | 장관 | 차관 | 1차보 | 2차보 | 중아국 | 청와대 | 안기부 |

PAGE 1

91.01.23   21:50
외신 2과 통제관 CH
0067

걸프사태 : 재외동포 철수 및 보호, 1990-91. 전14권 (V.12 이스라엘 및 모리타니아)   73

관리 번호	91/617

외 무 부

종 별 :

번 호 : CAW-0114

일 시 : 91 0123 1455

수 신 : 장관(대책반,중근동,마그)

발 신 : 주 카이로 총영사

제 목 : 이스라엘 교민

대:WCA-0079

연:(1)CAW-0110,(2)CAW-0095,0099,0104

1. 당관은 금 1.23(수)09:00 이스라엘 교민회측과 접촉 확인한바, 연호(1)작 1.22 밤 제 3차 이락의 대이스라엘 미사일공격에 따른 아국교민의 피해는 전혀 없으며 전원 무사함을 재확인함. 한편, 동 공격으로 인한 사상자는 사망 3, 부상 96 으로 늘어났다함.

2. 당관은 또한 이스라엘 한인회 간부, 지역대표및 개변접촉이 가능한 아국교민들에게 각각 전화를 걸어 이락의 추가미사일 공격에 대한 이스라엘의 대이락보복가능성 및 이에 따른 아국교민의 피해위험이 높아졌음을 설명하고 전원 국외대피를 강력 재촉구함.

3. 한편, 재 이스라엘 아국교민중 에일랏에 대피해 있던 교민 3 명이 금 1.23 새벽 당지로 대피하여 1.23 현재 잔류교민은 총 61 명이며, 여타 교민들은 당관이 계속 대피를 강력히 종용했음에도 불구하고 당분간 이스라엘에 잔류하면서 사태추이를 주시한후 대피여부를 결정하겠다는 입장임.

4. 연이나, 당관은 동사태를 예의주시, 아국교민들과 계속 접촉하여 이들전원의 국외대피를 재삼 촉구할 예정인바, 결과 추보위게임.끝.

(총영사 박동순-대책반장)

예고:91.6.30. 일반

1991. 6. 30. 에 대고문에 의거 일반문서로 제 분류함. ⑩

중아국	장관	차관	1차보	2차보	청와대	안기부

91.01.23 22:34

외신 2과 통제관 CH

0068

관리 번호	91/670		원 본

외 무 부

종 별 :

번 호 : CAW-0121　　　　　　　　　일 시 : 91 0124 1220

수 신 : 장관(대책반,중근동,마그)

발 신 : 주 카이로 총영사

제 목 : 이스라엘 교민

연:CAW-0014

1. 당관은 금 1.24(목) 09:00 이스라엘 한인회측과 접촉한바, 텔아비브지역 교민 3명이 금일 11:00 비행편으로 귀국할 예정이라하며, 나머지 교민들은 사태를 관망중이라함. 한편, 작 1.23 밤 에이랏에 대피했던 교민 3 명이 당지로 대피해와 1.24 현재 이스라엘 잔류교민은 총 55 명임.

2. 이스라엘 당국은 작 1.23 밤 이락이 발사한 SCUD 미사일 1 기가 이스라엘 북북지역에서 이스라엘측의 PATRIOT 미사일에의해 요격되었으며 동 미사일에 의한 피해는 전혀 없었다고 발표함.

3. 한편, 작 1.23. 광주일보 특파원 1 명이 취재차 당지를 경유 육로로 이스라엘에 입국했으며, 연합통신 특파원 1 명도 당지를 경유 입국할 예정임.

4. 당관은 계속 아국교민들의 대피를 촉구하고 있으나 연호 보고와 같이 동 교민들이 신부, 목사등 종교인과 유학생드로서 이들의 대부분은 사태가 더 악화되지 않는한 대피할 의사가 없는자들이며 PATRIOT 미사일이 기능을 발휘함에따라 즉각적 위험요소가 감소함에따라 추가 대피를 희망하는 아국교민들도 현재로서는 거의없는 실정임.

5. 연이나 당관은 이락의 대이스라엘공격 가능에따른 위험이 상존하므로 조속 대피할것을 독촉하고 있음. 끝.

　　(총영사 박동순-대책반장)

　　예고:91.6.30. 일반

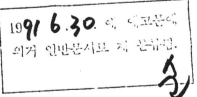

중아국 총리실	장관 안기부	차관	1차보	2차보	미주국	중아국	영교국	청와대

관리
번호 91/641

외 무 부

종 별 :

번 호 : CAW-0129

일 시 : 91 0124 1110

수 신 : 장관(대책반,중근동,마그)

발 신 : 주 카이로 총영사

제 목 : 이스라엘교민

연:CAW-0121

1. 당관은 당지시간 금 1.25(금)09:00 이스라엘 한인회측과 접촉 확인한바, 어제밤 1 차례 공습경보가 있었으나 곧 해제되었고 이락의 추가공격은 없었으며, 연호 아국교민(55 명, 특파원제외)은 전원 무사함. 또한 당관의 지속적인 촉구에도 불구, 현재 추가대피 희망자는 없으며, 이스라엘 일상생활은 거의 정상적이라함.

2. 한편, 작 1.24 아국특파원 4 명(KBS 3, 조선 1)이 추가로 이스라엘 입국,활동중이라함.

3. 당관은 이스라엘 교민회와 계속접촉, 추보 위계임.끝.

(총영사 박동순-대책반장)

예고:91.6.30. 일반

1991. 6.30. 에 예고문에 의거 일반문서로 재 분류됨.

대책반   장관   차관   1차보   2차보   중아국   청와대   안기부

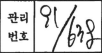

관리번호 91/638

외 무 부

종 별 : 지 급

번 호 : CAW-0132　　　　　　　　　일 시 : 91 0126 0030

수 신 : 장관(대책반,중근동,마그)

발 신 : 주 카이로 총영사

제 목 : 이스라엘 교민

연:CAW-0129

1. 당지시간 금 91.1.25(토) 18:00 경 이락이 발사한 SCUD 미사일 수발이 텔아비브지역에 투하되었는바(보도에 의하면 PATRIOT 미사일에 의해 요격되었다함), 동 공격으로 1 명이 사망하고 약 40 명이 부상했다고 함.

2. 연이나, 당관이 이스라엘 한인회측에 확인한바, 아국교민의 피해는 전혀없다함. 한편 텔아비브지역에는 연호 보고와같이 교민 3 명이 기출국, 현재 4 명이 잔류중임.

3. 당관은 특히 텔아비브지역 상기 4 명이 조속 안전지대로 대피할 것을 계속 촉구중임.끝.

(총영사 박동순-대책반장)

예고:91.6.30. 일반

1991. 6.30. 에 대고문에 의거 일반문서로 재 분류됨

대책반　　중아국　　중아국

관리 번호	91/998

외 무 부

종 별 :

번 호 : CAW-0135

일 시 : 91 0126 1600

수 신 : 장관(대책반,중근동,마그)

발 신 : 주 카이로 총영사

제 목 : 이스라엘 교민

연:CAW-0132

1. 당관은 당지시간 금 91.1.26(토) 09:00 연호, 이락의 제 5 차 SCUD 미사일 공격 관련, 이스라엘 한인회및 텔아비브거주 아국교민에게 각각 전화를 걸어 재확인한바, 아국교민(1.26 현재 총 55 명)은 전원 무사하며, 텔아비브교민 4 명중 2 명(부부)은 갈릴리 지역으로 대피했고, 나머지 2 명(부부, 이스라엘인 가정고용원)은 주인가족과 행동을 같이하고 있는바, 상황진전에 따라 갈릴리 지역으로 대피 또는 귀국할 예정이라함.

2. 당관은 상기 2 명도 조속 안전지대로 대피할것을 재차 촉구하였으며, 여타지역 교민들에게도 대피를 촉구했으나, 이스라엘내 학교 및 직장이 정상적으로 운영되고 있어 현재로서는 추가로 국외대피를 희망하는 교민은 없다고 함. 끝.

(총영사 박동순-대책반장)

예고:91.6.30. 일반

1991. 6.30. 에 대고문에
의기 인 만만거로 그 함니거함.

대책반	차관	1차보	2차보	중아국	중아국	청와대	안기부

91.01.27 18:48
외신 2과 통제관 CF
0072

외 무 부

종 별 :

번 호 : CAW-0137　　　　　　　　　　일 시 : 91 0126 1615

수 신 : 장관(마그,정일)

발 신 : 주 카이로총영사

제 목 : 걸프전후 처리에관한 이스라엘측 동정

(자료응신 제 33호)

1. 금 91.1.26(토) 당지 언론보도에 의하면 1.25. 주 UN이스라엘대사가 이스라엘은 걸프전후 역내 군비축소 노력에 동참토록 준비하는 동시에 파레스타인 인민들과새로운 평화대화를 개최토록 노력할 것이나 국제회의 개최방안은 거부한다고 했다

하며

2. 또한 동일 CHAIM HERZOG 이스라엘대통령은 최근 이락의 대이스라엘 미사일 공격과 이에대한 자국의 보복자제로 이스라엘은 세계로부터 동정심을 얻고 있다고 언급했다 하고함.

(총영사 박동순-국장)

중아국	장관	차관	1차보	2차보	미주국	정문국	상황실	정와대
총리실	안기부							

PAGE 1

관리번호	91/1005

원 본

외 무 부

종 별 :

번 호 : CAW-0150　　　　　　　　　　　일 시 : 91 0127 1810

수 신 : 장관(대책반,중근동,마그)

발 신 : 주 카이로 총영사

제 목 : 이스라엘 교민

　　1. 당관이 금 91.1.27(일) 오전 이스라엘 한인회측에 확인한바, 작 1.26 밤 제 6차 이락의 대이스라엘 미사일공경이 있었으나 모두 PATRIAT 미사일에 의하여 요격되어 인명피해는 전혀 없었다고 하며 따라서 아국교민의 피해도 전혀 없다함.

　　2. 한편, 당지로 대피했던 교민 5 명이 자료정리등 귀국준비를 위해 이스라엘에 재입국, 1.27. 현재 이스라엘 잔류교민은 총 60 명(특파원 제외)임.끝.

　　(총영사 박동순-국장)

　　예고:91.6.30. 일반

1991 6.30 ~~~~~
~~~~~ ~~~~~

대책반	차관	1차보	2차보	중아국	중아국	청와대	안기부

외 무 부

종 별 :

번 호 : CAW-0156

일 시 : 91 0128 1810

수 신 : 장관(대책반,중근동,마그)

발 신 : 주 카이로 총영사

제 목 : 이스라엘 교민

연:CAW-0150

1. 당관이 금 1.28(월) 이스라엘한인회에 확인한바, 이스라엘교민은 전원 무사함.

2. 한편, 연호보고와 같이 당지에대피했던 5 명의 이스라엘교민이 이스르라엘로 재입국한데이어 금 91.1.28 당지로 대피해서던 교민 2 가족(6 명)이 직장문제 정리및 이스라엘내 사태호전등 이유로 이스라엘에 재입국 1.28. 현재 잔류교민은 총 66 명(특파원제외)임. 끝.

(총영사박동순-대책반장)

예고:91.6.30. 일반

1991. 6.30. 에 예고문의 의거 인민순이로 재 분류함.

대책반   중아국   중아국

원 본

외 무 부

종 별 :

번 호 : CAW-0159

일 시 : 91 0129 1710

수 신 : 장관(대책반,중근동,마그)

발 신 : 주 카이로 총영사

제 목 : 이스라엘교민

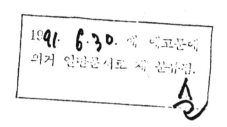

연:CAW-0156

당관이 금 1.29(화) 이스라엘 한인회에 확인한바, 이스라엘 아국교민(총 66 명)은 전원 무사하며, 추가 변동사항 없음. 끝.

(총영사 박동순-대책반장)

예고:91.6.30. 일반

1991. 6.30. 예 예고문에
의거 일반문서로 재 분류함.

중아국 안기부	장관	차관	1차보	2차보	중아국	영교국	청와대	총리실

91.01.30   01:56

외신 2과 통제관 CW

0076

관리 번호	91- 90

외 무 부

종 별 :

번 호 : CAW-0162   일 시 : 91 0130 1715

수 신 : 장관(중근동,마그)

발 신 : 주 카이로 총영사

제 목 : 이스라엘교민

연:CAW-0159

1. 당관이 금 1.30 이스라엘 한인회에 확인한바, 아국교민(총 66 명, 특파원제외)은 전원 무사함.

2. 한편, 취재차 이스라엘에 체류하던 광주일보 특파원 1 명이 작 1.29 밤 귀국을 위해 당지에 도착함. 끝.

(총영사 박동순-대책반장)

예고:91.6.30. 일반에
 의거 일반

중아국   차관   2차보   중아국

PAGE 1

관리
번호 91 /025

외 무 부

종 별 :

번 호 : CAW-0167   일 시 : 91 0131 1500

수 신 : 장관(대책반,중근동,마그)

발 신 : 주 카이로 총영사

제 목 : 이스라엘 교민

연:CAW-0162

1. 금 1.31 이스라엘한인회 측에 확인한바, 아국교민(66 명)전원 무사함.

2. 한편 이스라엘내 취재중인 특파원은 1.31 현재 총 9 명(KBS TV 3, 연봉 1, 서울1, 중앙 1, 경향 1, 조선 1, 국민 1 명)임.끝.

(총영사 박동순-대책반장)

예고:91.6.30. 일반

대책반   중아국   중아국

외 무 부

종 별 :

번 호 : CAW-0177   일 시 : 91 0202 1550

수 신 : 장관(대책반,중근동,마그)

발 신 : 주 카이로 총영사

제 목 : 이스라엘교민

연:CAW-0167

당관이 금 2.2 이스라엘 한인회측에 확인한바, 아국교민(66 명)및 특파원(9 명)은 전원무사함. 끝.

(총영사 박동순-대책반장)

예고:91.6.30 일반에 예고문에
의거 일반문서로 재 분류함.
㉛

PAGE 1   91.02.02   23:23
외신 2과 통제관 DO

0079

관리
번호 91/104

외 무 부

종 별 :

번 호 : CAW-0180
일 시 : 91 0203 1230

수 신 : 장관(대책반,중근동,마그)

발 신 : 주 카이로 총영사

제 목 : 이스라엘교민

연:CAW-0177

당관이 금 91.2.3(일)이스라엘 한인회측에 확인한바,2.2. 이락의 SCUD 미사일공격이 있었으나 인명피해는 없었다고 하며, 아국교민도 전원 무사하며, 금일중 교민 3 명이 귀국할 예정이어서 2.3 현재 아국잔류교민은 총 63 명임(특파원 9명 제외). 끝.

(총영사 박동순-대책반장)

예고:91.6.30. 일반 예고문에
의거 일반문서로 재 분류됨.

대책반	장관	차관	1차보	2차보	중아국	중아국

PAGE 1
91.02.03 21:01
외신 2과 통제관 FF
0080

외 무 부

종 별 :

번 호 : CAW-0202   일 시 : 91 0205 1615

수 신 : 장관(대책반,중근동,<u>마그</u>)

발 신 : 주 카이로 총영사

제 목 : 이스라엘교민

연:CAW-0180

1. 당관이 금 91.2.5 오전 이스라엘 한인회측에 확인한바, 아국교민은 전원무사하며, 작 2.4 교민 4 명이 추가 귀국,2.5 현재 이스라엘 잔류교민은 총 59 명(특파원제외)임.

2. 또한 2.4 MBC 취재단 3 명이 이스라엘에 입국,2.5 현재 이스라엘 체류특파원은 총 12 명임.

3. 한편, YIZHAK SHAMIR 이스라엘 수상은 2.4 걸프전발발후 처음으로 국회에서 행한 주요정책연설에서 이스라엘은 걸프전관련, 당분간 LOW PROFILE 정책을 유지하면서 미국과 긴밀히 협의(COORDINATE AND CONSULT)할 것이라고 밝히는한편, 팔레스타인문제 관련, 동문제해결을 위한 어떠한 국제회의도 반대한다는 입장을 천명함. 끝.

(총영사 박동순-대책반장)

예고:91.6.30. 일반교문에
의거 일반

중아국 안기부	장관	차관	1차보	2차보	미주국	중아국	청와대	총리실

PAGE 1

외 무 부

종 별 :

번 호 : CAW-0207

일 시 : 91 0206 1640

수 신 : 장관(대책반,중근동,마그)

발 신 : 주 카이로 총영사

제 목 : 이스라엘교민

연:CAW-0202

당관이 금 91.2.6 오전 이스라엘 한인회측에 확인한바, 이스라엘내 생활도 모두 정상적이며, 아국교민(총 59 명)및 특파원(12 명)은 전원 무사함. 끝.

(총영사 박동순-대책반장)

예고:91.6.30. 일반 예고문에 의거 일반문서로 재 분류됨.

대책반 중아국

외 무 부

관리번호 91/123

종 별 :

번 호 : CAW-0212   일 시 : 91 0207 1650

수 신 : 장관(대책반,중근동,마그)

발 신 : 주 카이로 총영사

제 목 : 이스라엘교민

연:CAW-0207

금 91.2.7 오전 이스라엘 한인회측에 확인한바 아국교민 및 특파원 전원 무사함.

끝.

(총영사 박동순-대책반장)

예고:91.6.30. 일반

19 91. 6. 10. 에 예고문에
의거 일반문서로 재 분류

중아국   2차보   중아국

관리 번호	91/1003

외 무 부

종 별 :

번 호 : CAW-0217

일 시 : 91 0209 1140

수 신 : 장관(대책반,중근동,마그)

발 신 : 주 카이로 총영사

제 목 : 이스라엘교민

연:CAW-0207

금 91.2.9 오전 이스라엘한인회측에 확인한바 새벽 1 시경 이락의 미사일공격이
있었으나 아국교민 인명피해는 없었으며, 아국교민(총 59 명)및 특파원(12 명) 전원
무사함. 끝.

(총영사 박동순-대책반장)

예고:91.6.30. 일반 예고문에
의거 일반문서로 재분류됨.

중아국 안기부	장관	차관	1차보	2차보	중아국	영교국	정와대	총리실

PAGE 1

91.02.09   23:04

외신 2과 통제관 CW

0084

관리 번호	91- 94

외 무 부

종 별 :

번 호 : CAW-0224

일 시 : 91 0210 1600

수 신 : 장관(대책반,중근동,마그)

발 신 : 주 카이로 총영사

제 목 : 이스라엘교민

연:CAW-0217

금 91.2.10 오전 이스라엘한인회측에 확인한바 아국교민및 특파원 전원 무사함.

끝.

(총영사 박동순-대책반장)

예고:91.6.30 일반

중아국   중아국

PAGE 1

91.02.11   07:21
외신 2과   통제관 BW

0085

걸프사태 : 재외동포 철수 및 보호, 1990-91. 전14권 (V.12 이스라엘 및 모리타니아) 91

원 본

외 무 부

종 별 :

번 호 : CAW-0234

일 시 : 91 0212 1400

수 신 : 장관(대책반,중근동,마그)

발 신 : 주 카이로 총영사

제 목 : 이스라엘교민

연:CAW-0224

1. 91.2.12(화) 09:00 이스라엘 한인회측에 확인한바, 2.11 이락의 미사일공격이 있었으나, 아국교민(59 명)및 특파원 전원 무사함.

2. 그간 12 명이었던 특파원은 2.11 9 명이 철수 현재 3 명(MBC, KBS, 국민일보)이 잔류함. 끝.

(총영사 박동순-대책반장)

예고:91.6.30. 일반

| 중아국 | 장관 | 차관 | 2차보 | 중아국 | 청와대 | 안기부 |

91.02.12   23:00

외신 2과   통제관 CA

0086

관리
번호 91/10??

외 무 부

종 별 :

번 호 : CAW-0244

일 시 : 91 0213 1720

수 신 : 장관(대책반,중근동,마그)

발 신 : 주 카이로 총영사

제 목 : 이스라엘교민

연:CAW-0224

금 2.13 오전 이스라엘 한인회측에 확인한바 아국교민(59 명)및 특파원 전원 무사함. 끝.

(총영사 박동순-대책반장)

예고:91.6.30. 일반에 예고관에

의거 일반문서로 재 분류함.

중아국 안기부	장관	차관	1차보	2차보	중아국	영교국	청와대	총리실

외 무 부

종 별 :

번 호 : CAW-0251

일 시 : 91 0214 1325

수 신 : 장관(대책반,중근동,마그)

발 신 : 주 카이로 총영사

제 목 : 이스라엘교민

연:CAW-0244

2.14 09:00 이스라엘한인회에 확인결과 교민(59 명)및 특파원 전원 이상없음.끝.

(총영사 박동순-대책반장.)

예고:91.6.30. 일반

중아국 2차보 중아국

관리
번호 91/1077

외 무 부

종 별 :

번 호 : CAW-0254 일 시 : 91 0215 1600

수 신 : 장관(대책반,중근동,마그)

발 신 : 주 카이로 총영사

제 목 : 이스라엘 교민

연:CAW-0251

1. 2.15 11:00 현지 한인회에 확인결과 아국 교민 및 특파원 전원 이상없음.

2. 금(2.15)일 안으로 연호 교민중 2명이 귀국예정으로 있어, 잔류교민총수는 57명으로 될것임.끝.

(총영사 박동순-대책반장)

예고:91.6.30 일반

중아국 중아국

관리 번호	91 /123

외 무 부

종 별 :

번 호 : CAW-0255

일 시 : 91 0216 1020

수 신 : 장관(대책반,중근동)

발 신 : 주 카이로 총영사

제 목 : 이스라엘교민

연:CAW-0254

2.15 0900 현지 한인회 관계인사에게 확인결과 연호 교민(57 명)및 특파원 모두 이상없음. 끝.

(총영사 박동순-대책반장)

예고:91.6.30. 일반

1991. 6. 30. 에 예고문에 의거 일반문서로 지 분규됨.

중아국

91.02.16　17:29

외신 2과　통제관 BW

0090

외 무 부

관리 번호	91/135

종   별 :

번   호 : CAW-0261   일   시 : 91 0217 1540

수   신 : 장관(중일,중이)

발   신 : 주 카이로 총영사

제   목 : 이스라엘교민

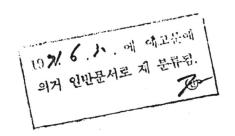

　　　연:CAW-0254

　　　91.2.17 1000 현지 한인회에 확인결과 아국교민(57 명)및 특파원 전원 이상없음.

끝.

　　　(총영사 박동순-대책반장)

　　　예고:91.6.30. 일반

중아국   2차보   중아국

PAGE 1   91.02.17   22:56

관리
번호 91/130

외 무 부

종 별 :

번 호 : CAW-0264

일 시 : 91 0218 1105

수 신 : 장관(대책반,중일,중이)

발 신 : 주 카이로 총영사

제 목 : 이스라엘교민

연:CAW-0261

91.2.18 1030 현지 한인회에 확인결과 아국교민(57 명)및 북파원 전원 이상없음.
끝.

(총영사 박동순-대책반장)

예고:91.6.30. 일반

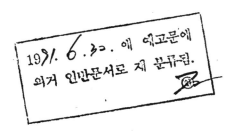

19%1. 6.30. 에 예고문에
의거 인반문서로 재 분규됨.

중아국	장관	차관	1차보	2차보	중아국	영교국	청와대	안기부

외 무 부

종 별 :

번 호 : CAW-0271

일 시 : 91 0219 1400

수 신 : 장관(중일,중이)

발 신 : 주 카이로 총영사

제 목 : 이스라엘교민

연:CAW-0264

1. 2.19 10:00 현지 한인회에 확인결과 아국교민(57 명)및 특파원 전원 이상없음.

2. 2.18. 동아, 조선, 한겨레 특파원 3 명이 현지에 입국, 특파원은 총 6 명임. 끝.

(총영사 박동순-대책반장)

예고:91. 6. 30. 일반

중아국   2차보   중아국   영교국   안기부

91.02.20   00:21

외신 2과 통제관 CH

관리 번호	91/138

외 무 부

종 별 :

번 호 : CAW-0281

일 시 : 91 0220 1310

수 신 : 장관(대책반,중일,중이)

발 신 : 주 카이로 총영사

제 목 : 이스라엘 교민

연:CAW-0264

91.2.20 1100 현지 한인회에 확인결과 이락으로부터의 SCUD 미사일 공격이 있었으나 아국교민(57 명)및 특파원 전원 이상없음. 끝.

(총영사 박동순-대책반장)

예고:91.6.30. 일반

> 19X. 6. 30. 에 예고문에
> 의거 인반문서로 재 분류됨.

대책반   중아국   중아국

PAGE 1

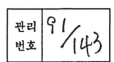

외 무 부

관리번호 91/143

종 별 :

번 호 : CAW-0295   일 시 : 91 0223 1235

수 신 : 장관(대책반,중일,중이)

발 신 : 주 카이로 총영사

제 목 : 이스라엘 교민

    연:CAW-0281

    91.2.23.09:00 현지 한인회에 확인결과 아국교민(57 명)및 특파원 전원 이상없음.

끝.

    (총영사 박동순-대책반장)

    예고:91.6.30. 일반

    1991.6.30. 에 예고문에
    의거 일반문서로 재 분류됨.

중아국   차관   1차보   2차보   중아국

발 신 전 보

번 호 : **WSB-0417**   910224 1158 FK 종별 : 긴급

수 신 : 주 수신처 참조   대사!!총영사!!

	WBH -0104	WJO -0199
	WQT -0076	WAE -0170
	WJD -0112	WCA -0164
	WIR -0191	WYM -0090

발 신 : 장 관   (중동일)

제 목 : 대 이라크 지상전 개시

1. 2.24. 오전 04시(한국시간)를 기해 다국적군의 대 이라크 지상전이
전면 개시 되었다국~~무~위~론~들~이~일~제~보~도~화였~~는바, 만일의경우 대비하여 귀 주재국
체류 교민의 신변 안전에 만전을 기하도록하고 이라크의 화생방전 가능성이 매우
큼에 따라체류교민들에게는 기지급된 방독면을 언제든지 착용할 수 있는 준비를
갖추도록 당부하고, 유사시 안전지대로 긴급대피 하는등 귀관이 현지 실정에
맞게 마련한 안전 대책을 차질없게 시행 바람.

2. 주 카이로 총영사는 이스라엘 체류 아국 교민들의 안전을 위해 상기와
같이 동일 조치 바람.   끝.

(중동아국장 이 해 순)

수신처 : 주 사우디, 바레인, 요르단, 카타르, UAE 대사, 주 젯다, 카이로 총영사
사 본 : 주 이란, 예멘 대사
예 고 : 91. 6. 30. 일반

1991. 6. 30. 에 예고문에
의거 일반문서로 제 분류됨.

		보 안 통 제	

앙 고 재	91 년2 월24 일 중동 1 과	기안자 성 명		과 장		국 장		차 관	장 관	사본→장관실
						전결				외신과통제

0096

외 무 부

종 별 :

번 호 : CAW-0300   일 시 : 91 0224 1340

수 신 : 장관(대책반,중일,중이)

발 신 : 주 카이로 총영사

제 목 : 이스라엘 교민

연:CAW-0295

91.2.24 0900 현지 한인회에 확인결과 아국교민(57 명)및 특파원 전원 이상없음.
끝.

(총영사 박동순-대책반장)

예고:91.6.30. 일반

1991. 6. 30. 에 예고문에
의거 일반문서로 재 분류됨.

대책반   중아국   중아국

PAGE 1   91.02.24   21:25
                                               외신 2과 통제관 CF
                                               0097

외 무 부

종 별 :

번 호 : CAW-0305   일 시 : 91 0225 1140

수 신 : 장관(대책반,중일,중이)

발 신 : 주 카이로 총영사

제 목 : 이스라엘교민

　연:CAW-0300

　91.2.25 0900 현지 한인회에 확인결과 아국교민(57 명)및 특파원 전원 이상없음.
끝.

　(총영사 박동순-대책반장)

　예고:91.6.30. 일반

1991. 6. 3-. 에 예고문에
의거 일반문서로 재 분류됨.

대책반   중아국   중아국

관리번호 91-157

외 무 부

종 별 :

번 호 : CAW-0310

일 시 : 91 0226 1020

수 신 : 장관(대책반,중일,중아)

발 신 : 주 카이로 총영사

제 목 : 이스라엘교민

연:CAW-0305

91.2.26 0900 현지한인회에 확인결과 아국교민(57 명)및 특파원 전원 이상없음.

끝.

(총영사 박동순-대책반장)

예고:91.6.30 일반

1991.6.30. 에 예고문에 의거 일반문서로 재 분류됨.

중아국	장관	차관	1차보	2차보	중아국	영교국	청와대	안기부

2. 모리타니아

0099-1

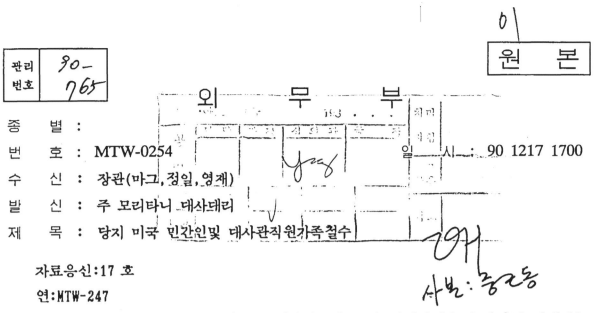

관리
번호 90-
765

외 무 부

종 별 :

번 호 : MTW-0254

수 신 : 장관(마그,정일,영재)

발 신 : 주 모리타니 대사대리

제 목 : 당지 미국 민간인및 대사관직원가족철수

일 시 : 90 1217 1700

사본 : 중2동

자료응신:17 호

연:MTW-247

1.12.16 당지에서 청취된 불란서 국제라디오방송 및 세네갈방송에 의하면 미정부는 주재국에서 11.28 쿠데타미수사건및 유색인종 대량검거사태와 관련, 주재국체류 미국인에대한 출국령및 타지역거주 미국인의 주재국입국금지령을 내렸다함.

2. 본직이 동일 TWADDEL 당지주재 미국대사,12.17BENNETT 참사관을 각각면담 확인한바, 여사한 보도는 지나친 과장보도라고 일축하고, 미국무성에서는 쾌만사태로 초래된 불안전한 상황때문에 미국인의 여행전면 연기및 주재국거주 미국인의 출국고려조언을 WARNING 준것에 불과하다고함. 미대사관측으로서는 대사관이 최소로 축소 운영되고있어 비필수요원의 철수는 없으며 다만 민간인, 대사관및 USAID 등 근무가족이 출국을 희망하는 경우 허가할 방침이라함. 현재로서 민간인, 직원가족및 비필수요원의 비자발적철수, 미국인학교나 대사관의 철수나 폐쇄계획은 전혀없으며 만약 GOLFE 지역에서의 사태가 악화되는경우에도 버틸수있을때까지 잔류 주재국정부에 대하여 공관및 직원의 신변안전을 요청할계획이라함.

3.BENNETT 참사관은 또한 금일 오전 주재국외무성으로부터 미국입장설명요청을 받고 상기와같은 입장을 설명하였다고 밝히고 주재국에서 최악의 사태발생시 한국, 독일, 나이지리아등 우방국과 동시에 철수토록 계속 접촉하겠다고 함. 본직이 아국은 미국과는 달리 아국선원이나 교민들이 주재국의 필요에 의해 고용되어 진출해있기때문에 주재국에서 반한감정은 표출되지않을것으로 보이나 치안부재상태는 우려치않을수없으므로 누악숏거주 공관직원, 정파의가족은 물론 누아부거주 선원및 교민의 안전철수도 요청하였던바, 가능한방법이 있는지 알아보겠다함.

4. 현재의 제반상황으로 보아 아국이 주재국에서 공격이나 시위의 대상이 되는일은

중아국   차관   1차보   2차보   정문국   영교국

PAGE 1

90.12.18   05:30

외신 2과   통제관 CA

0100

단연코 없을것으로 판단되나 주재국에서의 사태추이를 예의주시, 필요시 아국선원,
공관직원가족안전대책보고및 비상대피자금 신청등 건의예정인바, 본부에서도
주한미대사관접촉시 당관사정도 수시로 주지시켜 주시기 건의함.
 (대사대리 김원철-국장)
 예고:91.6.30 까지

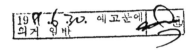

발 신 전 보

WMEM-0039   901220 1715   DY   종별 :

번   호 :

수   신 : 주   수단, 예멘   대사, 총영사 (사본: 전 중동주재 공관, 주미, 주영대사관)   WUS-4202   WUK-2053

발   신 : 장   관   (마그)

제   목 : 교민보호

1. 친이라크 성향의 모리타니는 최근 쿠테타 미수사건과 그에따른 검거사태로 사회불안 분위기가 감돌고 있고 이런 와중에서 ~~폭동이 발생 반미감정이 확산이~~ 경우 ~~대비한~~ 모리타니 거주 미국인의 안전문제와 철수가능성이 거론되고 있으며, 모리타니 거주 아국인의 안전문제도 점검할 필요성이 대두되고 있음.

2. 따라서 친이라크 성향과 국내정정 불안상태가 모리타니와 비슷한 귀 주재국에서도 걸프사태가 악화됨에 따라 상기와 같이 반미감정 확산과 미국인 안전문제가 ~~위협받을~~ 검토되고 가능성이 있는지 여부 및 아국인에 대한 영향등 종합적인 귀관의견 보고바람. 끝.

(중동아국장 이 해 순)

예고 : 91.6.30.까지

3. 영국은 ~~~~ 사태악화에 대비한 예비조치로 걸프지역 일부국가에 있는 영국인 가족 2만여명을 철수권고키로 하였다는바 참고바람. 끝.

앙 고 재	90 년 12 월 20 일	마 그 렴 부 과	기안자		과 장	심의관	국 장		차 관	장 관		보안통제	외신과통제
			이종섭				전결						

0102

외 무 부

종 별 :

번 호 : MTW-0256   일 시 : 90 1220 1600

수 신 : 장관(마그,정일)

발 신 : 주 모리타니 대사대리

제 목 : 미국인 주재국철수설

연:MTW-254

연호 미국인 철수관련 방송으로인해 주재국내에 파문이 일어남에따라, 미대사관측은 12.18 오후 주재국 언론인을 대사관으로 초치하여 기자회견을 갖고 연호 2 항의 자국입장을 설명하고, 대사관및 미국인학교를 철수 또는 폐쇄할 계획이 없음을 공식 표명함. 끝.

(대사대리 김원철-국장)

예고:91.6.30 까지

19 91.6.30 예고문에 의거 일반

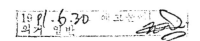

중아국   2차보   정문국

PAGE 1   90.12.22   06:33

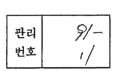

원 본

외 무 부

종 별 :

번 호 : MTW-0002   일 시 : 91 0106 1700

수 신 : 장관(마그, 영재)

발 신 : 주 모리타니 대사대리

제 목 : 아국선원 교민 공관원가족 안전대책

연:MTW-254

1. 본직은 90.12.30 MOULAYE 주재국 외무성 의전장을 면담한데 이어 금 1.6 MOHAMED VALL 치안본부장을 각각면담, 페만지역에서의 만약의 사태발생시 아국선원, 교민및 공관원과 가족의 안전보호를 요청하였음.

2. 동인들은 아국인의 안전보호를 타국인보다 최우선적으로 고려할것으로 본다고 하였음.

3. 당관은 선원, 교민및 공관원가족의 안전을 위해 계속 주지하고 특이사항있을시 수시보고하겠음. 끝.

(대사대리 김원철-국장)

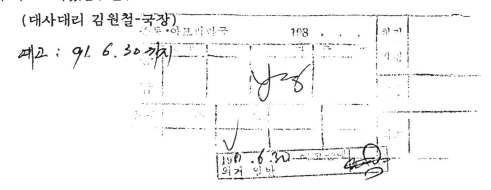

중아국   영고국

PAGE 1   91.01.07   20:54

외신 2과 통제관 CA

0104

관리
번호 91-14

외 무 부

종 별 :

번 호 : MTW-0003   일   시 : 90 107 1900

수 신 : 장관(마그,경이)

발 신 : 주 모리타니 대사대리

제 목 : 주재국 외무차관 면담

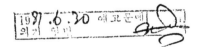

연:MTW-0002

1. 본직은 1.7. 주재국 외무차관을 면담코 90년도 대 주재국 무상원조품(승용차 5대, 앰브란스 1 대, 의약품, 신문사 및 라디오 방송국용 차량 각 1대) 선하증권을 전단한바, 동 차관은 심심한 사의를 표명함.

2. 또한 본직은 페만사태와 관련 아국선원, 교민및 공관원의 안전에대해 우려를 표명한바, 동 차관은 모리타니아가 페만으로부터 멀리 떨어져있어 안전하며, 원하는 경우 군경을 파견하여 줄것이라고 말함. 끝.

(대사대리 김원철-국장)

예고:91.6.30 까지

1991.6.30 예고문에 의거 해제

중아국   차관   2차보   경제국

PAGE 1   91.01.09   00:49

외신 2과   통제관 CF

0105

관리 번호	91- 35

외 무 부

종 별 :

번 호 : MTW-0010   일 시 : 91 0113 1500

수 신 : 장관(중근동,마그)

발 신 : 주 모리타니 대사대리

제 목 : 페만사태관련 주재국정세

(자료응신:2 호)

연:MTW-0009

1. 미의회의 1.12 페만전쟁 지지표결이후인 금 1.13 주재국내에서 친이락주의자들이 2-3 백명 규모의 데모를 감행함.(주재국정부는 지금까지 친이락및 친사우디 데모 시도를 모두 사전에 엄격히 제지해오고 있었음)

2. 이와관련 본직은 금 1.13 당지주재 모로코대사를 면담한바, 동인은 전쟁발발시 당지 미, 사우디, 쿠웨이트, 이집트, 프랑스인들이 테러의 주대상이 될것이나 특히 한국인들은 그렇지 않을것으로 보며, 연호 모리타니 민족민주운동과 관련, 동단체가 세네갈 접경지역인 로쏘부근에 아프리카흑인계(소닝케및 월로프족)를 중심으로 이미 조직화되어있으나 누악숏까지 그세력이 미치지는 못하고 있다고함. 또한 동인은 주재국정부는 반미데모가 격화되어 이를 봉제치 못하는경우반정부화하여 현군사 정권의 전복 가능성을 크게 우려하고 있어 현재상태로 서는 여하한 데모도 진압코자 최대한의 노력을 경주하고 있으나 흑인 모르족인 하라틴들이 현집권세력으로부터 소외되어 아프리카 흑인들에 동조하고 있어 3-4 년내에 현집권층이 정권을 유지하기 어려운 상황에 직면할것으로 본다고 말함.

3. 아국교민대책과 관련, 당지교민들이 아국회사진출이 아닌 현지취업을 통해 주재국경제에 크게 기여하고 있는점을 감안할때 직접적인 테러의 대상이되지는 않을것이나 잡범죄행위등에 대비한 대책을 수립하여 시행토록 조치하고있음. 끝.

(대사대리 김원철-국장)

예고:91.6.30 까지

중아국	장관	차관	1차보	2차보	중아국	청와대	총리실	안기부

PAGE 1

관리 번호	91- 30

외 무 부

종 별 :

번 호 : MTW-0011   일 시 : 91 0114 1500

수 신 : 장관(중근동,마그)

발 신 : 주 모리타니 대사대리

제 목 : 페만사태관련 주재국정세

연:MTW-0010

1. 페만사태와 관련, 아국교민및 선원들이 거주하고있는 누아디부에서 1.13. 150명규모의 친이락 데모가 있었으며, 금 1.14 에도 수도 누악숏에서 소규모데모가계속됨.

2. 본직은 금 1.14 당지주재 미국대사를 면담한바, 동인은 주재국내 평화봉사단 거의전원및 공관원가족등 대부분의 미국인이 철수하여 현재 20 명정도의 필수요원만이 남아있으며 주재국정부의 친이락성향때문에 당지가 수단보다는 더 위험한 곳으로 본다함. 끝.

(대사대리 김원철-국장)

예고:91.6.30 까지

| 91.6.30
의거 일반 | |

중아국	장관	차관	1차보	2차보	중아국	청와대	총리실	안기부

외 무 부

종   별 :

번   호 : MTW-0012   일   시 : 91 0115 1600

수   신 : 장관(중근동,마그,영사)

발   신 : 주 모리타니 대사대리

제   목 : 아국선원및 교민안전대책

연:MTW-0011

1. 주재국 수도 누악숏과 아국선원및 교민 밀집거주지역인 누아디부에서는 금 1.15 에도 친이락데모가 있었음. 금번데모의 특징은 주재국 현지배계층인 아랍계 모르족들이 작 1.14 오후 시내 주요간선도로와 주민밀집거주지역을 몰려다니며 주민들에게 데모참여를 호소하였으나 아랍계흑인 하라틴(최근까지 현 지배계층의 연합세력)및 아프리카흑인들이 동참치않음으로서 대규모 가두시위로는 발전하지 못하고있음. 대부분의 하라틴및 흑인들은 최근 정부의 쿠데타미수사건관련 광범위한 검거선풍의 여파등으로 친 사우디경향을 보이고있음.

2. 지두 주재국외무차관은 금 1.15 오전 본직에게 전화로, 주재국정부는 최근 페만사태악화로인한 데모등과관련 전 외교공관, 공관원및 외국인 특별보호대책을 수립 시행중에있다고 말하고 특히 누아디부 거주 한국선원및 교민들이 동요함이없이 계속 일하도록 해달라고 당부함.

3. 누아디부거주 아국선원및 교민은 본직 지시로 1.13 긴급안전대책회의를 갖고 당분간 선원들의 상륙자제, 불필요한 외출자제등 우선 시행가능한조치부터 시행키로한데이어 데모가 시장근처에서 시작되고있어 시장근처 거주교민들이 안전지역으로 임시대피중에있음.

4. 금일 현재의 제반 상황으로 미루어 주재국이 페만과 멀리 떨어져있고 1,400 여 아국교민이 주재국재정수입의 60%를 점하는 수산업에서 막중한비중을 차지하고있어 만일 전쟁이 발발하더라도 아국인이 직접공격대상이 되지않는한 철수문제는 발생치않을것으로 보이나, 만일의 사태에대비 주재국 중앙및 지방정부와 당지주재 외국공관등과 긴밀한 협조관계를 유지, 수시 협의하고있으며 사태추이 계속 보고하겠음. 끝.

중아국   장관   차관   1차보   2차보   중아국   영교국   안기부

PAGE 1

(대사대리 김원철-국장)

예고:91.6.30 까지

1991.6.30. 에 예고문에
의거 일반문서로 재분류됨.

관리
번호 91-46

외 무 부

종 별 :

번 호 : MTW-0015

일 시 : 91 0119 1100

수 신 : 장관(중근동,마그)

발 신 : 주 모리타니 대사대리

제 목 : 페만전쟁관련 선원교민 안전대책

대:WMEM-0008

연:MTW-0012

1. 주재국은 1.18 에도 수도인 누악숏및 아국 교민 밀집지역인 누아디부에서대규모 친이락 반미데모가 계속됨. 특히 누악숏에서는 회교사원 금요집회후 지금까지 최대규모인 500 여명 이상이 가담함. 미, 불, 사우디, 쿠웨이트 공관에로의 진출을 시도하였으나 경비군인에의한 최루탄발사등 철저한저지로 진출에 실패함. 1.19현재 당지시내는 평온하나 긴장이 팽배해 있음.

2. 당지 프랑스 교민 1500 여명은 프랑스대사관 구내로 집결, 천막을치고 단체생활중이며 바깥출입을 금하고있음. (부녀자및 아이들은 상용비행기편으로 기귀국)

3. 누아디부거주 아국교민과 선원, 누악숏거주 교민(정파의 1 세대)및 공관원가족은 데모대의 공격대상이 되지않기위해 자택에서 대피함. 현재까지 아국선원과 교민의 동요나 출국희망자는 없으나 데모대의 시위목표가 반이락 전선가담 28개 연합국 또는 전외국인으로 확대되는 경우 아국인의 안전문제도 심각히고려치않을수 없으므로 본직은 누아디부교민들과 하루에도 7-8 회이상 전화로 통화하여 사태추이를 예의 주시하고 있음.

4. 페만전이 단기전으로 끝나는경우 주재국정부의 강경진압으로보아 데모진압은 가능할것으로 보이나 이스라엘이 가담하여 확전되거나 연합군의 공격이 순전히 군사목표에 한정되어있어 아랍속성상 장기화되는경우 주재국에서의 반미, 반연합국 감정이 최악의 사태로 발전할 가능성이 점차 커지고있어 선원및 교민의안전대책수립이 요망되고 있음

5. 연이나 연호 주재국 외무차관의 본직앞 전화및 아국선원 고용선주들의 우려등으로보아 주재국경제에 절대필수인 선원및 교민의 출국을위한 항공기

중아국	장관	차관	1차보	2차보	중아국	정문국	정와대	안기부

91.01.20 00:32
외신 2과 통제관 CW

0110

이착륙허가 획득이 현재로서는 용이치 않을것으로 보여지고있음.

6. 그러나 계속 조업 또는 상륙금지로 안전확보가 가능한 1,200 여 조업선원을 일단 제외한 기타 상륙선원및 교민등 200 여명의 안전확보를 위하여 제 2 차교민 철수특별기 파견시, 항공기 파견 가능여부및 가능시 이착륙 허가에 필요한항공기 제원등 필요사항 지급 회시하여 주시기바람. 끝.

(대사대리 김원철-페만비상대책본부장)

예고:91.6.30 일반

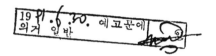

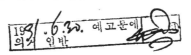

관리 번호	91- 15

외 무 부

종 별 :

번 호 : MTW-0019   일 시 : 91 0120 1200

수 신 : 장관(중근동, 마그, 영사)

발 신 : 주 모리타니 대사대리   중근동
                                        회신 來

제 목 : 걸프전쟁관련 교민안전 대책

연:MTW-0015

1. 걸프전관련 작 1.19 수도 누악숏에서는 소규모 친이락데모가 있었음. 한편 아국교민및 선원집단 거주지역인 누아디부에서는 대규모 과격 친이락시위대가 프랑스인 성당및 유치원건물을 파손하고 데모지역을 지나가던 3-4 명의 아국교민에 대해 집까지 쫓아와 투석하는등 폭력시위를 감행함. 동사태로 누아디부 거주 교민들이 크게 불안해하고 있으며 금 1.20 중 가족동반으로 누아디부에 거주하고있는 60 여세대 아국교민중 우선 항공편이 예약되는대로 20 여명의 부녀자들이 일단 라스팔마스로 철수할 예정임.

2. 연호 보고와같이 걸프전쟁이 계속됨에따라 주재국회교들의 외국인에 대한 반감이 점점 악화되어가고 있는것으로 보여짐. 더구나 누아디부는 수도인 누악숏으로부터 멀리떨어져있고 치안유지력도 미미한 편이어서 과격시위에 항상 효과적으로 대처하지 못하는 상황이 벌어져왔었으며 특히 누아디부 거주교민들의 안전문제가 우려되어 왔음.

3. 당관으로서는 주재국 정부로부터 최소한 아국선원이나 교민들이 모두 떠나버린다는 인상을 주지않기 위해 우선 1 단계로 부녀자철수후 상황을 보아가며 누아디부 거주 비필수인원도 단계적으로 철수하도록 선도예정임. 끝.

(대사대리 김원철-페만비상대책본부장)

예고:91.6.30 일반

1991. 6.30. 예고문에 의거 일반

중아국 안기부	장관	차관	1차보	2차보	중아국	영교국	정와대	총리실

<table>
<tr><td>관리
번호</td><td>91-
23</td></tr>
</table>

<table>
<tr><td>분류번호</td><td>보존기간</td></tr>
<tr><td></td><td></td></tr>
</table>

발 신 전 보

WMT-0012   710121 1809 AO

번   호 :   종별 :   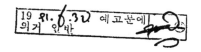   WIR -0072

수   신 : 주   모리타니   대사. ~~총영사~~ 대리 (사본 : 주이란대사)

발   신 : 장 관   (마그)

제   목 : 주 이라크 모리타니 대사대리 안부

이라크 잔류 근로자의 긴급대피 관련 이라크 접경지인 Bakhtaran에 출장중인
주이란대사관 직원의 상황보고에 의하면 Bakhtaran 에서 만난 바그다드 주재
모리타니 대사 Munier는 다음사항을 모리타니 본국에 전달하여 줄것을 요망
했다는 바 주재국 외무부에 이를 적의 전달 ~~요청~~ 바람.

ㅇ 동대사는 이라크의 통신두절로 일단 이란으로 대피, 본국에 자신의 안전을
   보고한후 임지인 바그다드로 돌아갈 예정임.

ㅇ 동 대사는 안전하며 임무수행을 위해 1.21. 바그다드로 돌아갈것임.

(중동아국장 이 해 순)

예고 : 91.6.30.일반

검토필(1991.6.30.

19 81. 6. 32 예고문에
의거 일반

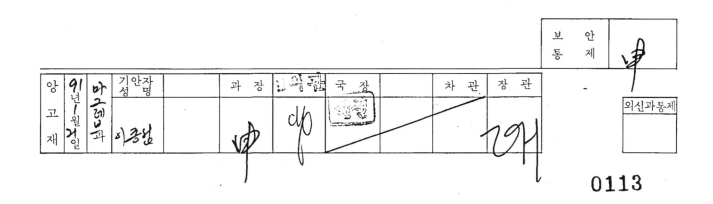

<table>
<tr><td rowspan="2">앙
고
재</td><td rowspan="2">91
년1
월2
일</td><td rowspan="2">마그과</td><td>기안자
성명</td><td></td><td>과 장</td><td></td><td>국 장</td><td colspan="2">차 관   장 관</td><td colspan="2">보 안
통 제</td></tr>
<tr><td>이종범</td><td></td><td></td><td></td><td></td><td></td><td></td><td colspan="2">외신과통제</td></tr>
</table>

0113

관리 번호 91- 45

분류번호	보존기간

발 신 전 보

WMT-0013   910121 1812 AO

번   호 : _____   종별 : _____

수   신 : 주 모리타니   대사. ~~총영사~~

발   신 : 장 관 (마고 ~~   ~~)

제   목 : 교민 안전 대책

대 : MTW-0019

귀지체류 교민 현황~~을~~(지역별, 직업별로 정확한 숫자~~를~~ 과악, 아래사항을
참고하여 수립한 귀관의 교민 안전 대책~~과~~ 을 함께 보고하고 아울러 부녀자 철수등
구체조치후도 즉시 보고하기 바람.

　　가) 귀지는 전쟁위험지역이 아닌 만큼 현재로서는 특별기에 의한 본국
　　　　철수등~~을~~ ~~검토할 필요가 없으며~~ 고려하지 않고 있으므로 긴급시는 인근 라스팔마스등으로 임시
　　　　대피하는 것이 바람직함.

　　나) 현재로서는 교민들이 주재국 국민들을 자극할 만한 행동이나 위험지역
　　　　통행등을 삼가하고 비상식량 확보등에 유의함.

　　다) 유사시에 대비 라스팔마스 대피를 위한 교민대피 순서, 항공기 또는
　　　　선박등 교통수단 확보 계획, 라스팔마스에서의 거처지 확보등을
　　　　염두에 둠. 끝.

　　　　　　　　　　　　　　　　　　(중동아국   이 해 순)

예 고 : 1991.6.30. 일반

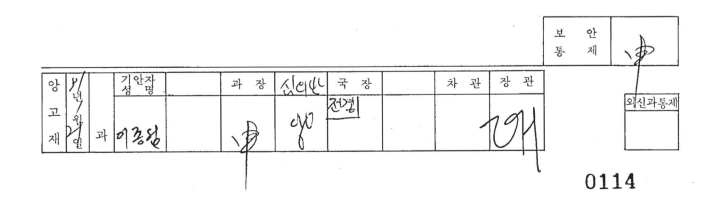

앙고재	91 년 1 월 21 일 과	기안자 성명	이종림	과 장		국 장	전결		차 관	장 관		보 안 통 제	

0114

외 무 부

종 별 :

번 호 : MTW-0021

일 시 : 91 0121 1200

수 신 : 장관(중근동,마그,영사)

발 신 : 주 모리타니 대사대리

제 목 : 걸프전쟁관련 교민안전대책

연:MTW-0019

　　1. 연호 보고대로 작 1.20 누아디부거주 아국교민중 20 명(주로 부녀자)이 라스팔마스로 일단 대피함. 나머지 교민및 상륙선원들은 자체회합을 갖고 추가대피 문제는 사태추이에 따라 결정키로하고 당관과 긴밀히 연락키로함. 한편, 1.19친이락 시위대의 아국교민에대한 폭력시위 직후 누아디부 거주 선주들이 치안당국및 데모주동자들에게 한국인들의 보호를 강력히 요청한바 있음.

　　2. 1.20 주재국에서는 수도 누악숏에서 소규모 친이락 데모가 있었으나 누아디부에서는 별다른 움직임이 없었음.

　　3. 당지 프랑스대사관 구내에 대피중이던 일부 프랑스인들이 자택으로 돌아가 시내를 돌아다니는 모습이 목격되고 있으나 긴장은 계속되고 있음. 끝.

　　(대사대리 김원철-페만비상대책본부장)

　　예고:91.6.30 일반

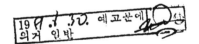

PAGE 1

91.01.21　23:00

외신 2과　통제관 CE

0115

외 무 부

종 별 :

번 호 : MTW-0023   일   시 : 91 0121 1530

수 신 : 장관(중근동,마그,영사)

발 신 : 주 모리타니 대사대리

제 목 : 걸프전쟁관련 교민안전대책

연:MTW-0021

1. 본직은 금 1.21 주재국 지두외무차관을 면담. 1.19 누아디부에서의 친이락시위 도중 발생한 아국 교민 3-4 명에대한 돌팔매 사태에대해 유감을 표명하고관계당국으로 하여금 향후 아국인을 철저히 보호하도록 조치하여 줄것을 요청함.

2. 동 차관은 관계당국으로 하여금 한국인 보호에 만전을 기하도록 즉각조치하겠다고 말하고, 한국이 걸프전쟁 당사국이 아니므로 한국인이 더이상 공격의대상이 되지않을 것으로 본다고 말함. 끝.

(대사대리 김원철-페만비상대책본부장)

예고:91.6.30 일반

검토필(1991.6.30.)

중아국   차관   1차보   2차보   중아국   영교국

외 무 부

종 별 :

번 호 : MTW-0024　　　　　　　　　　일 시 : 91 0121 1540

수 신 : 장관(마그),사본:주이란대사(중계필)

발 신 : 주 모리타니 대사대리

제 목 : 주이락대사대리 메세지 전달

대:WMT-0012

　　본직은 1.21 주재국 지두외무차관면담시 대호메세지를 전달한바, 동인은 심심한 사의를 표명함. 끝.

　　(대사대리 김원철-국장)

　　예고:91.6.30 일반

검 토 필(1991.6.20.

1991.6.30. 예고문에
의거 일반

중아국

외 무 부

종 별 :

번 호 : MTW-0025

일 시 : 91 0121 1600

수 신 : 장관(마그, 영사)

발 신 : 주 모리타니 대사대리

제 목 : 교민안전대책

대:WMT-0013

대호관련 당관이 수립하여 기시행중인(1.21 현재,1 단계 기사행,2 단계 시행중) 교민안전대책을 하기 보고함.

1. 교민현황

가. 교민총수:192 명(주업선원제외)

-지역별: 누악솟 16 명(공관원및 정파의 가족)

누아디부 176 명(교민및 일반체류자 136 명, 상륙선원 40 명: 기술직 41, 사무직 11, 전문직 21, 기타 보녀자등)

나. 조업선원수:약 1,200 명

지역별: 전원 누아디부

2. 안전대책

가, 1 단계(예비단계)

- 친이락 시위대의 과격행동의 표적이 되지않도록 교민및 상륙선원의 외출자제(특히 일몰후 외출금지)

-해상근무 송출선원의 상륙을 불가피한 경우를 제외하고 금지 (특히 일몰후상륙금지)

-교민회및 선친회 간부진과 당관과의 상시 긴밀한 연락체제유지(만일의 봉신 두절사태에 대비, 자체봉신 시설을 갖춘 주 누아디부 스페인 총영사관에 대해누아디부교민회와 당관과의 봉신중계 협조 기요청)

-주재국 외무성및 치안당국에대해 아국교민신변안전을 위한 협조요청

나. 2 단계(시위군중의 과격화조짐 현재화시)

-비상식량확보

중아국   차관   1차보   2차보   영교국

-우선직으로 부녀자들을 중심으로 인근 안전지역인 라스팔마스 대피

-계약 완료된 상륙선원의 조기 귀국 본국또는 제 3 국에 공사 용무있는자및금년도 휴가 해당자 휴가조기실시등

-주누아디부 명예영사관 비상근무체제 돌입, 아국교민의 안전상태 항시점검

다.3 단계(사태악화시)

-누아디부 잔류교민및 상륙선원, 한인회관과 명예영사관에 집결 단체생활및순번을 정하여 라스팔마스로 대피

-해상조업선원 상륙금지

-공관원 1 인 누아디부에 출장, 현지상황파악및 대피작업 지휘

라.4 단계(긴급시)

-라스팔마스주재   아국총영사관과의   협조하에   전세비행기또는   선박확보및 라스팔마스 임시거처 주선

-누아디부파견 공관원 1명 교민완전 철수시까지 교민 안전대피지도및 이와관련 주재국당국의 협조확보

-조업 또는 해상대피중이던 송출선원은 조업선박 또는 전세선박편을 이용 라스팔마스로 대피.끝.

(대사대리 김원철-국장)

예고:91.6.30 까지

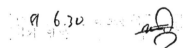

관리 번호	91- 47

외 무 부

종 별 :

번 호 : MTW-0026 일 시 : 91 0122 1600

수 신 : 장관(중근동,마그)

발 신 : 주 모리타니 대사대리

제 목 : 걸프전쟁관련 주재국정세

1. 걸프전쟁 장기화및 학생들의 데모 가담이 예상됨에따라 주재국은 각급학교 휴교령을 1.23 에서 2.2 까지로 연장함.

2. 시내 요소요소및 외국공관과 관저등 외국인 밀집지역에대한 군인의 삼엄한 경계가 계속되고 있으며 긴장상태가 여전히 고조된상태임.

3. 1.21 및 22 양일간 수도 누악숏및 누아디부에서 데모사태는 발생치 않았으며, 누악숏에서는 지금까지 데모 주동자로 추정되는 수십명의 친이락, 친팔레스타인 아랍인들이 데모진원지라고 생각되던 당지 이락대사관으로 들어가려고하였으나 경비군인에의해 저지당하였다고함.

4. 금일현재 누아디부 잔류 아국교민의 더이상의 동요는 없음. 불대사관에 임시 대피중이던 프랑스인중 일부 부녀자는 계속 떠나고 몇몇 사람은 자택에 귀가하거나 낮에는 근무를 재개하는자도 있음. 끝.

(대사대리 김원철-페만비상대책본부장)

예고:91.6.30 일반

19 91.6 30. 예고문에 의거 일반	

중아국	장관	차관	1차보	2차보	중아국	정문국	안기부

관리 번호	91- 49

외 무 부

종 별 :

번 호 : MTW-0027   일 시 : 91 0123 1800

수 신 : 장관(중근동,마그,영사)

발 신 : 주 모리타니 대사대리

제 목 : 걸프전쟁관련 주재국정세보고

1. 본직은 금 1.23 당지 주재 TWADELL 미국대사를 면담, 걸프전쟁관련 현황청취및 주재국 정세에관해 의견을 교환한바 동인은 주재국에서의 반미 데모사태에 우려를 표명하고, 특히 미, 불, 독등 서방인에 대한 테러위험성이 높다고하면서 최근 불, 독, 알제리인이 주재국에서 심하지는 않으나 시내에서 테러를 당하였다는 소문은 사실로 판명되었다함.

2. 주재국은 금 1.23 이락의 대 이스라엘 스쿠드미사일 공격에 답하여 반미 데모가 있었는바, 아국선원이나 교민에 대한 피해는 없었음. 끝.

(대사대리 김원철-페만비상대책본부장)

예고:91.6.30 일반

19 . 30. 예고문에 의거 일반

중아국 총리실	장관 안기부	차관	1차보	2차보	미주국	중아국	영교국	청와대

PAGE 1   91.01.24   20:37

외신 2과   통제관 DO

0121

외 무 부

종 별 :

번 호 : MTW-0028

일 시 : 91 0124 1500

수 신 : 장관(중근동,마그,영사)

발 신 : 주 모리타니 대사대리

제 목 : 걸프전쟁 관련 주재국정세

1. 금 1.24 주재국내 데모는 없으나 군경에 의한 경비는 강화됨. 작 1.23 데모시 친이락, 팔레스타인계 데모 주동자들의 체포, 경적 울리는 차량의 열쇄몰수등 강경대응으로 주재국 정부의 데모 진압및 외국인 보호 의지에 회의하던 당지프랑스인들도 임시 대피중이던 대사관으로 부터 귀가함.

2. 다수의 이락인들이 시내 호텔등에 체류하고 있는것이 목격되었음.

3. 누아디부거주 아국교민및 선원들은 안전하며 금일현재 거의 정상근무를 하고있으나 명일이 회교도 일요일이라 만일의 데모사태에 대비 , 외출자제등 신변 안전에 최대한의 노력을 경주토록 당부함. 끝.

(대사대리 김원철-페만비상대책본부장)

예고:91.6.30 일반

1991.6.30. 예고문에 의거 일반

중아국   중아국   영교국

PAGE 1

91.01.25   07:27

외신 2과 통제관 BT

0122

원 본

외 무 부

관리 번호 : 91-38

종 별 :

번 호 : MTW-0031

일 시 : 91 0126.1130

수 신 : 장관(중근동, 마그, 영사)

발 신 : 주 모리타리 대사대리

제 목 : 걸프전쟁관련 주재국정세보고

연:MTW-0028

1. 주재국에서는 작 1.25 회교주일을 맞아 누악숏에서 <u>예배후 3,000 명이상이</u> 걸프전 발발이래 최대규모의 데모를 감행함. 주재국 군경은 최루탄을 쏘며 강력저지, 큰 불상사는 없었음.

2. 누아디부파 아국선원및 교민은 안전함.

3. 당지 불대사관은 자국민들에대해 대사관구내대피 또는 자택밖외출금지 조치를 취했으나 데모가 예상대로 조용히 끝나자 구내대피 교민을 귀가조치함.

4. 주재국에서는 앞으로도 계속 데모는 있을것으로 보이며 외국인보호및 시민의 조속한 정상생활 복귀를 위하여 정부의 강력한 저지가 예상됨에 따라 당분간 극적인 변화가 없는한 긴장이 계속되는 가운데 시민의 정상생활 복귀 조치를 조용히 취해 나갈것이나 어려움은 점점 많아질것으로 전망됨.

5. 마그렙 국가연합(UMA)은 모로코, 알제리등의 주도로 걸프전 휴전및 이라크군철수, 쿠웨이트에 마그렙군파견및 유엔 안보리회의 개최안등에 대한 국제사회의 수용거부로 아랍인에의한 아랍문제의 해결에 한계를 노정하고 있으며, 걸프전의 장기 및 확전이 되어가는 경우 각국동요사정에 따라 공식, 비공식 군대 또는 자원병파견등이 있지않을까 우려됨. 끝.

(대사대리 김원철-페만사태비상대책본부장)

예고:91.6.30 일반

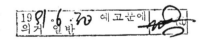

1991.6.30 예고문에 의거 일반

중아국	장관	차관	1차보	2차보	중아국	영교국	정와대	안기부

91.01.26   21:11
외신 2과 통제관 CA

0123

외 무 부

종   별 :

번   호 : MTW-0034   일   시 : 91 0127 1540

수   신 : 장관(중근동,마그,영사)

발   신 : 주 모리타니 대사대리

제   목 : 걸프전 관련 주재국 정세

연:MTW-0031

1. 주재국은 1.26 과 1.27 데모없이 조용히 지냄.군경의 시내 경비는 삼엄하나 정상적인 생활로의 복귀 노력이 보이고 있음. 긴장은 계속 고조 되고있어 완전정상화 까지는 다소 시일이 걸릴 것으로 판단됨.

2. 누아디부 아국선원및 교민은 정상생활 중임.

3. 당지 소재 불란서 고등학교는 1.26 부터 개교 하였으며 불대사관측은 구내에 피신 중이던 교민들에 대하여 귀가 또는 구내 계속 대피를 각자의 판단에 따라 선택토록 조치, 거의 전원이 귀가함. 끝.

(대사대리 김원철-페만비상대책본부장)

예고:91.6.30 일반

1991. 6. 1. 에 예고문에 의거 일반문서로 재 분류됨.

중아국   중아국   정문국   영교국   안기부

관리 번호	91/847

원 본

외 무 부

종 별 :

번 호 : MTW-0038

일 시 : 91 0129 1600

수 신 : 장관(중근동,마그,영사)

발 신 : 주 모리타니 대사대리

제 목 : 걸프전쟁관련 주재국 정세

연:MTW-0034

1. 주재국은 1.28 및 1.29 데모없이 지나감. 당지 이락및 팔레스타인대사관을 경비하는 군은 양대사관에서 데모를 사주하는 일이 없도록 하기위해 민간인의 출입을 통제를 강화하고 있음. 시민생활은 다소 정상을 찾아가는 모습이나 긴장감은 여전히 지속되고 있으며 반미데모가 미, 영, 불등 직접 참전국뿐아니라 28 개 지원국으로 확대될 가능성은 상존함.

2. 누아디부 거주 아국선원및 교민은 계속 정상생활중임.끝.

(대사대리 김원철-페만비상대책본부장)

예고:91.6.30 일반

1991 6.30. 에 대고문에
의거 인반문서로 재 (분류됨.)

중아국 안기부	장관	차관	1차보	2차보	중아국	영교국	청와대	총리실

PAGE 1

91.01.30   06:14

외신 2과 통제관 CW

0125

관리
번호 | 71-
86

외 무 부

종 별 :

번 호 : MTW-0042

일 시 : 91 0202 1530

수 신 : 장관(중근동,마그,영사)

발 신 : 주 모리타니 대사대리

제 목 : 걸프전쟁관련 주재국정세

연:MTW-0021

1. 주재국은 금 2.2 예정대로 각급학교의 수업을 재개함.

2. 주재국에서는 작 2.1 회교주일 예배후 데모감행시도가 있었으나 군경의 철저한 저지로 무산됨.

3. 주재국은 걸프전 발발이후 긴장상태 지속으로 시민들이 막대한 불편을 겪고 있음을 감안 이의 정상화를 위하여 가시적인 노력을 기울이고 있으나 중동사태가 언제 악화될지 모르는 상황이므로 주재국 국민은 물론 외국인들도 조용히 사태추이를 계속 주시하고 있음.

4. 연호 1.20 라스팔마스로 긴급 대피하였던 부녀자들도 거의 전원 누아디부로 되돌아와 정상생활중임.끝.

(대리대사 김원철-페만비상대책본부장)

예고:91.6.30 일반

199.6.30 예고문에
의거 일반

중아국   장관   차관   1차보   2차보   미주국   중아국   영교국   정와대
총리실   안기부

PAGE 1

91.02.03   07:25
외신 2과 통제관 DO
0126

외 무 부

관리번호 91/1248

종 별 :

번 호 : MTW-0044
일 시 : 91 0206 1530

수 신 : 장관(중근동,마그)

발 신 : 주 모리타니 대사대리

제 목 : 걸프전관련 주재국동향

연:MTW-0042

1. 주재국 적십자사(CROISSANT ROUGE)는 금 2.6 부터 전국적으로 이라크 국민에게 보낼 의연품(혈액, 식품, 의약품등)모집을 개시함.

2. 기타 걸프전관련 주재국내 특이동향은 없으나 긴장상태는 계속되고있음. 끝.

(대사대리 김원철-페만비상대책본부장)

예고:91.6.30 일반 예고문에
의거 인반으시고 재 (판단바).

중아국   중아국   정문국   청와대   안기부

정 리 보 존 문 서 목 록					
기록물종류	일반공문서철	등록번호	2020120204	등록일자	2020-12-28
분류번호	721.1	국가코드	XF	보존기간	영구
명 칭	걸프사태 : 재외동포 철수 및 보호, 1990-91. 전14권				
생 산 과	북미1과/중동1과	생산년도	1990~1991	담당그룹	
권 차 명	V.13 걸프지역 공관				
내용목차	* 재외동포 철수 및 비상철수계획 수립 등				

0001

	분류번호	보존기간

발 신 전 보

번   호 :   WSB-0284   900805 2336 DN   종별 : 긴급

WAE -0147   WQT -0078
WBH -0090   WOM -0112

수   신 :   주   수신처 참조 //대사// 총영사

발   신 :   장   관   대리 (중근동)

제   목 :   교민 보호 철저

1. 이라크군의 쿠웨이트 공격과 관련, 만일의 사태에 대비키 위해 교민과 근로자 보호에 만전을 기하기 바람.

2. 아울러 비상시에 대처키 위해 대피계획 수립및 바상식량 및 연료 비축에도 유의하기 바람.   끝.

(중동아국장   이 두 복)

예 고 : 90.12.31. 일반

수신처 : 주 사우디, UAE, 카타르, 바레인 대사

일반

1990. 12. 31. 애 예고문에
의거 일반문서로 재 분류됨.

보 안 통 제	美

앙고재	90년8월5일 중근동과	기안자 성명		과 장	국 장	차 관	장 관	외신과통제
				美	전결		ﺲ	

0002

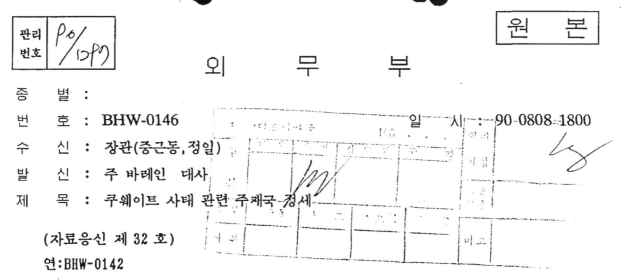

외 무 부

관리번호 PO/1289

종   별 :

번   호 : BHW-0146

일 시 : 90-0808-1800

수   신 : 장관(중근동,정일)

발   신 : 주 바레인 대사

제   목 : 쿠웨이트 사태 관련 주재국 정세

(자료응신 제 32 호)

연:BHW-0142

1. 영국에서 휴양중이던 주재국의 KHALIFA 수상은 당초 예정을 앞당겨 작 8.7 귀국함.

2. 본전 사태 발생이후 주재국내 평시 질서에 변화가 야기된 부분은 아래와 같음.

가. 은행, 환전상등에서 미화 현금 환전이 미화 공급 부족등으로 작 8.7 부터 중단됨.

나. 공항을 통한 쿠웨이트발 화물의 환적이 중단된바, 이는 유엔 안보리의 대 이라크 경제 제재 조치에 대한 주재국 정부의 동참으로 이해됨.

다. 화물선의 주재국 향후 입항 예정이 격감 추세를 보이고 있는바, 이는 당지 수입상들이 신규 신용장 개설을 기피하고 있기 때문인것으로 보임.

3. 항간에는 아래와 같은 미확인 첩보가 유포되고 있는바, 연호 정찰 비행설과 아울러 향후 사태 발전과 관련 주목할 만한 점도 있는것으로 사료됨.

가. 본 사태 발생직후 당지 공항에는 쿠웨이트 항공소속 민항기 수대와 쿠웨이트 공군 소속 군용기 수대가 계류 중이었는바, 이라크 정부는 주재국 정부에이들의 즉각적인 쿠웨이트 반환을 요구하였고, 주재국측은 이라크측의 요구를 묵살, 동 항공기들을 전부 영국으로 보냈음.

나. 주재국 공군은 F-16 전투기 6 대를 보유하고 있는바, 이중 4 대는 쿠웨이트의 자금 지원으로 구입 한 것이라며, 이라크는 이를 이유로하여 동 F-16 4 대의 쿠웨이트 반환을 요구하고 있으며, 주재국 측은 이에 불응하고 있다함.

4. 작 8.7. 당지 아국 교민들간에 미국, 일본, 불란서 대사관의 자국민 철수 지시 하달, 주재국-사우디간 연육교 (CAUSEWAY) 차단, 공항의 출국러시들의 유언비어가

───────────────────────────────

중아국   차관   1차보   2차보   정문국   정와대   안기부

PAGE 1

90.08.09   02:05

외신 2과 통제관 DH

0003

유포되어 일부 동요가 일어난바 있었으나, 당관이 직접 확인한바에 따르면 상기는 모두 사실무근인 것으로 확인되었음.

5. 본직은 교민들에 대해서 국제정세, 군사상황, 주재국의 지정학적 위치등을 설명하고, 바레인 거주 교민철수는 사우디 영토 내에서 대규모 전투가 실제로 전개되기 이전에는 고려하지 않아도 된다는 입장을 취하고 있음.끝.

(대사 우문기-국장)

예고:90.12.31 일반.

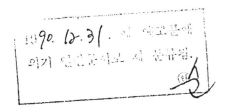

PAGE 2

0004

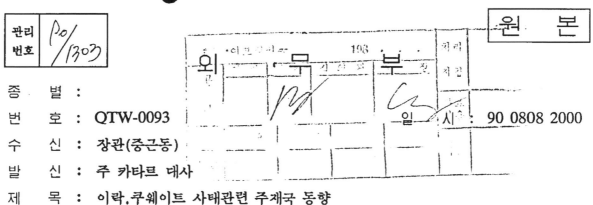

관리
번호 : Po/1303

종 별 :

번 호 : QTW-0093

수 신 : 장관(중근동)

발 신 : 주 카타르 대사

제 목 : 이락.쿠웨이트 사태관련 주재국 동향

일 시 : 90 0808 2000

원 본

대:WMEM-0024

연:QTW-0087

1. 정부 주변동향

O KHILIFA 국왕은 8.2 유럽 휴양지로 부터 급거귀국후 주변각국 수뇌들과 전화를 통한 협의를 계속하는 한편 이락으로 부터도 ALI HASSAN MAGUID 지방행정장관의 돌연방문(8.5)을 접수하고 훗세인 대통령의 구두 멧세지를 청취하였다함.(내용불상이나 쿠에이트 침공 정당화하는 내용이었다함.)

O 8.7 사우디 젯다에서 개최된 GCC 외상회담에 주재국 AL-KHATER 외무장관이 참석하였으며 동회담은 이락군의 즉각철수와 쿠웨이트의 AL-SABAH 국왕의 합법정부에 대한 지지를 재확인하는 성명을 발표하였을뿐 구체적인 행동방책에 대하여는 각각 자국 원수에게 보고키로 하였다함.

당지주재 HAMBLEY 미국대사에 의하면 동회담중 사우디로 부터 미군병력 및 항공기의 사우디 진주에 관한 설명이 있었다하며 , 동미국대사는 금번 F-111 전투기 및 제 82 공수사단의 배치는 이락군의 사우디침입을 억지하고 사우디 유전보호를 위한 방어적인것임을 본지에 설명함.

O 당지 외교가의 관측은 주재국이 이락의 침공을 광적인폭거(외무성 AL-OBAIDLY 국제기구국장)라고 규탄하면서도 이락의 막강한 군사력에 대한 피해의식에서 ARAB LEAGUE, ICO, GCC 등과 공동보조를 취할뿐 단독적인 의사표시나 행동은 자제하고 있는 실정임.

O 8.7 ALI AKBAR VELAYATI 이란 외무장관이 주재국을 방문 , 주재국 국왕에게 RAFSANJANI 대통령의 친서를 전달하고 관련정세를 협의하였는바 이란은 주재국을 비롯한 GULF 각국에 적극적인 지원을 확약하였다함.

중아국   장관   차관   1차보   2차보   정문국   청와대   안기부

PAGE 1

90.08.09   07:45

외신 2과   통제관 CW

0005

2. 군경부대 동향

8.7 부터 주재국 군경은 비상태세에 돌입 완전무장 대기중이며 8.8 당지출발예정이던 카타르 경찰간부의 방한도 무기 연기되었음.

3. 민간인 동향

0 표면상 평온을 유지하고 있으나 사우디, 바레인, UAE 등으로 부터의 영향으로 상당한 민심의 동요가 눈에 띄고 있으며, 외화사재기로 인해 8.7 현재 달러 및 파운드화등 외화는 고갈 상태이며 은행에서의 달러예금 인출, 해외송금이 거절되고 있음.

0 현재 주재국에는 약 200 명의 쿠웨이트인이 체류중이며 주재국 정부에서 호텔을 제공하고 있음.

4. 교민동향

현재 주재국에는 당관직원 및 가족포함 87 명의 한국인이 장기체류중인바 그중 30 명이 휴가로 본국 또는 타국을 여행중이며 특이 동향 없음.

5. 비상대책

본직은 유사시대비, 교민보호를 위한 비상연락망을 재점검하고, 쌀, 식수 개스등 약 10 일간 소요 비상식량 및 연료를 비축중이며, 1 단계 대사관 집결, 2 단계 가족철수등의 대책을 수립중에 있음.

(대사 유내형-국장)

예고 :90.12.31 일반

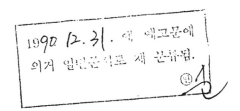

1990 12.31. 예 예고문에
의거 일반문서로 재 분류됨.

외 무 부

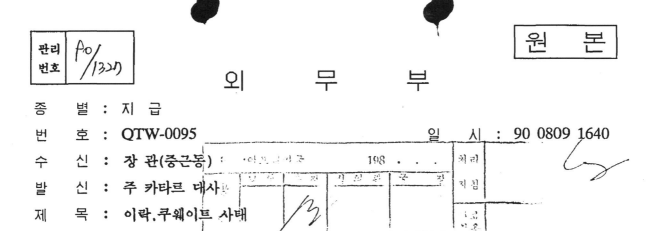

종 별 : 지 급

번 호 : QTW-0095　　　　　　　　　　　일 시 : 90 0809 1640

수 신 : 장 관(중근동)

발 신 : 주 카타르 대사

제 목 : 이락.쿠웨이트 사태

대:WMEM-0024

연:0093

1. 당지 주재 서방국 공관 및 외국인 동향 다음과 같음.

0 일본:6 개 상사 본사 지시에 의거 상사원 및 가족공히 8.8 부터 철수개시

0 영국: 3-4000 명에 달하는 영국인 체류자에 대하여 예비적 조치로서 가족우선 철수 권고

0 미국: 공관원 가족의 철수를 허용하고 있으며 여타 미국인 체류자에 대하여는 자체적 판단에 의거 철수할것을 권고

0 서독, 프랑스: 즉각적인 위험은 의문시 하면서도 주재상사 대표등을 초치하여 본국지시가 있을 따까지 자체적 판단으로 행동토록 요청

2. 본직은 8.9 오전 당지 체류 교민들을 대사관에 초치 , 정세설명과 아울러 비상시 행동요령을 설명하고 비상연락망의 유지 와 자주적 판단에 의한 가족 우선출국을 고려토록 권유하였음.

(대사 유내형-국장)

예고:90.12.31.

중아국　　　차관　　　1차보　　　2차보　　　안기부

PAGE 1

외 무 부

종 별 :

번 호 : BHW-0149

일 시 : 90 0810 1215

수 신 : 장관(중근동,정일)

발 신 : 주 바레인 대사

제 목 : 쿠웨이트 사태관련 주재국 정세(자료응신 제34호)

연: BHW-0146(1), 0147(2)

1. 연호(1), 주재국내 8.10. 현재 정세를 아래 보고함.

가. 바레인 정부는 8.8 밤을 기해 중앙은행 보유 자금 및 주요 유가증권을 영국으로 안전 대피 시킨것으로 전해지고 있음.

나. 주재국 화폐의 대미 환율이 시중에서 비공식적으로 약 30 프로이상 인상되었음에도 불구, 미화 구입은 거의 불가능한 실정이며, 이에따라 금융기관의 업무도 사실상 마비되어 가고 있고, 바레인 중앙은행은 작 8.9 당지 시중 금융기관들에 대해 예금인출등의 일반 업무에는 정상적으로 임해 줄것을 협조 요청한 바있음.

다. 주재국의 물가는 지난 수일간 계속 앙등세를 보이고 있으며, 쌀, 설탕, 밀가루 등의 일부 생필품은 이미 품귀현상을 보이고 있음.

라. 당지에 체류하던 외국인들 중 일본인들은 각자의 판단에 따라 일부 필수 요원을 제외하고는 거의 철수하였다고 하며, 미국 및 영국인들의 경우 특별한사유가 없는한 대부분 당지를 떠나고 있는것으로 전해지고 있으며, 영국항공은당지와 런던간에 임시로 특별기를 운행하고 있다함.

2. 당지 아국 거류민들의 경우, 외환은행, 한일은행, 영진공사등은 직원가족들만 본사의 지시 내지 양해하에 일단 본국으로 철수할 예정이라고 함.

3. 이란 외무장관은 8.9 연호(2), 예정대로 주재국을 방문, MUBARAK 외무장관과 외무장관 회담을 갖고, RAFSANJANI 이란 대통령의 구두 친서를 전달한후 동일자로 당지를 출발하였음.

4. 한편, ISA 국왕은 카이로 긴급 아랍정상회의에 참석키 위해 MUBARAK 외무장관을 대동, 작 8.9 당지를 출발하였음. 끝.

중아국	차관	1차보	2차보	정문국	정와대	안기부		통상국

90.08.10   19:51
외신 2과 통제관 BT
0008

(대사 우문기-국장)
예고:90.12.31 일반

0009

관리
번호 PO/1860

외 무 부

종 별 : 지 급

번 호 : QTW-0098

일 시 : 90 0810 1620

수 신 : 장관(중근동)

발 신 : 주 카타르 대사

제 목 : 이락.쿠웨이트사태

    대:WQT-0081

    대호, 아래보고함.

    0 공관원 9 명(외교관 2 명, 아국인고용원 3 명, 제 3 국인고용원 4 명) 및가족 4 명

    0 장기체류자 78 명(건설업종사자 및 가족 4 명, 제과업 종사자 및 가족 13명, 체육코치 및 가족 61 명)

    (대사 유내형 -국장)

    예고 :90.12.31 일반

중아국

관리번호	P8/865

외 무 부

종 별 : 지 급

번 호 : BHW-0150

수 신 : 장관(중근동)

발 신 : 주 바레인 대사

제 목 : 쿠웨이트 사태

일 시 : 90 0810 1630

대:BHW-0096

대호 금 8.10 현재 아래와 같음.

1. 공관원 및 가족 : 14 명

2. 교민:

가. 상사:71 명

나. 건설업체 종사명:238 명

다. 기타:53 명

3. 합계:376 명. 끝.

(대사 우문기-국장)

예고:90.12.31 일반

중아국

PAGE 1

관리번호 90/2068

외 무 부

종 별 :

번 호 : OMW-00228

일 시 : 90 0811 1650

수 신 : 장관(중근동, 영재, 정일)

발 신 : 주 오만 대사

제 목 : 걸프사태 관련 대교민대책(자음제36호)

대:WOM-0112

1. 당관은 최근 중동사태와 관련, 긴급시 철수및 대피계획을 수립하고, 금 8.11(토)오전 당관에서 당지 한인회 간부및 교민들과 대책회의를 개최, 이를 주지시키고 협조를 구함.

2. 주재국에는 현재 공관원및 교민 가족등을 포함 ㉞ 명이 체류하고 있으며, 그밖에 아국원양 어업 3 개회사로부터 8 척의 어선이 주재국 동남방 해안 근해(인도양)에서 조업중으로 조업선원은 300 여명임.

3. 주재국은 이라크및 쿠웨이트로부터 원거리에 있어 급박한 상황은 아니나최근 달러화의 급등및 품귀현상이 벌어지고 있음. 연이나, 당지 거주 외국인(약40 만명)의 대거 철수등 큰 동요는 상금 발생치 않고 있음. 당관은 사태의 진전을 예의 주시하고 만약의 사태에 대비 만반의 준비를 하고 있음. 끝

(대사 강종원-국장)

예고:90.12.31. 까지

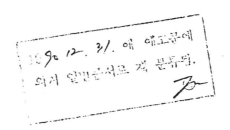

중아국   장관   차관   1차보   2차보   정문국   영교국   정와대   안기부

관리
번호 90/154-7

외 무 부

종 별 :

번 호 : AEW-0219

일 시 : 90 0812 1130

수 신 : 장 관(중근동,기정)

발 신 : 주 UAE 대사

제 목 : 이락,쿠웨이트사태

대 WAE-0092

연 AEW-0214,0217

1. 연호에 이어 당지주재 일본상사들은 주재원을 포함 가족모두 철수 하였다고함.

2. 소직, 일본대사와 접촉, 일본 상사주재원들 까지의 철수에 관하여 문의한바, 동사태에 과하여 가장정보가 빠를것으로 생각되는 미국, 영국이 가족들의 철수를 이미 권유하였고 또한 상사들의 비지니스도 저조할것임에 따른 영리상의 이유와 만일의 경우 막대한 피해 보상등을 감안한 조치일 것이라고 말하였음.

3. 당관은 8.11 당지교민 각계대표 13 명을 소집, 아래내용의 비상대책회의를 가졌음.

가. 비상연락망의 재점검

나. 긴급 대피계획수립

다. 사태의 장기화및 악화에 다를 대비책

4. 당지주재 아국상사 13 개중 선경, 삼성, 효성등 가족들은 본사의 지시에 의거 이미 귀국하였는바 여타 상사도 이에 따를것으로 예상됨.

주재국 ZAYED 대통령은 아랍 긴급정상회담 참석후 8.11 귀국 쿠웨이트 난민에 대하여 숙식및 재정적인 보호 조치를 지시 하였으며 당지는 표면상 평온을 유지하고 있음.

(대사 박종기-국장)

예고:90.12.31 까지

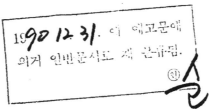

1990 12 31. 이 예고문에 의거 일반문서로 재 분류됨.

중아국   차관   1차보   2차보   통상국   정와대   안기부

PAGE 1

분류번호	보존기간

발 신 전 보

번　　호 : WSB-0305 　 900812 1850 DO 　 종별 : 최급

수　　신 : 주 수신처 참조 　 대사/총영사

　 V WBH -0098 　 WQT -0082
　 WAE -0159 　 WJO -0157

발　　신 : 장 관 　 (중근동)

제　　목 : 비필수 요원 철수

　　　　이라크, 쿠웨이트 사태가 장기화될 가능성에 대비하여 주요 국가들이
교민중 필수 요원이 아닌 가족, 단기 체류자등은 조속 철수를 종용하고 있는
것으로 파악되고 있음. 귀지 주요 우방국 공관 및 관계 기관등과 긴밀히 협조
하여 비필수 교민이 조속 철수하도록 지도하기 바랍. 끝.

　　　　　　　　　　　　　　(중동아국장 이두복)

예고 : 90.12.31. 일반

수신처 : 주사우디, 바레인, 카타르, UAE, 요르단 대사

1990 12.31. 대 예고문에
의거 일반문서로 재 분류됨.

앙고재	90년 8월 11일	기안자 성명		과 장	국 장		차 관	장 관

보 안 통 제

외신과통제

관리 번호	80/ 1524

외 무 부

종   별 : 지 급

번   호 : BHW-0158

일   시 : 90 0814 1525

수   신 : 장관(중근동)

발   신 : 주 바레인 대사

제   목 : 비 필수 요원 철수

    대:WBH-0098

    대호 지시에 따른 당지 체류 비필수 아국민에 대한 철수 지도결과, 금번 사태발생
당시 당지 체류인원 333 명중 금 8.14. 현재 교민가족등 45 명이 출국하였으며, 2-3
일내로 23 명정도가 출국 예정임을 우선 보고함. 끝.

    (대사 우문기-국장)

    예고:90.12.31 일반

19 8 0 /ㄴ 3/에 예고문에
의거 일반문서로 재 분류됨.

중아국

외 무 부

종 별 :

번 호 : QTW-0107   일 시 : 90 0820 1040

수 신 : 장관(중근동)

발 신 : 주 카타르대사

제 목 : 이락.구웨이트 사태

당지 정세 판단 및 대책수립에 필요하오니, 현지정세 및 공관원.교민철수 현황등에
관한 주 이락, 쿠웨이트 대사관의 보고전문을 당관에 참고 봉보 바람.

　　(대사 유내형-과장)

중아국

90.08.21   13:32 DA
외신 1과 통제관
0016

외 무 부

종 별 :

번 호 : AEW-0240   일 시 : 90 0822 1300

수 신 : 장관(중근동)

발 신 : 주 UAE 대사

제 목 : 아국근로자 출국동향 보고

대: WAE-0173

1. 대호 이라크-쿠웨이트 사태관련 주재국 진출아국 근로자 출국은 상금 없음.

2. 당관에서는 건설 현장별 책임자와 계속접촉, 상황을 주시하며 만약의 사태에
대비하고 있음. 끝.

(대 박종기-국장)

중아국   건설부   노동부   2차보   대책반   1차보   안기부

PAGE 1   90.08.22   20:25 DA

외 무 부

종 별 :

번 호 : QTW-0110   일 시 : 90 0823 1120

수 신 : 장관(중근동)

발 신 : 주 카타르 대사

제 목 : 이락.쿠웨이트사태

대:WQT-0089

대호, 아래보고함.

0 공관원 및 가족(총 13 명): 외교관 2 명(가족 2 명), 아국고용원 3 명(가족 2 명), 제 3 국고용원 4 명

0 교민(총 78 명): 개인취업자 23 명(가족 42 명), 개인사업장 8 명(가족 5 명)

(교민 총 78 명중 24 명은 휴가등으로 현재 한국등 카타르국외에 체류중이며 근일중 귀국예정임.)

(대사 유내형-국장)

예고:90.12.31 일반

중아국   차관   1차보   2차보   통상국   청와대   안기부   대책반

외 무 부

종 별 :

번 호 : BHW-0175   일 시 : 90 0823 1050

수 신 : 장관(중근동),사본:노동부장관

발 신 : 주바레인대사

제 목 : 근로자 출국 동향보고

대: WBH-0112

대호, 90.8.22. 24:00현재 아래와 같음을 보고함.

o 현대: 27명중 1명귀국(현원 26명)

o 영진: 150명중 9명귀국(현원 141명)

o 대우:없음.(현원 1명)

o 합계:10명.끝.

(대사 우문기-국장)

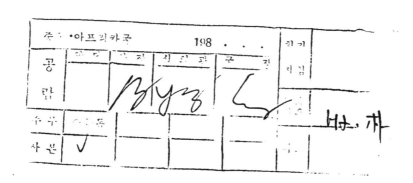

중아국   노동부   대책반   통상국 미주국 1차보 2차보 안기부

PAGE 1

외 무 부

관리번호 90- ८०६८

종 별 :

번 호 : AEW-0246

일 시 : 90 0825 1430

수 신 : 장관(중근동)

발 신 : 주 UAE 대사

제 목 : 인원현황 보고

대:WAE-0175

1. 대호, 당지내 공관원및 가족, 순수교민 인원현황을 아래 보고함.

가. 공관원:8 명, 가족:11 명

나. 순수 교민:317 명

2. 상기 순수교민이외 건설현장 근로자는 303 명임.끝.

(대사 박종기-국장)

예고:90.12.31 일반

	담 당	제 장	과 장	관리관	국 장
영사교민국 선인			/6		

중아국 　 차관 　 2차보 　 정문국 　 영교국 　 청와대 　 안기부 　 대책반

외 무 부

종 별 :

번 호 : BHW-0181   일 시 : 90 0827 1400

수 신 : 장관(중근동),사본:노동부장관

발 신 : 주바레인대사

제 목 : 근로자 출국 동향보고

연: BHW-0175

연호, 8.26. 24:00 현재 아래와 같음.

현대:없음(현원26명)

영진공사:141명중 작 8.26일 5명귀국(현원136명)

대우:없음(현원1명)

출국자 합계:5명.끝.

(대사 우문기-국장)

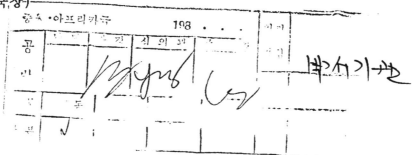

중아국   영교국   안기부   노동부

PAGE 1   90.08.27   23:32 DP

외신 1과 통제관

0021

외 무 부

종 별 :

번 호 : BHW-0182   일 시 : 90 0828 1300

수 신 : 장관(중근동), 사본:노동부장관

발 신 : 주 바레인 대사

제 목 : 근로자 출입국 동향 보고

연: BHW-0181

연호, 8.27 24:00 현재 아래와 같음.

KJSF대:변동없음.

KKSK진공사:1명입국(현원137명)

KBEU우:변동없음.끝.

(대사 우문기-국장)

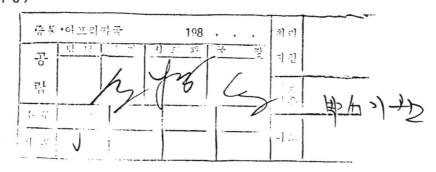

중아국   노동부

PAGE 1   90.08.28   23:01 DA

외신 1과   통제관

0022

외 무 부

종 별 :

번 호 : BHW-0185   일 시 : 90 0829 1330

수 신 : 장관(중근동),사본:노동부장관

발 신 : 주 바레인 대사

제 목 : 근로자 출입국 동향 보고

　　　연: BHW-0182

　　　연호, 8.28 24:00 현재 아래와 같음. 현대:8.28일 2명 입국(현.원 28명)

영진공사:변동없음 대우:변동없음.끝.

　　　(대사 우문기-국장)

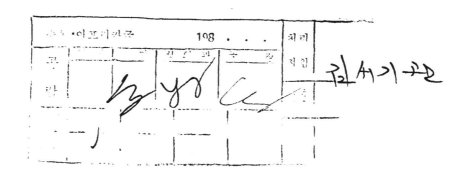

중아국　　노동부

PAGE 1   90.08.29 21:38 CG

외 무 부

종 별 :

번 호 : BHW-0188

수 신 : 장관(중근동),사본:노동부장관

발 신 : 주바레인대사

제 목 : 근로자 출국 동향보고

일 시 : 90 0901 1400

연: BHW-0185

연호, 8.31. 24:00 현재 아래와 같음.

-현대:변동없음

-영진공사:8.31 1명 입국(현원138명)

-대우:변동없음.끝.

(대사 우문기-국장)

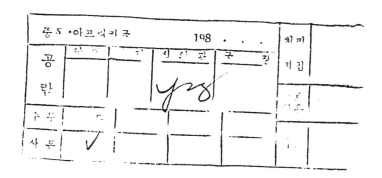

중아국   통상국   노동부   대책반

90.09.01   21:13 DN

외신 1과 통제관

0024

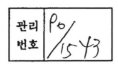

외 무 부

종 별 :

번 호 : BHW-0192　　　　　　　　　　　일 시 : 90 0902 1230

수 신 : 장관(기재)

발 신 : 주 바레인 대사

제 목 : 해외 주재원 신변안전보험 가입

　　1. 주재국은 인구의 70 프로 가량이 시아파 회교도로서 이들은 주로 빈민계층에 속하여 반정부 세력을 형성하며, 주재국 보안경찰의 감시대상이 되고있음.

　　2. 주재국 정부는 당관 경비를 위하여 8 명의 중무장 경비경찰을 제공하고 있는 실정이며, 금번 쿠웨이트 사태로 인하여 경계가 한층 강화되고있음.

　　3. 쿠웨이트 사태이후 실제로 주재국 상주 외국대사관에 대한 총격사건도 있었으며, 당관 직원거주 아파트내에서 아랍인이 외국인 가정에 침입하여 주부를추행하려다 미수에 그친 사건도 있었음.

　　4. 이로 인하여, 당관 직원및 가족들은 치안및 테러문제로 위협을 받고 있는바, 불의의 사고에 대한 대비및 근무의욕 고취를 위하여 표제 보험 가입을 건의하오니 적의 조치하여 주시기 바람. 끝.

　　(대사 우문기-기획관리실장)

　　예고:90.12.31 일반

1990 12.31. 애 예고문에 의거 일반문서로 재 분류됨.

기획실　　중아국

외 무 부

종 별 :

번 호 : BHW-0193
일 시 : 90 0902 1230

수 신 : 장관(기재)

발 신 : 주 바레인대사

제 목 : 쿠웨이트 사태

　　1. 당지는 이라크의 각종 장거리공격화기의 사정거리내에 위치하여, 위급시직원
또는 가족들을 철수시켜야할 경우가 발생할 수도 있음.

　　2. 본직의 판단에 의하여 직원 또는 가족들을 철수시킬 경우,
행선지까지의왕복여비 지원에 대한 본부입장 회시바람.

　　(대사 우문기-기획관리실장)

　　예고:90.12.31 일반

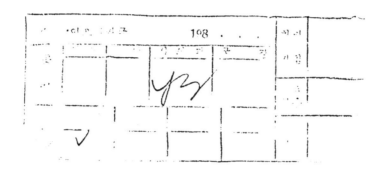

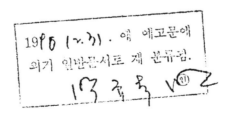

기획실　　중아국

PAGE 1

90.09.02　　19:45
외신 2과　통제관 FE
0026

160　걸프 사태 재외동포 철수 및 보호 4: 이스라엘, 모리타니아, 걸프지역

외 무 부

종 별 :

번 호 : BHW-0195   일 시 : 90 0903 1400

수 신 : 장관(중근동), 사본: 노동부장관

발 신 : 주 바레인 대사

제 목 : 근로자 출입국 동향 보고

연: BHW-0188

연호, 9.2. 24:00 현재 아래와 같음.

0 현대: 변동없음.

0 영진: 9.1일 3명 귀국 (현원 135명)

0 대우: 변동없음. 끝.

(대사 우문기-국장)

중아국   노동부

외 무 부

원 본

종 별 :

번 호 : BHW-0201

수 신 : 장관(중근동),사본:노동부장관

발 신 : 주바레인대사

제 목 : 근로자 출입국 동향보고

일 시 : 90 0909 1400

연: BHW-195

연호, 9.8. 24:00 현재 아래와 같음.

0 현대:9.8일 1명 귀국(현원27명)

0 영진:9.8일 3명 귀국(현원132명)

0 대우:변동없음.끝.

(대사 우문기-국장)

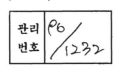
외 무 부

종 별 :

번 호 : BHW-0207

수 신 : 장관(중근동)

발 신 : 주 바레인 대사

제 목 : 비필수 요원 철수

일 시 : 90-0912 0930

대: WBH-0098WBH-0098

연: BHW-0158

1. 대호 지시에 따른 당지 체류 비필수 아국민에 대한 철수 지도결과는 8.31. 현재 아래와 같았음.

가. 8.2. 사태 발생당시 체류인원: 333 명

나. 8.31. 현재 당지 철수인원: 75 명(잔류총원: 258 명)

(1) 금융기관: 45 명(직원 13 명중 8 명, 가족 37 명 전원)

0 전지휴가 실시중 사태발생으로 당지에 귀환치 않고 대피한 인원 15 명(직원 3 명및 가족 12 명) 포함.

(2) 상사및 건설업체: 21 명(직원및 근로자 213 명중 철수자 없음. 가족 24 명중 21 명)

(3) 자영업자 및 기타: 25 명(세대주 19 명중 1 명, 가족 42 명중 24 명)

2. 연이나, 사태가 장기화됨에 따라 일부가 자진 귀환하므로써 9.11. 현재 당지 체류자 현황은 아래와 같음.

가. 9.11. 현재 체류자: 282 명

나. 9 월중 계약 만기 귀국 근로자: 3 명

다. 자진귀환자: 27 명

라. 구분:

(1) 금융기관: 19 명(직원 8 명, 가족 11 명)

(2) 상사및 건설업체: 4 명(가족 4 명)

(3) 기타: 4 명(세대주 1 명, 가족 3 명). 끝.

(대사 우문기-국장)

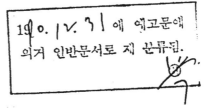

1990.12.31 에 예고문에 의거 일반문서로 재 분류됨.

중아국   대책반

예고:90.12.31.일볭

0030

외 무 부

종 별 :

번 호 : YMW-0279

일 시 : 90-0923-1400

수 신 : 장 관(중근동,신일,진의기장)

발 신 : 주 예멘 대사

제 목 : 비상시 안전 대피 계획

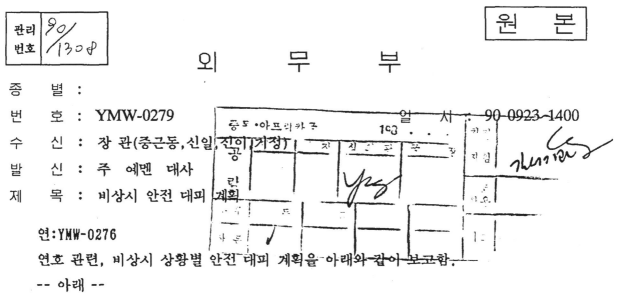

연:YMW-0276

연호 관련, 비상시 상황별 안전 대피 계획을 아래와 같이 보고함.

-- 아래 --

상황 1(적성국 간주 중립 표방)- 전쟁 발발전 주재국이 연합군측으로부터 적성국으로 간주되는 상황에서 이락-쿠웨이트 사태에 중립 입장을 취할때(미.사우디등 우방국 공관철수 준비 또는 사우디 항공 정기항로 중단)-비상 연락망 점검-비상 식량 비축-공관원 가족 및 필수 요원이외 철수 준비

상황 2(이락 지지)- 전쟁 발발전 주재국이 이락측을 지원하는 입장을 표방하고 전쟁 위기감이 고조된때-공관원 가족 및 필수 요원이외 교민 철수(일단 건설 현장과 관저에 집결)- 봉신 및 파우치 수발 대책 강구 -본부 송금은 파우치편현금 송금토록 요청

상황 3(전쟁 발발 중립 표방)- 전쟁이 발발한 상황에서 주재국이 중립을 유지하고 있을때(주재국의 대 이락 관계 정책 변경으로 간주)- 비상 연락망 점검, 만일의 사태 변화에 대비,- 공관원 가족 및 필수 요원이외 교민 철수(아국 파병시에 한함.)

상황 4(전쟁 발발 군사 지원)- 전쟁이 발발한 상황에서 주재국이 이락측에 군사적인 지원 또는 가담할때(예멘, 사우디 국경에서 양국군 대치 또는 교전 상태)- 잔여 교민 철수(공항만 폐쇄전) 또는 대피, 비밀 문서 및 봉신 자재 비상반출(관저), 공관원 철수(본국 또는 인접국)

(대사 류 지호-국장)

예고:90.12.31. 일반

1990.12.31. 에 예고문에 의거 일반문서로 재 분류됨. ㉕

중아국   총무과   신일   신이   안기부

PAGE 1

90.09.24   16:51
외신 2과 통제관 BW

0031

외 무 부

종 별 :

번 호 : BHW-0227   일 시 : 90 0930 1230

수 신 : 장 관 (중근동), 사본: 노동부장관

발 신 : 주 바레인 대사

제 목 : 근로자 출입국 동향

연: BHW-0214

연호, 9.30. 현재 아래와 같음.

현대: 변동없음.

영진: 9.29 계약만료로 2명 귀국 (현원125명)

대우: 변동없음. 끝.

(대사 우문기-국장)

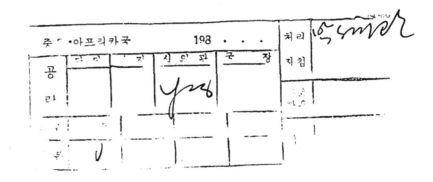

중아국   노동부

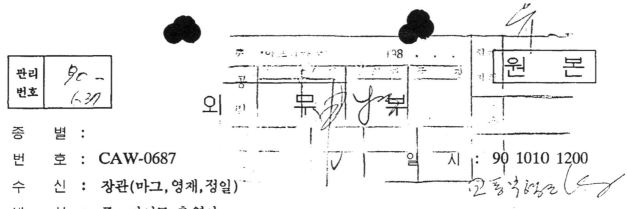

원 본

종 별 :

번 호 : CAW-0687

일 지 : 90 1010 1200

수 신 : 장관(마그,영재,정일)

발 신 : 주 카이로 총영사

제 목 : 중동 위기관련 아국인 당지여행 자제 필요성 검토

(자료응신 제 71 호)

1. 주변정세

1)최근 주재국 수사당국 소식통을 인용한 당지 신문 보도에 의하면 파레스타인 게리라 ABU NIDAL 주종세력들은 GULF 위기관련 이집트의 파병 결정에 대한 보복책으로 이집트와 사우디 등지에서 테러행위를 획책하고 있음이 확인 되었다함. 이와관련 걸프위기 발생이후 주재국 수사당국이 보안사범으로 검거한 인원은 총 30 명(파레스타인계: 23, 이락인 7)에 달하며, 이들은 이집트 내의 관광지, 공공장소, 남부 시나이반도, 홍해 등지에서 사보타지 목적으로 무기와 폭팔물을 휴대하고 이락과 쿠웨이트 로부터 철수하는 이집트 난민으로 위장 입국 한자라 함.

2) 당지 미대사관 관계관에 의하면 최근 미국무성도 현 걸프위기 관련 이락동조자 들에 의한 반미테러 행위가능성을 들어 미 시민들의 중동 및 아프리카 동남아지역 여행에 따른 위험성을 경고한 바있다하며

3)현 걸프위기 해소를 파레스타인 문제해결과 연계를 도모하고 있는 SADDAMHUSSEIN 은 9.20. 서방측이 대이락 군사행동을 감행할 경우 이락은 걸프지역 유전시설과 이스라엘 공격도 불사하겠다고 한바있을뿐 아니라, 이스라엘측은 국민들에게 GAS 마스크를 배포하기 시작했다고 보도되고 있는 가운데 10.8. 예루살렘에서 이스라엘 보안군과 파레스타인 주민들과의 충돌로 파레스타인 주민이 21 명이 피살되고 100 여명의 부상자 발생으로 긴장이 가중됨.

2. 상기 상황고려 여행자의 신변안전을 위해 현사태 해결시 까지 잠정적으로중동지역 특히 이스라엘을 여행코저 하는 아국인 에게는 동지역 여행에 따르는위험에 대하여 사전에 주의를 환기토록 건의함.

3. 걸프위기 관련 당관은 재 이스라엘 교민회장을 통해 교민들에게 동위기의외교적

중아국   2차보   정문국   영교국

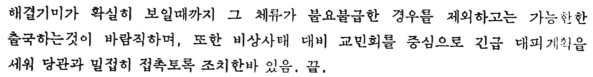

해결기미가 확실히 보일때까지 그 체류가 불요불급한 경우를 제외하고는 가능한한 출국하는것이 바람직하며, 또한 비상사태 대비 교민회를 중심으로 긴급 대피계획을 세워 당관과 밀접히 접촉토록 조치한바 있음. 끝.

    (총영사 박동순-국장)

    예고:90.12.31. 까지

WMEM-0039 901220 1715 DY

번호 :

수신 : 주 수단, 예멘 대사. 총영사 (4발: 전 중동주재 공관 주미 주영대사관)

발신 : 장 관 (마그)

제목 : 교민보호

1. 친이라크 성향의 모리타니는 최근 쿠테타 미수사건과 그에따른 검거사태로 사회불안 분위기가 감돌고 있고 이런 와중에서 ~~폭동이 발생되어~~ 반미감정이 확산될 경우~~에 대비한~~ 대비하여 모리타니 거주 미국인의 안전문제와 철수가능성이 거론되고 있으며, 모리타니 거주 아국인의 안전문제도 점검할 필요성이 대두되고 있음.

2. 따라서 친이라크 성향과 국내정정 불안상태가 모리타니와 비슷한 귀 주재국에서도 걸프사태가 악화됨에 따라 상기와 같이 반미감정 확산과 미국인 안전문제가 ~~위협받을~~ 검토되고 있는지 여부 및 아국인에 대한 영향등 종합적인 귀관의견 보고바랍. 끝.

(중동아국장 이 해 순)

예고 : 91.6.30.까지

3. 영국은 ~~~~ 사태악화에 대비한 예비조치로 걸프지역 일부국가에 있는 영국인 가족 2만여명을 철수권고키로 하였다는 바 참고바람. 끝.

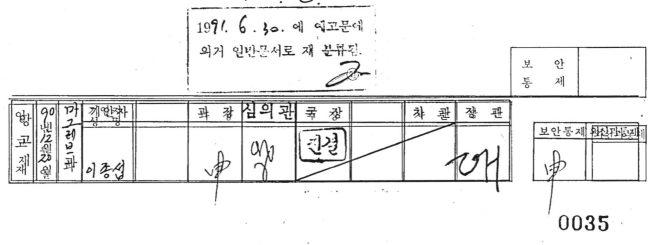

1991. 6. 30. 에 역고문데
의거 일반문서로 재 분류됨.

앙고재제	90 12 20	마그렌 1 과	기안책임 성작	과장	심의관	국장	차관	장관	보안통제	확산관리등제
		이종섭				전결				

보안통제

	분류번호	보존기간

발 신 전 보

번 호 : WMEM-0040 901221 18:8 CG   종별 :

수 신 : 주 수신처 참조   //대사// /총영사/

발 신 : 장 관 (중근동)

제 목 : 체류 교민 자진 철수 종용

1. 미.이락 직접협상 가능성이 ~~희박해짐에~~ 유동적임에 따라 영국에 이어 태국, 아일랜드, 덴마크가 걸프지역에서 자국민 철수를 권유하고 있다는바, ~~귀지 체류~~ 이란도 ~~교민이 조속히 자진 철수토록 종용 바라며,~~ 돌발적 사태 발생에 대비한 교민 긴급 비상 철수 계획 수립등 만반의 사전 준비를 다하기 바람. ~~(모라타니아의 경우는~~ ~~12.20.자 WEM-0033 참조.)~~

2. 본부 작성 비상대책안은 정파편(또는 특파편) 송부 위계임.

(~~중동아국장 이 해 순~~)
(차관 유 종 하)

예 고 : 91. 6. 30. 일반

수신처 : 주 바레인, 사우디, UAE, 이란, 이락 카타르, 오만, 요르단, 예맨 대사,
주 젯다 총영사)

사 본 : 중동공관중 수신처 제외

1991. 6. 30. 대고문에
의거 일반 ...

앙고재	90년12월21일 중근동	기안자 성명 박종수		과장	심의관	국장	1차보	차관	장관 전결		외신과통제

보안 통제	

2차보

0036

외 무 부

관리
번호 90-
      1670

종   별 :

번   호 : SSW-0488   일   시 : 90 1224 1650

수   신 : 장관(마그)

발   신 : 주 수단 대사

제   목 : 교민보호

대: WMEM-39,40

연: SSW-399

대호 지시에 따라 표제에 대한 당관 관찰과 의견을 보고함.

1. 당지 미, 영등 동향

가. 주재국과 서방권, 특히 미국및 영국과의 관계는 작년 6 월 혁명후 군사정권이 과격 모스램파인 NIF 와의 연계하에 강경노선으로 일관해 오면서 악화일로에 있었고, 따라서 서방측의 제반 원조도 계속 감축되 오던중, 최근의 GULF 사태를 계기로 혁명정부가 이락지지 입장을 노골화하므로써 이들과의 관계는 더욱 악화되었음.

그간 주요도시에서의 반미, 이락지지 군중시위가 계속되는 한편, 미국등 서방의 식량원조가 실질적으로 중단되므로써 주재국은 최대의 식량위기를 맞방 됨.

나. 당지 미 대사관은 최근 양국관계가 급속히 냉각됨에 따라 자국및 국제원조 기구를 대폭 감축했고, 대사관내의 경제, 상공, 공보, 무관부서등 인원을 40프로 감원 조치함. 본국정부로 부터 철수 명령은 없다고 하나, 귀국을 희망하는 직원가족에 대하여는 여비를 지급하고 있고, 일부 미국인은 자진 철수하고 있음. 한편, 1.15. 대이락 최후 통첩과 관련한 당지 미국인의 긴급철수를 위하여 2 백여명 탑승규모의 특별 항공편을 준비중인 것으로 탐문됨. 대사관 건무조의 담장에도 5 미터 높이의 철책을 설치하였음. 영국도 각급학교 교사를 포함한 일부 교민이 철수중이나, 대사관측은 공식적으로는 자국민 철수를 권유중이라는 보도를 부인함.

다. 미, 영을 제외한 여타 서방및 동구권과 반이락 아람권은 사태를 관망중이며, 아직은 별다른 움직임을 보이지 않고 있음. 그간 본직등이 탐문한 바에 의하면, 이들 국가들(애급, 사우디, 소, 불, 유고, 일등)은 현재로서는 교민철수 조치를 고려치 않고 있다고 했음. 그러나, 이들 각국 대사관은 주재국의 식량위기가 내년봄쯤에느

중아국   차관   1차보   2차보   영교국   정와대   안기부

PAGE 1

극히 심각할 것으로 보고 있으며, 식량 폭동이 야기될 경우에는 외국인을 무차별 배척 내지 공격하는 사태가 이르지 않을까 우려하고 있음.

일본과 중국등은 동국의 대주재국 긴급 무상원조와 현금 교역등을 증대하고 있으며, 최근의 EL BESHIR 혁명위원장 방문과 주재국 정부의 대 동방정책 강화 방침에 따라 제반 PROJECT 를 오히려 확대하고 있는 양상임. 한편, 주재국은 계속 강경아랍권인 이락, 리비아, 이란, PLO, 예멘등과의 관계를 증대, 강화하고 있음.

2. 아국인에 대한 영향과 종합의견

가. 당지 교민은 250 명 정도로 대부분 (주)대우 지사요원과 가족이며, 그밖에 개인취업자 10 여명과 당관 직원및 그 가족임. 당관은 그간, 이들 교민의 안전과 보호를 위하여 수시로 회의등을 통해 사태분석과 대책등을 협의하고 있는바, 이들은 현재까지는 본인은 물론 가족의 철수도 고려하고 있지 않음. 당관은 이들의 비상식량, 약품, 연락망 강화등 비상 대처를 권유하고 출국에 필요한 제반 증명서등의 점검과 조처를 촉구하고 있음.

한편, 주재국과의 우호관계를 증대하는 것이 공관원과 교민의 안전에도 필요하다는 판단아래 외교활동을 정상적으로 강화하고 있음.

나. 주재국 정부는 물론 일반국민들도 아국에 대하여는 그간 활발한 경제협력, 계속적인 우호관계 증진노력의 결과, 좋은 우방이라는 인식을 갖고 있음.

또한 아국이 사우디에 직접 군대를 파견하고 있지는 않는 점등으로 현재로서는 중동전 발발시 아국민을 직접 가해 대상으로 삼을 것으로는 보이지 않음.

당관은 계속 미, 영, 일등 서구 제국을 포함한 모든 주요 우방 공관과 친밀한 관계를 유지하면서, 상호 필요한 협조를 유지하고 있음.

다. 중동전 발발이나 또는 주재국의 식량폭동등 긴급사태가 발생하여, 교민및 공관원 가족등의 철수가 필요하게 되는 상황에 처하게 되면, 사전에 적절한 대책을 건의 예정임.끝.

(대사 한창식-차관)

예고: 91.6.30. 까지

PAGE 2

0038

관리 번호	80/2174						분류번호	보존기간

발 신 전 보

번 호 : WBH-0184   901227 1813 DP   종별 :

수   신 : 주 수신처 참조 ///대사//총영사 (사본 : 주이태리 대사 WSB -0604 WAE -0292
WQT -0147
WOM -0181 WJO -0559
WYM -0285 WJD -0142
WBG -0628

발   신 : 장 관 (중근동)

제   목 : 교 민 자 진 철 수 권 유

연 : WMEM-0040

1. 미.이라크 직접협상 *난항으로* 걸프지역에 전쟁 위험이 높아짐에 따라
영국, 덴마크등 여러나라가 동 지역 체재 자국인에 대해 자진 철수를 권유하고
있는 상황에 비추어 아국도 전쟁 발발에 대비 교민 안전을위한 조치를 취하여야
할것으로 판단되니 각지 체류 교민이 가능한한 자진 철수를 수 있도록 권유 *바람.*
기관판단에따라 현지 실정에 적합한 조치를 취하여 주시기 바람.

2. 상기 관련 진출 근로자나 업체의 지나친 동요가 없도록 각별히
유념 바람. 끝.

(차 관 유 종 하)

예 고 : 91.6.30.까지

수신처 : 주 바레인, 사우디, UAE, 이란, 카타르, 오만, 요르단, 예멘 대사,
주 젯다 총영사

제2차보 영사교민국장

앙 고 재	90 년 12 월 27 일 중근동 과	기안자 성명		과 장 심미라	국 장 제1차관보	차 관	장 관 전결			보 안 통 제	

외신과통제

0039

외 무 부

종 별 :

번 호 : TNW-0436

일 시 : 90 1228 1000

수 신 : 장 관(마그,중근동,기정동문)

발 신 : 주 뷔니지 대사

제 목 : 교민보호

대:WMEM-0039,0040

1. 걸프사태에 대한 주재국 정부의 입장은 유엔안보리의 제결의를 지지하는한편, 아랍테두리내에서의 분쟁해결이라는 논리하에 팔레스타인문제에 관계한 이라크의 주장에 동조하고있음.

그러나, 동사태가 전쟁으로 치달았을 경우 미국등 서방제국과의 유대등에 비추어 주재국이 이라크를 실질적으로 지원할 가능성은 전혀 없을것으로 판단되며, 주재국내 미국인에 대한 안전문제는 미국측이 팔레스타인에 의한 테러위협등에 대처한 제반조치를 취함에 있어 주재국정부로서는 미국측에 가능한 협조를 제공할것으로보임.

2. BEN ALI 대통령은 걸프사태 초기에 이라크의 입장을 지지하는 캠페인등을 묵인한바 있으나 이러한 운동이 계속될경력 이스람운동권세력이 이를 빙자 대규모시위등을 유도, 반정부활동도 함께 전개할 가능성이 있다는 판단하에 현재는 여사한 목적등의 시위도 일체금지시키고 있음.

3. 당지 체제 아국인은 공관원 가족 이외에 코트라 및 정파태권도사범가족 8명, 취업자가족 4 명, 유학생 3 명이 모두인바, 걸프사태가 최악의 상황으로 전개되더라도 아국민에 대한 안전문제에는 영향을 주지않을 것으로 보임. 끝.

(대사 변정현-국장)

예고:91.6.30 까지

중아국	차관	1차보	2차보	중아국	영교국	안기부

90.12.29   19:39
외신 2과 통제관 BW
0040

외 무 부

종   별 :

번   호 : JOW-0696   일   시 : 90 1228 1200

수   신 : 장 관(중근동, 영재, 마그, 기정)

발   신 : 주 요르단 대사

제   목 : 교민철수관련 동향및 조치

대:WJO-0559

1. 당지 주재 미국대사관에서는 12.26 국무부의 지시에 따라 1.10. 이전까지 대사관 비필수 요원, 대사관직원가족, 미국인 고용원을 전원철수시키기로 하였으며, 요르단 주재 미국인들에게는 가급적 조속 출국할것을 권유하고 있다함

2. 일본 대사관에서는 가까운 시일내에 대사관 비필수 요원을 일단 인근국가(사이프러스)로 철수시킬 것을 검토중이며 교민은 지진철수 권유중이라고함

3. 영국, 스웨덴도 자국민에 대해 자진철수를 권유하고 있음

4. 당관조치

금일현제 주재국 거주교민(66명)에 대하여 자진철수를 권유하는 일방 본인의 희망여부및 철수관련 필요자료를 파악 대비하고 있음

(대사 박태진-국장)

예고:91.6.30 까지

| 중아국 | 차관 | 1차보 | 2차보 | 중아국 | 영교국 | 안기부 |

90.12.28   22:04
외신 2과 통제관 CE
0041

유

외 무 부

종 별 :
번 호 : MOW-0492
수 신 : 장관(마그,정일 영재, 국방부)
발 신 : 주 모로코 대사
제 목 : 주재국 정세(자료응신 제35호)

일 시 : 90 1231 1300

연:MOW-0428

1. 연호와같이 주재국 지방도시인 FES 에서의 소요는 일단 진정국면에 들어갔으나 걸프만의 긴박한 정세와 관련하여 왕권에대한 불만 세력들이 계속적인 긴장을 조성하고 있음.

2. 더우기 이락에대한 미국의 1.15 최후기간 봉첩과 관련하여 이들 불만 세력들은 만약 전쟁이 발발할시 왕권주의의 부정부패 권력들을 타도하기 위한 대대적인 소요를 일으킬것이라 함.

3. 이에 대비하여 주재국 미국 대사관및 카나다 대사관은 자국 교민들에게 귀국을 종용하고 있으며, 직원들에게는 여차할경우 급히 출국할수 있도록 최소한의 필수품을 꾸려 놓으라는 지시를 내림과 동시에 당분간 외출을 삼가하도록 하고있음.

4. 당관도 주재국 거주 아국 교민들에게 여사한 조치를 취하고 소요발생 장소에 접근하지 말것과 여차시 대사관에 긴급 피난토록 선도조치함. 끝.

(대사이종업-국장)

영사교민국	년 진 인	담 당	제 장	과 장	관리관	국 장

중아국   1차보   2차보   정문국   영교국   안기부   국방부

외 무 부

관리번호 91-22

종 별 :

번 호 : AEW-0001
일 시 : 91 0103 1000

수 신 : 장관(중근동,기정)

발 신 : 주 UAE 대사

제 목 : 이.쿠사태관련 교민 철수

연:AEW-0219

대:WAE-0292

1. 대호, 당관은 91.1.2. 연호에 이어 재차 비상대책회의를 소집, 대호 지시내용을 전달함과 동시에 특히 당지진출 건설업체의 근로자들의 동요가 없도록 유의하고 동철수 문제는 어디까지나 본사와 협의하여 결정토록 권고하였음.

2. 상사 주재원들은 가족들의 철수문제는 사태직후 일단 철수했다가 현지에복귀한 상황에서 재차 본사에 철수를 요청하기는 어렵다하며 공관원 가족의 철수및 사태추이를 보아가며 재요청하겠다 하고 일단유사시 KAL 의 즉각적인 특별기 취항에 의한 철수방안을 제기하였음.

3. 당관 공관원 가족들의 철수문제도 전술한 상황등을 감안, 사태추이를 면밀히 주시하면서 본부에 건의할 것임을 보고함. 끝.

(대사 박종기-국장)

예고:91.12.31 일반

검토필(1991. 6. 30)

중아국   장관   차관   2차보   영교국   안기부

외 무 부

종 별 :

번 호 : OMW-0004   일 시 : 90 0106 1440

수 신 : 장관(중근동(영재) 사본:주사우디,UAE,카탈,바레인,예멘대사-중계필)

발 신 : 주 오만 대사대리

제 목 : 걸프사태 대책

1. 주재국 외무부는 긴급사태에 대비한 당지 주재 외교공관의 자국인 철수대책 관련 문의가 쇄도함에 따라 금 1.8. 11:00 아주, 유럽, 아랍제국 공관 그룹별로 외교단을 초치, 긴급사태시 인근제국으로 부터의 외국인의 주재국으로의 대량 INFLUX 가능성에 대비한 주재국 입국 허용 방침을 아래와 같이 브리핑함 (이충석 서기관 참석).

가. 주재국 입국은 SEEB 공항, MINA QABOOS 항 이외에 육로로서는 주재국-UAE 국경 부근의 WADI HATA(듀바이 방향) 및 WADI JIZZI(아부다비 방향) 이민국 사무소를 통해서만 허용될것이며 어느경우나 주재국 입국후 즉시 출국할수있는 수단(항공편 또는 선편)이 사전에 ARRANGE 된 경우에만 입국이 허용될것임.

나. 대량입국 가능성이 많은 육로입국 사항은 아래와 같음.

0 국경부근 AL-MAHADA 지역에 입국수속 대기 장소로 대규모 임시 수용소 설치함.

0 여권(또는 I.D. 확인 증명서)및 사진 소지 요망.

0 입국수속은 개인별은 불가하며 단체(50 명혹은 100 명단위)수속만 허용됨.

0 개인 자동차는 대기장소인 상기 AL-MAHADA 지역까지만 반입이 가능함.

0 상기 AL-MAHADA 지역에서 공항(항구)까지는 주재국측에서 별도의 수송편을 제공함.

다. 긴급수송을 위한 특별기, 선박 운항요청에 대해서는 최대한 협조를 제공하겠음.

2. 상기관련 상세사항을 U.A.E 등 인근공관에 별도 통보, 만약의 사태에 대비한 대책을 강구하겠음.

3. 한편, 전쟁 발발시 주재국 공항도 폐쇄시킬것이라는 소문이 나돌고 있으나, 주재국 공항 당국자 및 금일 외무부 영사국장에 의하면, 주재국은 공항폐쇄 등 을 전혀

중아국	장관	차관	1차보	2차보	영교국	정와대	안기부

		담 당	과 장	관 리 관	국 장
영사교민국	년 원 인				

PACE 1

91.01.08   22:41

외신 2과 통제관 CF

0044

고려치않고있으며, 다국적군으로부터 공중 봉쇄등을 이유로한 폐쇄 요청도 받은바
없다함을 참고로 첨언함. 끝
    (1등서기관 이충석-국장)
    예고:91.6.30. 일반

1991. 6. 30. 예고문 에
의거 일반문서로 재 분류됨

외 무 부

종   별 : 긴 급

번   호 : JOW-0021   일   시 : 91 0108 1630

수   신 : 주 이라크 대사-중계필(사본:중근동,마그)

발   신 : 주 요르단 대사

제   목 : 업연

연:JOW-0018

1. 연호 항공일정 금 8일현재까지 CONFIRM 이 되지 않고있어, 일단 다음 일정으로
확인 예약함

    1.10 15:00(GF974 편) 암만출발

    19:50 바레인 도착

    21:30(GF152 편) 바레인 출발

    1.11 07:50 방콕도착

    1.12 09:30(KE634 편) 방콕출발

    16:40 서울도착

2. 항공료는 1 등 JD 1,417.- 이며, 2 등은 JD 521.-임

3. 연호 일정중 하나라도 확인되면 그것으로 결정하겠음

(대사 박태진-대사)

중아국   중아국

관리 번호	91-18	

외 무 부

종 별 :

번 호 : IRW-0012   일 시 : 91 0109 1300

수 신 : 장관(중근동)

발 신 : 주 이란 대사

제 목 : 교민철수

　　　대:WIR-0002. 연:IRW-0005

　　　연호 보고대로 본직은 1.8(화) 0900 주재국 MALEKI 외교연구원장(연구, 교육담당외무차관)과 페만사태관련 의견교환을 가졌음. 동면담시 본직은 아측의 대호대피계획에 관해 언급하였는바, 동인은 아국전세기의 이착륙허가, 입국편의등 관련사항 적극 협조하겠다고 하였음. 끝

　　　(대사정경일-국장)

　　　예고:91.12.31 까지

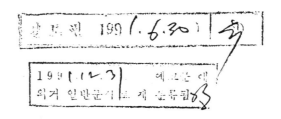

영 사 교 민 국	년 월 일	담 당	계 장	과 장	관 리 관	국 장

중아국   장관   차관   2차보   청와대   안기부   영교국

관리 번호	91 - 14

외 무 부

종 별 :

번 호 : JOW-0024

일 시 : 91 0109 1730

수 신 : 장 관(중근동,기정)

발 신 : 주 요 르 단 대사

제 목 : 교민철수

대:WJO-0019

1. 대호 당지 교민 총 66 명(대사관 직원및 가족, KOTRA 직원및 가족 포함)중 1.14. 이전 철수 (017)정인원은 현재 7 명이나 자진철수를 계속 권유하고있어철수인원은 증가될 전망임

2. 정세 급박에따라 당지 출국항공편 예약등 어려운점을 감안, 교민들의 철수와 함께 대사관 직원가족들의 사전 철수도 희망에따른 가능한한 조치가 있어야할것으로 사료됨(당지 미국, 일본, 영국, 스위스등 대사관 직원가족들은 휴가등의 명목으로 철수중에 있음)

(대사 박태진-국장)

예고:91.6.30 일반

> 1991.6.30. 예 고 문 에
> 의거 일반문서로 재 분류됨

영 사 교 민 국	발 신 인	담 당	지 정	과 장	관리관	국 장

중아국   영교국   안기부

PAGE 1

91.01.10   07:32

외신 2과 통제관 FE

0048

182 걸프 사태 재외동포 철수 및 보호 4: 이스라엘, 모리타니아, 걸프지역

외 무 부

관리
번호 : 91-08

종 별 : 지 급
번 호 : MOW-0009
일 시 : 91 0110 1800
수 신 : 장관(마그,미북,기재,국방부)
발 신 : 주 모로코 대사
제 목 : 걸프만 사태

79

(자료응신 제 1 호)
연:MOW-0492

1. 걸프만 위기와 관련하여 미국대사관은 직원들 각자의 필수품을 챙긴 가방을 1.10 현재 대사관에 이미 집결시켜 놓고있으며, 여차시 스페인의 로타 미군기지 미군기가 날아와서 철수할 준비를 한적있음.(주재국 공항에 상시 대기중이던 미군기는 현재 수리차 미국에 있음.)

2. 동 조치는 전쟁과 더불어 발생할지도 모를 주재국민들의 이락지지 가두시위와 소요 및 아랍 테러에 사전 대비하기 위한 조치라함.

3. 이와관련하여 당관은 미국대사관의 철수계획서(48 페이지 분량)를 입수하고 있는바, 차파편(1.18) 송부예정임. 당관에서도 비상사태 대비책을 강구중인바 본부에서 이와관련 이미 수립된 계획이 있으면 회시바람.

(대사이종업-국장)
예고:91.12.31 일반

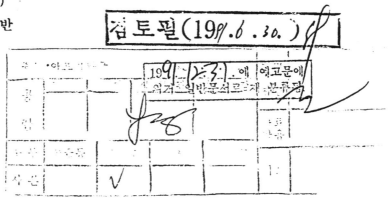

검토필(1991.6.30.)

1991.12.3. 에 예고문에 의거 일반문서로재 분류됨

| 중아국 | 차관 | 1차보 | 기획실 | 미주국 | 영교국 | 국방부 |

91.01.11   07:01
외신 2과 통제관 FE

0049

발 신 전 보

WMO-0012   910112 1046 DA

번   호 :   종별 : _____

수   신 : 주   모로코   대사. ~~총영사~~

발   신 : 장   관   (마그)

제   목 : 걸프만 사태

대 : MOW-0009

1. 미·이락 외무장관의 1.9. 제네바 회담이 성과를 거두지 못한채 끝나고
유엔이 정한 1.15 시한이 임박, 전쟁발발 가능성이 높아짐에 따라 정부는 이락 *과국에이도*
제축이국인에 대케가~/ 전환 도록 겨서겼었으며
사우디, 요르단, 바레인, 카타르, UAE의 공관원가족 및 진출업체 근로자에 대한
철수계획을 추진중에 있으며 현지고민에 대해서도 철수토록 적극 권유하고 있음.

2. 이와관련하여 귀관에서도 주재국민들의 소요등 만일의 사태에 대비,
고민들에게 경계조치를 취하고 이상 사태 발생시에는 즉시 보고바람. 끝.

(중동아국장 이 해 순)

예고 : 91.6.30.일반.

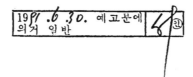

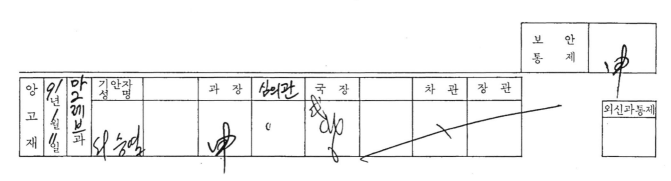

보 안 통 제	

앙고재	91년 1월 11일	만 례 비 과	기안자성명	신능열		과 장		심의관	국 장		차 관	장 관	

외신과통제

0050

외 무 부

종 별 :

번 호 : YMW-0023
일 시 : 91 0113 1800

수 신 : 장 관(중근동,기정)

발 신 : 주 예멘 대사

제 목 : 걸프 사태 관련 주재국 동향

대:WMEM-0004

연:YMW-0014

1. 당관은 1.13. 오전 본직 주재로 걸프 사태 관련 비상 대책 회의를 아래와 같이 개최함.

  - 대상: 현지 아국 건설 업체, 상사 대표 및 교민 대표등 7 인

  -회의 내용: 걸프 사태 진전 사항 설명 및 비상 연락망 재정비, 외출 자제, 생필품 비축등 만일의 사태에 대비 지시

2. 현편 사회당 기관지 주간 AL-THAWRA 지는 1.10 아국의 군 의료단 파견에관한 기사에서 평민당이 이를 반대하고 있으며, 미국이 한국에 대해서 압력을 가하고 있다고 보도하였음. 한편 주재국 정보기관 실무자는 당관 직원과의 면담시 동 군의료단 파견에 불쾌감을 표시하였음.

3. 주재국은 아국의 의료단 파견을 사우디에 대한 편파적인 지원으로 간주하고 있음에 비추어 주재국 정부가 사우디로 부터 강제 귀환한 90 여만명의 예멘난민 구호를 아국에 요청한데 대해서도 향후 아국의 경제적 이익과 교민 보호 차원에서 적절한 지원을 건의함. 끝.

(대사 류 지호-국장)

예고:91.6.30. 까지

중아국   차관   1차보   2차보   청와대   안기부

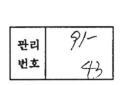

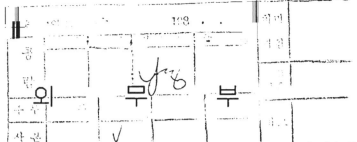

종 별 :

번 호 : AGW-0018

일 시 : 91 0113 1540

수 신 : 장관(중근동,마그,신이,기정)

발 신 : 주 알제리 대사

제 목 : 페만사태관련 주재국상황

연 AGW-0013

1. 페만사태에 대한 주재국대다수 국민의 태도는 지난 90.8.2 사태발발이후시종 이락지지입장으로 기울어져왔으며, ULTIMATUM 이 임박한 현재, 이슬람수호차원에서 반미감정이 고조되고있는가운데 명 1.14(월)2 회(1500 및 1700)에 걸쳐 소위 "이락지지위원회"가 주최하는 당지 미대사관을 목표로 대규모 시위가 예정되고 있음.

2. 상기 대중시위는 주재국의 정치불안, 물가고, 실업등 국민의 불만요인에다 각정당(34 개정당)들의 당세확장을 위한 선동까지 가세하여 여타국에 비해 치안유지가 취약한 실정인바, 상황에 따라서는 치안부재상태까지 발전할 가능성이 매우큼.

3. 이미 당지 미.영대사관은 필수요원이외 전직원및 가족을 철수완료하였고불.일본등 서방제국공관도 공관원을 축소하고있음. 당관도 비상사태에 대비, 비상지출계획, 비상대피계획을 상황의 정도에따라 단계적으로 취할 준비를 갖추고있음. 끝.

(대사 한석진-국장).

예고 1991.12.31 일반.

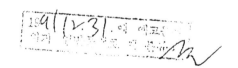

중아국	장관	차관	1차보	2차보	중아국	신이	안기부

PAGE 1

91.01.14   10:55

외신 2과   통제관 BW

0052

원 본

외 무 부

종 별 : 지 급

번 호 : IRW-0030   일 시 : 91 0114 1630

수 신 : 장관(중근동,건설부,노동부,기정)

발 신 : 주 이란대사

제 목 : 아국건설현장 근로자 비상철수계획등 설명

    페만 사태와관련 당관은 공관장이하 전직원을 KANGAN GAS 현장등 5개 현장에
파견(91.1.13-14) 최근 중동사태및 만일의 경우에 대비한 사전 긴급 대피계획등을
설명함으로써 아국건설현장근로자들의 정신적불안과 동요를 방지시켰으며 각자 맡은바
직무에 충실하도록 조치 하였음을 보고함.끝

    (대사정경일-국장)

    예고:91.6.30 까지

| 중아국 | 장관 | 차관 | 1차보 | 2차보 | 안기부 | 건설부 | 노동부 |

외 무 부

종 별 :

번 호 : OMW-0008

일 시 : 90 0114 1210

수 신 : 장관(중근동)

발 신 : 주 오만 대사

제 목 : 교민안전대피 대책

연:OMW-0004

1. 긴급사태시 UAE 등 인접제국 체류 아국교민의 주재국으로의 대피 가능성에 대비, 주 UAE 공관과 긴밀히 협조하여 조치를 취함.

　가. 수송차량:국립운송회사버스 2 대 계약

　나. 수용장소:대사 관저 정원및 교민자택 부지

　다. 수용장비:텐트침랑및 비상식량 식수등 구입(100 명분)

　라. 긴급자금 현금 공관금고 보관

0 미화 $2,000.

0 현지화:R.O.1,000

2. 한편, 당지체류 아국교민(공관원및 가족등포함 35 명)의 비상연락망 재점검및 만약의 사태시 신속한 출국을 위해 교민들에게 항공권예약 조치등을 취하도록함. 끝

(대사 강종원-국장)

예고:91.12.31. 일반

91. 6.40. 정견포

중아국	장관	차관	1차보	2차보	청와대	총리실	안기부	대 략버

PAGE 1

91.01.14　　20:38

외신 2과 통제관 CH

0054

188　걸프 사태 재외동포 철수 및 보호 4: 이스라엘, 모리타니아, 걸프지역

관리 번호	비 - 486

종 별 :

번 호 : AGW-0020   일 시 : 91 0114 1210

수 신 : 장관(주근동,마그,기정)

발 신 : 주 알제리 대사

제 목 : 페만 사태관련 주재국동정

연 AGW-0018

　1. 주재국정부는 페만사태가 악화되어감에따라 1.13(일) HAMROUCH 수상주재아래 외무부, 관련기관및 군관계, 위간부회의를 소집, 페만전쟁발발시의 민중시위, 폭동사태에 대비한 당지주재 외교단각종국제기구및 외국기관의 안전보호대책에 관하여 중점 협의하였다 함.

　2. 이에따라 주재국외무부는 금 1.14(월)공한을 통해 당지외교단에 아래내용을 긴급 봉보하여 왔음.

　1)알제리 정부는 외국공관, 관저를 위시, 외국 관.민의 안전대책을 강화키로결정함.

　2)외무부는 각국공관장이 주재해당국민의 외출을 가급적 제한토록 조치해줄것을 요망함.

　3)알제리경찰당국은 대사관, 영사관, 국제기구의 요청이 있을경우 모든 협조조치를 취할것임.

　3. 당관은 전교민에게 외출을 삼가토록 요망조치하는 한편 관할경찰에 특별경비를 요청하였음.

　(대사 한석진-국장)

　예고 1991.12.31 일반.

중아국 안기부	장관	차관	1차보	2차보	중아국	청와대	총리실	안기부

외 무 부

종 별 : 지 급

번 호 : IRW-0030   일 시 : 91 0114 1630

수 신 : 장관(중근동,건설부,노동부,기정)

발 신 : 주 이란대사

제 목 : 아국건설현장 근로자 비상철수계획등 설명

    페만 사태와관련 당관은 공관장이하 전직원을 KANGAN GAS 현장등 5개 현장에
파견(91.1.13-14) 최근 중동사태및 만일의 경우에 대비한 사전 긴급 대피계획등을
설명함으로써 아국건설현장근로자들의 정신적불안과 동요를 방지시켰으며 각자 맡은바
직무에 충실하도록 조치 하였음을 보고함.끝

    (대사정경일-국장)

    예고:91.6.30 까지

1991. 6. 10. 예 예고문에
의거 일반문서로 재 분류됨.

중아국	장관	차관	1차보	2차보	안기부	건설부	노동부

외 무 부

종 별 :

번 호 : CAW-0047

일 시 : 91 0114 1615

수 신 : 장관(마그)

발 신 : 주 카이로 총영사

제 목 : 페만사태관련 주민대책

대:WCA-0037

1.14. 대호건 대아국인의 이집트 입국비자 발급에 주재국 정부의 협조를 EL-HAWARY 외무부 아국담당 공사에게 요청하였던바, 동인은 본건 상부에 보고 필요협조를 강구토록 하겠다고 하였음. 끝.

(총영사 박동순-국장)

19예고:91.6.30끼 까지문에 의거 일반문서로 재 분류됨.

| 중아국 | 장관 | 차관 | 1차보 | 2차보 | 중아국 | | |

PAGE 1

91.01.15   01:09
외신 2과 통제관 CH
0057

외 무 부

관리
번호 91-
3가

종   별 :

번   호 : TUW-0032   일   시 : 91 0114 1757

수   신 : 장관(중근동,구이,영재)사본:국방부장관

발   신 : 주 터 대사

제   목 : 걸프사태

(자료응신:제 6 호)

걸프사태와 관련한 주재국 정세를 아래와같이 보고함.

1.1.19. 제네바에서 개최된 BAKER 미국무장관과 AZIZ 이라크 외상회담이후 주재국
정부, 언론과 외교단등은 전쟁의 불가피성을 조심스럽게 관측하고 있으며, OZAL
대봉령은 지난주 외신과의 인터뷰에서 전쟁발발 가능성을 80 프로로 언급한바있음.

2. 당지에서는 이라크가 터키와의 국경지역에 제 2 전선을 형성하지 않을것으로
예상, 대체적으로 터키가 이라크를 선제공격하지 않는한 이라크도(106)터키를
공격하지 않을것으로 예상하고 있음.

3. 그러나, 야당및 언론의 반대에도 불구하고 전쟁발발시 INCIRLIK 등 군사기지가
어떠한 형태로던 불가피하게 전쟁기지화 할것으로 보여 이경우 동남부 국경지역이
전부지역화될 가능성도 있음.

4. 바그다드주재 주재국 공관원은 전원철수하였으며, 이라크와의 국경에 10 만명의
병력을 배치하고 HABUR 등 국경인접지역의 일부 주민철수, 이동외과 병원설치등
전쟁에 필요한 준비를 완료한것으로 알려지고 있으나 ANKARA, IZMIR, ISTANBUL 지역은
일부 시민이 생필품을 구입, 비축하거나 외화를 인출하는 현상이외에는 평온한
상태임(안카라에서도 민방위 시범훈련 실시)

5. 당관의 관측으로는 전쟁발발시 주재 국민의 동요는 불가피하나 아국 교민이
다수 거주하고있는 안카라(26 명), 이스탄불(147 명)및 이즈밀(48 명) 지역은
안전한것으로 관찰되며(당지 미국, 영국, 일본대사관도 동일한 의견),
MERSIN지역(이라크로부터 600 KM 거리)에 9 명의 교민이 거주하고 있었으나 6 명은
이미 타지역으로 이동하였고 잔여 3 명도 곧 이동예정임.

6. 당관은 만일의 사태에대비, 주재국및 외교단과 긴밀히 협의하는등 사태발전을

중아국 안기부	장관	차관	1차보	2차보	구주국	영교국	정와대	총리실

영 사 교 민 국	년 인 인	담 당	계 장	과 장	관리관	국 장

PAGE 1

91.01.15   01:36
외신 2과 통제관 CH
0058

예의관찰하고 있으며 교민들에대하여도 필요한 안내를 취하고 있음.
　　(대사 김내성-국장)
　　예고:91.6.30. 까지

외 무 부

종 별 :

번 호 : CAW-0048   일 시 : 91 0114 1655

수 신 : 장관(중근동,정일,미북)

발 신 : 주 카이로총영사

제 목 : 주재국의 비상대책 점검

1. 주재국 정부는 전쟁발발 가능성에 대한 대내적 대비상황 점검을 위한 관계장관대책회의를 SIDKI 수상주재로 1.14. 개최, 식량비축 상황, 걸프지역에서 철수하는 이집트 근로자 수용문제, 테러잠입과 그 준동 가능성에 따른 각종 공공시설물에 대한보호대책등을 다루고있음.

2. 이와관련 MOUSSA 내무부장관은 전쟁이 발발하더라도 이집트는 군사목표물은 되지않을것이나 테러활동 대상이 됨으로 군경 고위합동회의를 개최,모든 공공시설물에 대한 종합적인 경비태세를 강화시키고 있다고 언급함.끝.

    (총영사 박동순-국장)

중아국   1차보   미주국   정문국   안기부

PAGE 1   91.01.15   02:04 DP
                                                    외신 1과   통제관
                                                    0060

관리 번호	91/217

외 무 부

종 별 : 지 급

번 호 : AEW-0022

일 시 : 91 0114 2100

수 신 : 장관(중근동,기정)

발 신 : 주 UAE 대사

제 목 : 교민 비상철수계획 보고

당관의 교민비상철수계획을 아래 요약보고함.

1. 비상철수방안

가. 항공철수(제1 방안): 당지내 FUJAIRAH 국제공항을 교민 집결장소로 선정, 대한항공 특별기를 이용하여 철수

나. 육로철수(제2 방안)

1)주오만 아국대사관과 협조, 인접국인 오만으로 육로철수

2)철수로:AL AIN(주재국내 집결장소)-AL MAHADA(입국수속 대기장소)-WADI JIZZI(오만인민국 사무소)

다. 해상철수(제3 방안): 당지내 KHOR FAKKAN 항을 교민 집결장소로 선정, 현지 원양업체인 한국해외수산의 선박(총 9 척,1 척당 150 명 승선가능)을 동원하여 선박을 이용철수

2. 방안별 본부지원 요망사항

가. 항공철수시

-특별기가 운항될수 있도록 대한항공측에 협조요청

-특별기 착륙허가를 위한 주한 UAE 대사관과 협조

나. 육로철수시

-오만당국에서는 철수교민의 오만입국후 즉시 오만으로부터 출국할수 있는 수단이 사전준비된 경우에 한하여 입국을 허가할 계획인바, 오만으로부터 교민철수를 위한 특별기 지원요망

다. 해상철수시

-한국해외수산 본사측에 오만해역및 인도양에서 조업중인 동사소속 선박을 동원할수 있도록 협조요청.끝.

1991. 6. 30. 에 예고문
외기 일반문서로 지 분류

중아국	장관	차관	1차보	2차보	영교국	안기부	안기부	파락선

PAGE 1

91.01.15   02:25

외신 2과 통제관 CH

0061

(대사 박종기-국장)
91.6.30 일반

0062

외 무 부

종 별 :

번 호 : SSW-0018   일 시 : 91 0114 1920

수 신 : 장관(마그,중근동,기정), 사본:이우상 주수단대사

발 신 : 주 수단대사대리

제 목 : 비상대책

대: WMEM-0003,0004

연: SSW-0488(90.12.24)

1. 대호 페만사태 관련, 당지 주재 미대사관은 금 1.14. 오후 특별기편으로대사관및 USAID 직원 일부와 그가족 전원을 철수한다고 하고, 영국대사관은 그간 필수 요원을 제외한 나머지 직원과 그가족 및 체류자들을 철수시켰음. 이들공관은 주재국 정부가 88.5. ACROPOLE 호텔과 BRITISH COMMUNITY CLUB 폭탄사건의 범인들로서 구속되어 최근까지 재판에 계류중이던 팔레스타인 5 명을 1.7. 형기 만료를 이유로 석방 조치한 것과 같이 수단정부가 미, 영등 서방인에 대한 친이락테러리스트들의 활동을 비호 또는 묵인하는 상황을 가장 우려하고 있는 것으로보임.

2. 당관은 그간 페만 사태와 주재국의 식량 위기에 따른 폭동사태에 대비, 관민대책회의를 연 4 회 개최한 바 있으며, 금 1.14. 오전 카르툼 거주 교민을 대상으로 비상연락망에 따라 회의를 소집, 비상대책위원회를 가동시켰음. 동 위원회 구성및 협의 요지를 보고함.

가. 구성: 위원장은 대사(대리), 부위원장은 (주)대우 상무가 맡으며, 집행총책인 한인회장밑에 외부경호(군, 경찰, 태권도 사범단 동원), 내부경비, 물자조달, 대외연락, 의료, 정보분성등 실무부서별 담당자 지정

나. 협의사항

1) 비상사태 발발시 교민전원및 당관 직원가족등은 대사관저가 소재한 대우 COMPLEX 에 대치, 사태 평정시까지 집단 거주

2) 대사관은 당관 직원이 교대근무, 비상대기(경비강화, 식품등 확보)

3) 식량, 의약품, 석유, 가스, 발전기, 우물등 확보 및 점검

중아국   중아국   안기부

PAGE 1   91.01.15   07:53

4) 공항폐쇄, 외국인 철수등 관련정보 입수시 공관에 즉시 보고

5) 평소 인근 주민 및 관계당국과의 우호관계를 강화

3. 당지 체류교민(당관원 포함)은 그간 미대사관, USAID 근무직원및 개인취업자등 그가족들이 철수하여 금 1.14. 현재 169 명으로서, 수도 KHARTOUM 에 90명, PORT SUDAN 에 ITMD 근무자등 29 명, KOSTI 에 SKCC 고속도로 건설현장요원등 47 명, 기타지역 3 명임.끝.

(대사대리 김재국-국장)

예고: 91.12.31. 까지

PAGE 2

0064

외 무 부

종 별 :

번 호 : FJW-0010
일 시 : 91 0115 1445

수 신 : 장관(미북,중근동,영사,아동)

발 신 : 주 휘지 대사

제 목 : 페만사태관련 휘지동향

대:AM-0012

1. 페만사태관련, 주재국 외무성은 테러발생 가능성에 대비, 주재 모든 외교단은 자체재산과 신체를 보호하기위해 예방조치를 취해주도록 당부하면서 휘지정부 보안당국도 공관및 공관원 주택에대한 적절한 보호조치를 강구할것인바 모든 외교관은 거주지역외 출타를 삼가하고 부득이한 경우 행선지및 출타기간을 경찰당국에 필히 통보하여 줄것을 요청하여왔음.

2. 이에 당관은 직원및 교민 비상망을 재정비함과 동시, 각자 신변보호에 각별 유념토록 당부하고 사태발생징후 발견시엔 즉각 신고, 당관의 지휘에 따르도록 계도하였으며 필요시 미국대사관과 협조, 공동 대처할 예정임을 보고함. 끝.

(대사 백영기-국장)

예고:1991.12.31. 일반

1991. 6. 30. 에
외거 일반문서로 지정됨.

<table>
<tr><td>미주국</td><td>장관</td><td>차관</td><td>1차보</td><td>2차보</td><td>아주국</td><td>중아국</td><td>영교국</td></tr>
</table>

PAGE 1

91.01.15   12:22

외신 2과 통제관 BW

0065

외 무 부

종 별 : 긴 급

번 호 : AEW-0024   일 시 : 91 0115 0900

수 신 : 장관(신이,중근동)

발 신 : 주 UAE 대사

제 목 : 교민 비상철수계획

연:AEW-0022(91.1.14)

연호 전문을 주오만및 카타르대사에게도 각각 긴급 타전바람. 끝.

(대사 박종기-외신관리관)

예고:91.6.30 일반

1991. 6. 30. 에 예고문에
의거 일반문서로 재 분류됨.

신이   중아국

영재

관리 번호	91 - 52

외 무 부

종 별 :

번 호 : KAW-0011　　　　　　　　　　일 시 : 91 0115 1600

수 신 : 장관(미북,중근동,영사,아서,기재,사본주파대사)

발 신 : 주 카라치총영사

제 목 : 페만사태관련 대책수립

대 AM-0012

1. 대호관련 당관은 본직주재하에 금 1.15 1230 부터 당지 한국식당에서 공관, 무역관, 한인회, 상사 지사협의회(7 개상사 전원참석) 합동회의를 개최하고 교민비상연락망 재작성, 비상대책을 수립함(상황 추이에따른 공관.교민간 신속한연락, 여행시 사전 공관통보등)

2. 당관은 페만사태와 관련 당지 미국 총영사관과 접촉, 사태 추이에따라 추후연락키로 하였는바 현재 미국 영사및 가족과반수가 본국으로 귀환하였고 미국인 대부분이 본국 또는 동남아로 떠났음. 이는 예상되는 테러로인한 신변보호조치의 일환이라고함. 아울러 당지 교민 대부분의 자녀가 다니는 미국인 학교는 1.15부터 2 주간 휴교키로하였고 수업 재개여부는 사태 추이에따라 결정될 것이라함.

3. 페만사태 관련 1.14 에는 당지 카라치대학과 시내중심가(시장)에서 각각 사담후세인 사진을 게양, 지지 시위를 벌리는등 긴장이 고조되고있음. 따라서당관은 교민보호에 만전을 기하도록 노력하고 당분간 외출(특히 일몰후)을 삼가토록 계도하고있음. 특이 사항은 추보 위계임.끝

(총영사 조 규태-국장)

검 토 필 1991.6.30.)

예고-91.12.31 일반

1991 (12.3) ○ 예고문 에 의거 일반문서로 재 분류됨

영사교민국	비 신 인	담 당	지 장	과 장	관리관	국 장

미주국　　기획실　　아주국　　중아국　　영교국

외 무 부

종 별 :

번 호 : KAW-0011

일 시 : 91 0115 1600

수 신 : 장관(미북,중근동,영사,아서,기재,사본주파대사)

발 신 : 주 카라치총영사

제 목 : 페만사태관련 대책수립

대 AM-0012

1. 대호관련 당관은 본직주재하에 금 1.15 1230 부터 당지 한국식당에서 공관, 무역관, 한인회, 상사 지사협의회(7 개상사 전원참석) 합동회의를 개최하고 교민비상연락망 재작성, 비상대책을 수립함(상황 추이에따른 공관.교민간 신속한연락, 여행시 사전 공관봉보등)

2. 당관은 페만사태와 관련 당지 미국 총영사관과 접촉, 사태 추이에따라 추후연락키로 하였는바 현재 미국 영사및 가족과반수가 본국으로 귀환하였고 미국인 대부분이 본국 또는 동남아로 떠났음. 이는 예상되는 테러로인한 신변보호조치의 일환이라고함. 아울러 당지 교민 대부분의 자녀가 다니는 미국인 학교는 1.15부터 2주간 휴교키로하였고 수업 재개여부는 사태 추이에따라 결정될 것이라함.

3. 페만사태 관련 1.14 에는 당지 카라치대학과 시내중심가(시장)에서 각각 사담후세인 사진을 게양, 지지 시위를 벌리는등 긴장이 고조되고있음. 따라서당관은 교민보호에 만전을 기하도록 노력하고 당분간 외출(북히 일몰후)을 삼가토록 계도하고있음. 북이 사항은 추보 위계임.끝

(총영사 조 규태-국장)

예고 91.12.31 일반

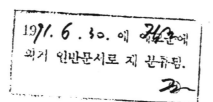

미주국   기획실   아주국   중아국   영교국

외 무 부

종 별 :

번 호 : MAW-0066

일 시 : 91 0115 1730

수 신 : 장관(중근동,아동)

발 신 : 주 말련 대사

제 목 : 페만 사태 관련 주재국 대응

연:MAW-0012

1. NAMUN ASHAKLI 외무부 중동과장에 의하면, 1.15 현재 이락 주재 자국 공관원은 전원 본국으로 철수하였으나 사우디, 요르단, 시리아등 인근 국가에는 아직도 자국 공관원은 포함 약 2,000 여명의 교민이 잔류하고 있다고함.

2. 따라서, 주재국 외무부에 기 설치된 연호 비상 대책반도 24 시간 운영하면서 페만 전쟁 발발시 자국 교민의 비상대피 계획(대사관에 집결 현지 공관장 재량하 육로 또는 차량편 철수)등 안전 대책을 수립중에 있음.

3. 주재국 정부는 주재국 경제가 페만 사태로 인하여 심각한 타격을 입는다고 보고있지 아니하므로 교민 철수 대책이외에 상금 전쟁에 대비한 특별한 국내적인 비상조치 계획은 수립하지 않고 있음. 아울러, 아랍테러 문제에 대하여서도 주재국이 간접적인 영향을 받을수는 있어도 주재국인이 직접적인 대상이 되지는 않을 것으로 보고있음.

4. 상기에 비추어 주재국 정부는 사전 구체적인 위기관리 계획보다 페만 사태 진전여하에 따라 수상 자신이 입장을 표명하는등 그때그때 임시 방편적으로 대응해 나갈것으로 관측됨. 끝

(대사 홍순영-국장)

91.6.30 일반

종아국   차관   1차보   2차보   아주국

PAGE 1

외 무 부

종 별 : 지 급

번 호 : OMW-0011

일 시 : 90 0115 1500

수 신 : 장관(중근동)

발 신 : 주 오만 대사

제 목 : 교민철수

대:WOM-0114

대호 특별기 운항으로 철수를 희망하는 당지 교민수는 1.15. 현재 24 명(성인 15 명, 아동 9 명)임.끝

(대사 강종원-국장)

예고:91.12.31. 일반

중아국   중아국

PAGE 1

91.01.15   22:01

외신 2과 통제관 FE

0070

외 무 부

종   별 :

번   호 : KAW-0011   일   시 : 91 0115 1600

수   신 : 장관(미북,중근동,영사,아서,기재,사본주파대사)

발   신 : 주 카라치총영사

제   목 : 페만사태관련 대책수립

대 AM-0012

1. 대호관련 당관은 본직주재하에 금 1.15 1230 부터 당지 한국식당에서 공관, 무역관, 한인회, 상사 지사협의회(7 개상사 전원참석) 합동회의를 개최하고 교민비상연락망 재작성, 비상대책을 수립함(상황 추이에따른 공관.교민간 신속한연락, 여행시 사전 공관통보등)

2. 당관은 페만사태와 관련 당지 미국 총영사관과 접촉, 사태 추이에따라 추후연락키로 하였는바 현재 미국 영사및 가족과반수가 본국으로 귀환하였고 미국인 대부분이 본국 또는 동남아로 떠났음. 이는 예상되는 테러로인한 신변보호조치의 일환이라고함. 아울러 당지 교민 대부분의 자녀가 다니는 미국인 학교는 1.15부터 2 주간 휴교키로하였고 수업 재개여부는 사태 추이에따라 결정될 것이라함.

3. 페만사태 관련 1.14 에는 당지 카라치대학과 시내중심가(시장)에서 각각 사담후세인 사진을 게양, 지지 시위를 벌리는등 긴장이 고조되고있음. 따라서당관은 교민보호에 만전을 기하도록 노력하고 당분간 외출(특히 일몰후)을 삼가토록 계도하고있음. 특이 사항은 추보 위계임.끝

(총영사 조 규태-국장)

예고 91.12.31 일반

미주국   기획실   아주국   중아국   영교국

관리 번호	91 -234			원 본

외 무 부

종   별 : 긴 급

번   호 : BHW-0021   일   시 : 91 0115 1520

수   신 : 장관(중근동), 사본:건설부장관

발   신 : 주 바레인 대사

제   목 : 근로자 안전대책

대:WSB-0096

1. 대호, 당지 진출업체 근로자의 1.15. 현재 현황 아래 보고함.

현대:52 명(직원 17 명, 근로자 35 명)

영진:134 명(직원 20 명, 근로자 114 명)

합계:186 명(직원 37 명, 근로자 149 명)

2. 안전대책:

가. 당지는 왜소한 도서 국가로서 안전지대 대피가 사실상 불가능한바, 긴급사태
발생시에는 우선 대사관에 전원 집결, 사태 전개 추이에 따라 대처.

나. 사태가 급박하게 전개되고 있다고 판단될 경우, 당지 현대건설 소유 선박편을
이용, 최단 시간내에 안전 해역으로 탈출.

. 철수 선박의 출항장소는 현대 시멘트 부두로 하되, 당시 상황이 필요로 하는
경우, 대사의 결정에 따라 출항지점을 대사관 맞은편에 위치한 MARINA CLUB으로 변경
가능.

3. 당지 진출업체들에 따르면, 금 1.15. 특별기편으로 자진 철수 희망 근로자의
대부분이 철수한 상태라 하며, 약간의 추가 철수 희망 근로자가 있기는 하나,
동인들의 경우 업체 업무상 철수 시키기가 어려운 형편이라함. 다수의 근로자가
철수를 희망하게 될 경우, 이를 당관에 추보하겠다고 함. 끝.

(대사 우문기-국장)

예고:91.6.30 일반

19**91. 6. 3** . 대 예고문에
의거 일반문서로 지 공류됨.

중아국	장관	차관	1차보	2차보	청와대	총리실	안기부	건설부

PAGE 1

91.01.15   22:10

외신 2과 통제관 FE

0072

외 무 부

종 별 :

번 호 : OMW-0012   일 시 : 90 0115 1510

수 신 : 장관(중근동, 영재,사본:수산청장)

발 신 : 주 오만 대사

제 목 : 교민및 아국원양어선 안전대책

1. 금 1,15 당관은 당지주재 해외수산, 풍산수산 기지장을 당관에 초치, 긴급사태에 대비한 안전대책을 협의한바, 아래 보고함.

　가. 선원및 선박안전 조치

아국 원양어선들의 조업구역은 주재국 동남부 MASIRAH 섬 남단으로 전쟁발발시에도 안전지역으로 판단, 조업을 계속하나 아래와 같은 안전조치를 취하도록함.

-기지(무스캇소재)와 선박간 매시간별 교신유지

　-조업구역 이탈금지

　-선박상호간 교신유지

　-기타안전조치 강화

　나. 원양어선을 이용한 아국교민 긴급철수대책

주재국 공항폐쇄로 항공기 운항이 중지되는 긴급사태 발생시 동원양어선을 이용 아국 교민을 주재국과 가장 인접한 카라치(파키스탄과 비자면제 협정 고려)로 대피시킴.(소요시간 41 시간)

2. 91.1.15 현재 주재국진출 아국원양어선및 선원현황은 다음과 같음.

-한국해외수산:4 척 121 명

-풍산수산:3 척 87 명

-주재국 OMAN SEA 사 송출선원:6 명

총계 7 척 214 명. 끝

(대사 강종원-국장)

예고:91,12,31, 일반

중아국　　1차보　　2차보　　영교국　　안기부　　수산정

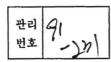

외 무 부

관리번호 91-221

종 별 : 긴 급

번 호 : QTW-0014   일 시 : 91 0116 1210

수 신 : 장관(중근동)

발 신 : 주 카타르 대사

제 목 : 교민 비상철수

대:WQT-0021

연:QTW-0012

1. 당지출국사증 유효기간이 7 일이므로 특별기 기착일자가 통보되면 출국사증 취득예정인바 동사증 취득에 2 일정도 소요됨.

2. 연호 보고후 민간항공기 특별편으로 6 명이 추가출국하여 현재 동특별기탑승대상자는 40 여명임.

3. 1.16 현재 당지체류교민수는 공관직원 및 가족포함, 총 65 명임.

끝

(대사 유내형-국장)

예고:91.6.30 일반

1991. 6. 30. 에 예고문에 의거 일반문서로 지 완료됨.

중아국   장관   차관   1차보   2차보   청와대   총리실   안기부

PAGE 1   91.01.16   19:07

외신 2과 통제관 CH

0074

관리 번호	91 - 38

외 무 부

종   별 : 지 급

번   호 : JOW-0064

일   시 : 91 0116 1530

수   신 : 장 관(마그,중근동)

발   신 : 주 요르단 대사

제   목 : 철수현황

1.1.16 현재 당관지역 인원철수 현황은 아래와 갈음(제 3국 피난포함)

가. 공관원, 가족및 고용원:17 명

철수:10 명

잔류:7 명

나. KOTRA 및 태권도 사범및 가족:11 명

철수:11

잔류:0

다. 상사, 건설업체및 가족:9 명

철수:6 명

잔류:3 명

라. 개인사업, 취업자및 가족:19 명

철수:10 명

잔류:9 명

마. 기타:10 명

철수:6 명

잔류:4 명

바. 총계:총원:66 명

철수:43 명

잔류:23 명

(대사 박태진-국장)

예고:91.6.30 까지

1991.6.30. 예고문에
의거 일반

중아국   장관   차관   1차보   2차보   중아국   정와대   총리실   안기부

대책반

PAGE 1

영제

외　무　부

관리 번호	91 - 51

종　　별 : 지 급

번　　호 : YMW-0035　　　　　　　　　일　　시 : 91 0117 1400

수　　신 : 장 관(중근동,기정)

발　　신 : 주 예멘 대사

제　　목 : 교민 현황 보고

대:WMEM-0008

1. 전쟁 발발직후 당관 비상망을 통해 확인한바에 의하면(1.17 당지 시간 05:00 시 현재) 아국 교민수는 총 207 명이며 그 내역은 아래와 같음.

　-공관원 및 가족:17 명

　-상사원 및 가족:8 명(대우 4, 선경 4)

　- 건설 업체 주재원, 근로자, 가족:166 명(삼환 59, 현대 103 정우 4)

　-기타 교민:16 명

2. 주재국 수도 시내는 평상시와 같이 평온함. 끝.

(대사 류 지호-국장)

예고:91.6.30. 까지

1991. 6 30. 예고문에 의거 일반문서로 재 분류됨

영 사 교 민 국	년 월 일	담 당	계 장	과 장	관리관	국 장

중아국　　2차보　　영교국　　안기부

외 무 부

종 별 : 초긴급

번 호 : BHW-0025   일 시 : 91 0117 0600

수 신 : 장 관(비상대책본부)

발 신 : 주 바레인 대사

제 목 : 개전에 따른 체류민 동향

연: WBH-0024

1. 아국 체류민들은 대 이락 개전에 따른 주재국 체류의 안전여부에 대한 각자의 평가를 함에 있어서, 상금 개전후 2시간 30분여 경과하였을뿐이고, 주재국이 이락의 공격을 받은 사실은 아직은 없고하여 철수 여부를 결정치 못하고 있음.

2. 본직으로서는 주재국에 대한 이락 공격능력은 개전후 시간경과 할수록 감소할 것으로 대교민 설명하여 왔으며 체류민들은 이를 납득하고있으며, 초기 전황에 대한 불안감 표시 체류민은 아직은 없음

3. 상기 1,2항을 기초로 하여 전화 문의사항에 대하여 다음 회신함.

가. 긴급 철수 희망교민수는 미미할것임.

나. 공항은 현지시간 03:45 폐쇄된 것으로 확인됨.

다. 최악경우, 현대건설 보유 선박편 해상으로 대피예정이나, 당지경우 항공기착륙 불가를 본부와 같이 기필 탈출로 직결할 필요는 없는 것으로 보임.

4. 당지는 05:30 현재 시민 생활에 있어 평소에 비하여 아무런 혼란 없음
(대사 우문기-비상대책본부장)

종아국 안기부	차관	1차보	2차보	미주국	종아국 대책반	정문국	청와대	종리실
	장관							

PAGE 1   91.01.17   12:27 WG

외신 1과 통제관

0077

외   유

영재

외 무 부

종   별 : 지 급

번   호 : JOW-0066   일   시 : 91 0117 1100

수   신 : 장 관(중근동,기정)

발   신 : 주 요르단 대사

제   목 : 교민철수

    1. 금 1.17 07:00 을 기해 암만공항이 잠정폐쇄되어 항공편 출국이 어렵게
되었으나, 아카바항에서의 이집트행 FERRY 가 마침 운행되고 있어 삼성 근로자 15명의
동편 출국을 추진하고 있음

    2. 당지 체류 특파원 18 명과 체류교민 15 명은 공관과의 긴밀한 협조하에 만약의
사태에 대비하고 있음

    3. 주재국은 이스라엘의 공격에 대비, 비상 경계하에서 평온을 유지, 정부기관등
공공기관은 정상업무를 수행하고 있으며 요르단 방송은 이라크 방송등을 인용
전쟁상황을 수시보도하고 있음. 일반 국민들도 전쟁 발발에 놀라움을 나타내고 있으나
그렇게 큰 동요나 상가에서의 매점매석 행위는 없으며 주유소에서 만약의 여행에 대비
급유차량 행렬이 다소 보이는 실정임

    (대사 박태진-국장)

    예고:91.6.30 까지

영사교민국	년월일	담 당	계 장	과 장	관리관	국 장

중아국   장관   차관   1차보   2차보   청와대   총리실   안기부

외 무 부

종 별 : 지 급

번 호 : LYW-0037　　　　　　　　　　일 시 : 91 0117 1230

수 신 : 장관(대책반,중근동,마그,총인,해기)

발 신 : 주 리비아 대사

제 목 : 페만 전쟁

대:WMEM-09, AM-017

1. 당지 시간 91.1.17(목) 페만 전쟁 발발에도 불구하고 당지는 평상시와 같이 평온을 유지하고 있으며 당지 아국 업체및 근로자들은 불요불급한 외출만 금지하고 있는 가운데 정상 근무중임

2. 주재국 방송은 전쟁 발발이후 침묵을 지키다가 오전 10시 뉴스를 통해 처음으로 유엔군이 리비아 시간 08:35 대 이라크 공습을 가하였다는 내용(개전시간만 틀리게 보도하고 공격 목표등은 비교적 정확히 보도함)과, 카다피 지도자가 유엔 사무총장및 안보리 의장에게 사태를 평화적으로 해결할 방법이 없으므로 쿠웨이트의 존속(RETAIN)을 위한 모든 노력을 강구하는 것이 유엔의 책무라고 하면서 유엔군의 무력 공격이 이라크 영토에 더이상 가해지지 않고 안보리 결의에 따라 쿠웨이트 영토에만 국한되어야할 것이라는 전문을 보냈다는 사실을 보도 하였음

3. 당관은 만일의 사태에 대비, 당지 아국 업체와 긴밀한 연락을 유지하면서 비상근무 태세를 강화하고 있으나, 당지는 교민및 근로자등의 철수를 고려할 상황은 아닌바, 당지 아국민의 불안과 불필요한 동요를 막기 위해서도 대한항공으로 하여금 타지역을 경유하더라도 당지 정기 노선을 조속히 정상 운항토록 조치하여 주시기 바람. 끝

(대사 최필립-대책본부장)

예고 91.6.30. 일반

대책반	장관	차관	1차보	2차보	총무과	중아국	중아국	청와대
안기부	공보처							

PAGE 1

외 무 부

종 별 :

번 호 : IRW-0037   일 시 : 91 0117 1730

수 신 : 장관(중근동,정일,기정)

발 신 : 주이란대사

제 목 : 페만사태

　　　페만내 개전관련 아직까지 주재국정부의 공식반응이 나오지 않고 있는가운데 KHAMENEI 지도자는 군총사령관 자격으로 금 1.17 이란은 이란영토의 신성 불가침을 어떠한 방법으로든 지킬 것이며, 전쟁 당사자들에의한 이란영토의 이용은 어떠한 경우에도허용되지 않을 것이라고 언급함.

　　2.한편 라프산자니 대통령은 동 개전이 페만 안정을 매우 위태롭게 하고 있다고언급하였으며 (금일 카타르 외무장관 접견시), 주재국 의회는 관계장관들과 개전에대한 주재국 입장등 비상대책을 협의한 것으로 알려짐 (결과 파악시 추보하겠음) 또한 주재국군도 비상태세에 임하고 있는 것으로 알려짐.

　　3.금일자 주재국 언론은 페만개전시 이란은 중립을 유지해야할 것이라고 논평하였음.

　　4.당지 소식봉에의하면 국제적십자사가 이란측에 전쟁발발시 부상자 수용을 요청한 것으로 알려지는바, 당지 언론은 부상군인의 경우 의료시설 부족으로 받을 수 없으나 일반 피난민은 받아들일 수 있을 것이라고 언급하였음.끝

　　(대사 정 경일-국장)

중아국	장관	차관	1차보	2차보	미주국	정문국	청와대	종리실
안기부	대책반							

관리 번호	91 /45

외 무 부

종   별 : 지 급

번   호 : TNW-0031   일   시 : 91 0117 1200

수   신 : 장 관(중근동,마그,총인,영사,기정동문)

발   신 : 주 뷔니지 대사

제   목 : 걸프 전쟁 발발

대:WMEM-0008

연:TNW-0024

1. 주재국 정부는 1.14 국가안보회의를 소집, 걸프전쟁 발발에 대비한 하기 비상 조치를 취하였음.

    0 군병력 및 치안부대에 대한 국가 보위 비상태세 돌입

    0 인명 및 시설 보호를 위한 경계 태세 강화

    0 국민의 정상적 일상 활동 보장

    0 어떠한 형태건 군중집회등을 당분간 금지

2. 주재국 당국은 상기 조치 발표가 있은 1.14 밤 연호 PLO 요인 3 명의 피격사건이 ARTHAGE 대통령궁 인근에서 발생한 사실을 크게 우려, 현재 각급 주요 공공 시설등에 대한 경비를 강화하고 있는바, 당지 소재 미국 관련 시설을 비롯 주요 서방 공관에 대해서는 특별 보호 대책을 취하고 있음.

3. 주재국 언론은 미군등의 바그다드 폭격 개시에 관한 외신보도를 인용 전하는 이외, 현재까지 정부측의 입장 표시나 반응은 아직없음.

4. 공관원 및 교민 모두는 가급적 외출을 삼가고 주재국인과의 접촉을 피하며 신변 보호에 만전을 기하고 있음. 끝.

    (대사 변정현-국장)

    예고:91.6.30 일반

	장	기안가	주무과	과 관	차 리 관

예고문제가기재분류(19 91. 6 30.)
상당

중아국 안기부	장관	차관	1차보	2차보	총무과	중아국	영교국	정와대

PAGE 1

外 務 部

종   별 :

번   호 : SSW-0027   일   시 : 91 0117 1800

수   신 : 장관(중근동,마그) 사본:이우상 주수단대사

발   신 : 주 수단대사다리

제   목 : 페만 사태

대: WMEM-0008,0009   91. 6. 30. 김도억 ㅈ

1. 당지 반응

가. 1.17. 16:00 시 현재 주재국 정부의 공식 입장 발표는 없으며, 관영 라디오
방송은 전쟁발발에 관해 외신을 인용 보도하고 있음.

나. 10시부터 학생 시위대가 후세인 지지, 미국타도, 아랍승리를 외치며,
산발적으로 시내를 행진함.

다. 미대사관은 1.16. 저녁, 대사를 포함한 대사관, USAID, 국제기구 근무자와
일반인등 잔류인원 전원을 해병대 요원과 함께 특별기편으로 완전 철수함.

라. 시내 상황은 전쟁 발발전의 이락지지, 외세배격을 강조하던 분위기와는 달리,
조용하고 차분한 가운데 라디오를 통해 전황 파악에 관심이 집중돼 있음.

휴일인 내일까지 별다른 움직임은 없을 것으로 보임.

2. 당지 조치사항

가. 당관은 휴일중이라도 긴급한 상황이 발생할 경우, 교민 전원을 대우아파트
단지로 대피토록 하여 집단 대처 예정임.

나. 공관에는 당관 직원이 계속 대기 근무중이며, 청사및 관저의 외부 경호및 내부
경비를 강화함.

다. 현재로서는 철수를 희망하는 교민이 없고, 동 문제를 검토한 단계가 아니나,
교민 개개인에 대하여 출국비자, 여권등 출국을 위한 사전 조치 강구는 지시하고
있음.

라. KAL 기 착륙허가는 외무성에 72 시간 이전에 문서로 신청하여야 함. 허가
획득상 큰 어려움은 없을 것으로 봄. 끝.

(대사대리 김재국-국장)

중아국	장관	차관	1차보	2차보	중아국	청와대	안기부

91.01.18   06:15

외신 2과 통제관 CF

0082

예고: 91.12.31. 일반

발 신 전 보

분류번호	보존기간

번   호 : WMEM-0010 910118 1602 DA 종별 : _____

수   신 : 주 전중동지역 공관장 대사//총영사

발   신 : 장   관   (페만 비상대책 본부장)

제   목 : 페망 전쟁 관련

교민 안전 여부 및 전황에 대해 수시 (2시간 마다) 보고 바람.

끝.

예고 : 특후 파기

보 안 통 제	7

앙 고 재	91 년 월 일	통 금 과	기안자 성명		과 장	국 장	차 관	장 관
					7	후경1		

외신과통제

0084

외 무 부

종   별 : 지 급

번   호 : SKW-0029
일   시 : 91 0118 1430

수   신 : 장관(아서, 대책반)

발   신 : 주 스리랑카 대사

제   목 : 페만 사태

대:WAAM-0003

AM-0017

대호 아래 보고함.

1. 주재국 외부부는 사태직후 1.17 0930 아래 요지 성명을 발표함. 5 개월 이상의 진지한 외교적 노력에도 불구하고 평화적 방법으로 해결되지 않고 전쟁이발발한데 대하여 애석함을 표하면서 스리랑카는 관계 유엔 결의를 준수 하여 조속히 종전 되기를 희망함.

2. 한편,1.17 1600 주재국 HERAT 외무장관은 당지 주재 공관장들을 초치한 브리핑 자리에서(정정검 참사관 참석) 페만 사태와 관련 대통령의 지시로 외무, 국방, 재무등 관계부처 특별 대책반이 가동중이며 당지 주재 공관및 외국인 보호를 위하여 군경 합동으로 특별 경계를 강화하고 있음을 밝히고 주재 외국공관들과 상호 정보 교환등 긴밀한 협조를 행할것임을 밝힘.

3. 당관에서도 대호 지시에 따라 비상 근무 태세 강화및 자체 비상연락망을수시 점검, 공관및 가족의 안전에 만전을 기하고 있음. 또한 당지 주재 아국업체및 교민들의 보호를 위해 기존 비상 연락망을 수시 점검하여 만약의 사태에 대비케 조치함.

(대사 장훈-국장)

예고:91.6.30 까지

아주국	장관	차관	1차보	2차보	중아국	청와대	안기부

외 무 부

종 별 : 지 급

번 호 : QTW-0019   일 시 : 91 0118 1232

수 신 : 장관(비상대책본부장)

발 신 : 주 카타르 대사

제 목 : 페만전쟁

대:WMEM-0010

1. 당지체류 교민 65 명 전원 무사함.

2. 초기전황이 다국적군에 유리하게 전개되고 있어 주재국내에는 동요의 기미가 없으며당지주둔 미.불.카나다공군기가 가끔 출격하는 외에는 외형상평온을 유지하고 있음.

3. 당지 교민용 방독면은 사우디측에서 공항 및 국경을 폐쇄하여 수령치 못하고 있음을 참고 바람. 끝

(대사 유내형-본부장)

예고:91.6.30 일반

1991. 6. 30. 에 예고문에 외거 일반문서로 재 분류됨.

중아국	장관	차관	1차보	2차보	청와대	총리실	안기부

외 무 부

종 별 : 긴 급

번 호 : BHW-0033   일 시 : 91 0118 1400

수 신 : 장관(중근동)

발 신 : 주 바레인대사

제 목 : 바레인 정세

대:WMEM-0010

1. 금 1.18 13:00 현재 이라크의 대 주재국 공격은 전무하며, 잔류 아국민들은 전원 안전함. 당관은 교민 비상연락망 점검, 대사관 내에 비상식량 및 식수비축등 만약의 사태발전에 대비한 교민 보호 비상대책을 갖추었음.

2. 주재국은 이슬람 주일인 금요휴일로서 평시와 마찬가지로 모든 상가들은철시하고 있으며, 전반적으로 매우 평온함. 한편 주재국 당국은 방송등을 통해국민들에게 특별한 용무가 없는한 가능한 자택에 머물 것을 권고하였음. 끝.

(대사 우문기-국장)

예고:91.6.30 일반

1991. 6. 30. 예 예고문에 의거 일반문서로 재 분류됨.

종아국   장관   차관   1차보   2차보   청와대   총리실   안기부

외 무 부

종 별 : 지급

번 호 : YMW-0042　　　　　　　　　　　일 시 : 91 1018 1430

수 신 : 장 관(중근동,기정)

발 신 : 주 예멘 대사

제 목 : 페만 전쟁관련

　　대:WMEM-0010

　　연:YMW-0040

　　대호 관련, 당지 교민 안전에 이상 없으며, 주재국은 평온한 상태임을 보고함. 끝.

　　(대사 류 지호-페만 비상대책 본부장)

　　예고:91.6.30. 까지

1991. 6. 3. 대 예고문에
의거 일반문서로 재 분류됨.

중아국　　차관　　1차보　　2차보　　청와대　　안기부

<table>
<tr><td>관리
번호</td><td>91/</td></tr>
</table>

외　무　부

종　별 : 긴급

번　호 : BHW-0034　　　　　　　　일　시 : 91 0118 1600

수　신 : 장관(중근동)

발　신 : 주 바레인 대사

제　목 : 바레인 정세

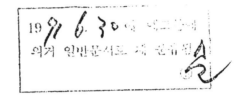

대:WMEM-0010

연:BHW-0033

대호 1.18. 16:00 현재 상황 다음과 같음.

1. 교민 전원 안전함.

2. 이라크의 대 바레인 공격 전무함.

(대사 우문기-본부장)

예고:91.6.30 일반

관리 번호	비 -775

외 무 부

종 별 :

번 호 : BHW-0044

일 시 : 91 0119 1000

수 신 : 장관(중근동)

발 신 : 주 바레인 대사

제 목 : 걸프사태

연:BHW-0042

걸프전쟁 제 1 일 및 제 2 일을 주말 휴무로 지내고, 제 3 일째를 맞이한 바레인의 1.19 10:00 현재 정세는 다음과 같음.

1. 아국 체류민 전원 안전함.

2. 거리는 평시에 비해 한산한 편이나, 관공서, 은행등 공공 기관은 정상 업무중임.

3. 각급 학교는 계속 휴교중임.끝.

(대사 우문기-국장)

예고:91.6.30 일반

1991. 6. 30. 에 예고문에
의거 일반문서로 재 분류됨.

중아국	차관	1차보	2차보

91.01.19   17:24

외신 2과 통제관 BA

0090

관리 번호	91/580

외 무 부

종 별 : 지급

번 호 : YMW-0046

수 신 : 장 관(페만본부장)

발 신 : 주 예멘 대사

제 목 : 걸프전쟁 관련

일 시 : 91 0119 1400

대:WMEM-0010

연:YMW-0040,0043

1. 대호 관련, 주재국은 아국의 군 의료단 파견기사가 당지 언론에 보도된후 주재국 국민의 아국민에 대한 반감이 일어나지 않을까 우려시됨. 전쟁 중지요구 및 친 이락 가두 시위가 연일 행해지고 있음.

2. 또한 이락의 이스라엘 공격후 이스라엘 국방성이 대 이락 보복을 공언한상황에서 만일 주재국이 종래의 중립적인 입장을 포기할 경우 군 및 경찰이 국경지대, 유전, 항만 및 공항등 주요 전략지역으로 보강배치될것으로 예상되어 주재국내의 오지 치안이 우려됨.

3. 당관은 1.19. 오전 일차적으로 주재국내 9 개지역에(이중 2 개 지역은 사나 소재)산재하고 있는 건설현장중 아국 근로자가 1 인이 위치하고 있는 삼환 메디나 장비 보관소 및 현대 바질 현장에 대해서는 당분간 아국 근로자의 대피를 권유하였음.

(대사 류 지호-본부장)

예고:91.6.30. 까지

중아국	장관	차관	1차보	2차보	청와대	안기부

PAGE 1

외 무 부

종   별 : 지 급

번   호 : YMW-0047   일   시 : 91 0119 1400

수   신 : 장 관(페만본부장,중근동,기문,기정)

발   신 : 주 예멘 대사

제   목 : 걸프 전쟁관련

대:WMEM-0010

연:YMW-0038

　　1. 당관이 YEMENIA 항공사 예약담당자에게 확인한바 의하면 중단되었던 YEMENIA 항공이 부분적으로 운항을 재개하여 IY-740 기가 07:00 에 FRANKFURT 향발하였음.

　　2. YEMENIA 항공의 재개에 이어 YEMDA, LUFTHANSA, AIR FRANCE 4 개 항공은1.19 예멘 취항을 재개할 것이라고함.

　　3. 아국 교민의 제보에 의하면 당지 가두에서 확성기를 통해 이락 지원 의용군을 모집중이라고함.

　　(대사 류 지호-국장)

　　예고:91.6.30. 까지

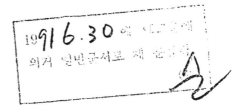

중아국　　장관　　차관　　1차보　　2차보　　기획실　　정문국　　정와대　　안기부

91.01.19   23:53

외신 2과 통제관 CW

0092

판리 번호	91/278

외 무 부

종 별 :

번 호 : SSW-0032   일 시 : 91 0119 1600

수 신 : 장관(중근동,마그,기정) 사본:의우상 주수단대사

발 신 : 주 수 단대사대리

제 목 : 걸프사태

연: SSW-0029

1. 금 1.19. 오전에는 예정대로 <u>이락지지 시위</u>가 있었으나, 학생들이 대부분으로서 일반시민의 참여는 극히 저조하였음.

9 시에 시작한 금일 시위는 미, 영, 사우디, 쿠웨이트 대사관앞을 통과하면서 후세인 지지, 미국타도, SHARIA LAW 지지등을 외친후 정오경 대부분 해산함.

2. 상기 시위를 제외하고는 당지는 특별한 상황없이 평온함. 시민들은 오히려 석유배급량 감축, 단전단수등 금번사태로 더욱 악화된 생활만을 우려하고 있음.

3. 당지 교민은 대우아파트에서 철수, <u>금일 오후부터는 정상생활로 돌아갔음.</u> 당관은 직원 교대 근무로 상황을 파악, 수시 보고 예정임.끝.

(대사대리 김재국-국장)

예고: 91.12.31. 일반

91. 6. 30 김호필 종

중아국	장관	차관	1차보	2차보	중아국	대사실	정와대	안기부

PAGE 1

91.01.20   00:34
외신 2과 통제관 CW
0093

걸프사태 : 재외동포 철수 및 보호, 1990-91. 전14권 (V.13 걸프지역 공관)   227

관리번호 91/505

외 무 부

종 별 :

번 호 : BHW-0050

일 시 : 91 0119 1800

수 신 : 장관(중근동)

발 신 : 주 바레인 대사

제 목 : 걸프사태

연:BHW-0049

1.19 18:00 현재 상황 연호와 동일하나, 주재국과 사우디를 연결하는 연육교가 군사목적 이외의 사용이 금지되었음. 끝.

(대사 우문기-국장)

예고:91.6.30 일반

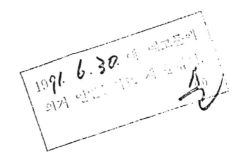

중아국

PAGE 1

관리 번호	91/577

외 무 부

종 별 :

번 호 : BHW-0058

일 시 : 91 0120 1000

수 신 : 장관(중근동)

발 신 : 주 바레인 대사

제 목 : 걸프사태

연:BHW-0057

개전 4 일째를 맞는 주재국의 1.20. 10:00 현재 상황 아래 보고함.

1. 주재국민들의 일상 생활은 거의 정상을 회복함.

2. 주재국 상무부는 생필품 가격을 불법 인상한 3 개 상점에 대해 무기한 영업정지령을 내렸음.

3. 한편, 걸프 미 해군 사령부는 바레인 근해에서의 기뢰발견 사실을 발표하였는바, 이 지역을 항행하는 아국 선박의 안전과 관련 참고 바람.

4. 개전이래 금일 현재까지 주재국은 이라크 공격 받은바 없음. 끝.

(대사 우문기-국장)

예고:91.6.30 일반

→ 청와대에 Fax로 91.1.20. 18:17서 통보필

FAX

91 6.30 ~~의거 일반문서호 서 ~~

중아국	장관	차관	1차보	2차보	정와대	안기부

PAGE 1

91.01.20   16:39

외신 2과 통제관 CA

0095

외 무 부

관리
번호 9/516

종 별 : 지 급
번 호 : AEW-0043   일 시 : 91 0120 1100
수 신 : 장관(중근동,기정,정일)
발 신 : 주 UAE 대사
제 목 : 걸프전쟁(자료응신4호)

연:AEW-0039

1. 주재국 외무부는 다국적군의 이라크 공격을 환영하는 성명을 1.18. 발표하였음.

2. 연호 정상수업에 들어갔던 주재국 학교는 다시 1.20. 부터 중간학기 방학에 들어갔으며 2.9. 개교예정임.

3. 주재국은 전쟁과 관련, 주재국내 테러의 가능성(팔레스타인 여권소지자만 2만여명)에 대해 특별한 경계 태세를 갖추고 있으며, 작 1.18. 두바이소재 CITY BANK 에 폭탄이 설치되었다는 제보가 있어 수색을 하였는바 허위제보임이 판명되었음을 참고로 보고함. 끝.

(대사 박종기-국장)
91.6.30 일반

종아국   장관   차관   1차보   2차보   정문국   청와대   안기부

외 무 부

관리번호 91/284

종 별 : 지 급
번 호 : AEW-0044
수 신 : 장관(중근동,기정)
발 신 : 주 UAE 대사
제 목 : 교민 비상철수

일 시 : 91 0120 1100

연:AEW-0034(91.1.17)

연호,1.20. 현재 자진철수 교민은 총 78 명으로서 현 잔류인원은 479 명(일반교민 대사관 직원및 가족:267 명, 건설 근로자:150 명, 상사직원및 가족:62명)임. 이중 자진철수 희망교민은 37 명으로 파악됨. 끝. (대사 박종기-국장) 예고:91.6.30 일반

1991 6.30. 예고문에 의거 일반문서로 재 분류됨.

중아국	장관	차관	1차보	2차보	청와대	안기부

PAGE 1

91.01.20   17:15
외신 2과 통제관 CA
0097

외 무 부

종 별 : 지 급

번 호 : AEW-0045　　　　　　　　　　일 시 : 91 0120 1200

수 신 : 장관(노동부)

발 신 : 주 UAE 대사

제 목 : 걸프사태에 따른 동향보고

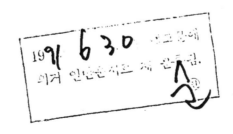

　　1. 근로자 동향

　　0 전쟁발발이후 본인의 희망에 의거 철수한 근로자수는 31 명(한국중공업:25,
대우경남:6)이며 현잔류인원은 277 명(한국중공업:104, 대우경남:37, 현대건설:9,
동아건설:2, 신화건설:1, 대림산업:4, 현대중공업:7, 현지취업:113)임.

　　0 전쟁발발 초기 많은 근로자들이 동요를 보이면서 철수를 희망하였으나, 현재는
사태의 진전상황을 관망하면서 철수를 보류하고 비교적 안정된 분위기에서 조업에
임하고있음.

　　2. 주재국 동향

　　0 현재 주재국내에는 전쟁발발에 따른 직접적인 피해는 없으며, 대체적으로안정된
분위기속에서 주재국정부는 테러및 소요등에 대비 경비태세를 강화하고있음.

　　0 정부기관, 은행, 학교등 공공기관및 시장등도 정상운영되고 있음.

　　0 공항도 정상운영되고 있으나, 두바이 EMIRATES AIRLINE 이외의 민간 항공기의
당지 기착이 거의 중지된 상태임.

　　3. 당관에서는 계속적으로 전황을 주시하면서 근로자의 신변보호에 만전을 기하고
있음. 끝.

　　(대사 박종기-국장)

　　예고:91.6.30 일반

노동부	장관	차관	1차보	2차보	중아국	청와대	안기부

원 본

외 무 부

종 별 : 지 급

번 호 : AEW-0046 일 시 : 91 0120 1400

수 신 : 장관(중근동,기정,정일)

발 신 : 주 UAE 대사

제 목 : 국적선 안전운항(자료응신 5호)

대:WAE-0036

1. 걸프만 미해군 사령관은 1.19. 걸프만에 운항하는 모든 상선은 유사시 위험부담을 스스로 져야한다고 경고함과 동시에 부상어뢰가 "AS FAR AS SOUTH AS 26 DEG 28 NORTH 50 DEG 57 EAST AND 25 DEG 21 NORTH 54 DEG 45 EAST" 위치에 설치되었다함

2. 또한 걸프만 통과 모든 상선은 다국적군함에 의해 검색을 받을것이라고 발표하였음을 참고하시기 바람. 끝.

(대사 박종기-국장)

91.6.30 일반

중아국	장관	차관	1차보	2차보	정문국	청와대	총리실	안기부

PAGE 1

외 무 부

종 별 :

번 호 : BAW-0032

일 시 : 91 0120 1700

수 신 : 장 관(아서,기정)

발 신 : 주 방 대사

제 목 : 페만전

연:BAW-0030

1. 금 1.20 본직은 AHSAN 외무차관을 방문, 1.18 발생한 데모로인한 한국인부부 피습관련, 주재국 정부에 주의를 환기 시키고 여사 사건의 재발방지를 위해 주재 한인들에 대한 안전및 보호조치를 강구해 줄것을 강력 요청함(외교담당 자문위원앞 공한 전달)

2. 동차관은 동사건에 대해 깊은 유감을 표하고, 제반정황으로 보아 이번 사건은 사우디대사관을 습격한 군중들이 오인으로 인해 저지른 과오인것 같다고 하면서, 유사사건의 재발 방지를 위해 최선을 다하겠으며, 이미 외국인 밀집 거주지역인 GULSHAN 및 BHARIDHARA 지역에서의 데모를 막기위한 경찰의 특별 경비 조치를 취하고있다고 하였음.

(대사 이재춘-국장)

아주국	장관	차관	1차보	2차보	중아국	안기부

관리 번호 91/581

외 무 부

종 별 : 지급

번 호 : YMW-0052

일 시 : 91 0120 1330

수 신 : 장관(폐만 본부장)

발 신 : 주 예멘 대사

제 목 : 걸프 전쟁 관련

대:WMEM-0010

연:YMW-0046,0047

1. 교민 안전에 이상 없음.(1.20. 10:00 현재)

2. 주재국 언론 보도에 의하면 1.19 당지 중심가 군중집회에서 국민 의회 서기(북예멘계) 및 예멘 사회당 정치국원(남예멘계)들은 미국주도 침략을 규탄하고 예멘과 아랍국가의 수호를 위해 국민적인 단합과 희생을 다짐하는 성명서를 발표하였으며 동일 오후 예멘 의회도 유사한 내용의 결의안을 채택함. 그러나 주재국 정부는 전쟁발발이후 1.20. 현재 공식적인 입장 발표를 유보하고 있는 실정임.

3. AIR FRANCE 는 1.20 일부터 예멘 취항이 취소되었음.

4. 특기 사항:

-상사원 및 가족 7 명이 1.20 일에, 건설업체 근로자(현대)3 명, 기타 교민 2 명이 1.21. 일 각각 귀국할 예정임.

-공관원 및 상사원의 자녀가 취학하고 있는 사나 국제학교가 3 월말 예정이던 봄 방학을 앞당겨 1.19 일부터 방학에 들어감.

-현대 건설 바질 현장에 위치하고 있던 근로자 1 인은 1.19 일 사나로 철수하였음.

(대사 류 지호-본부장)

예고:91.6.30. 까지

91 6 30

중아국   장관   차관   1차보   2차보   영교국   청와대   총리실   안기부

PAGE 1

91.01.20   23:52

외신 2과   통제관 DO

0101

분류번호	보존기간

발 신 전 보

WBH-0046   910120 2110 BX

번   호 :   종별 :

수   신 : 주   바레인   대사 . 총영사

발   신 : 장 관   (중근동)

제   목 : 걸프 사태

대 : BHW - 0058

관계부처에서는 대호, 바레인 근해에서의 기뢰 발견 사실과 관련,
정확한 위치 (경도 및 위도)를 알기를 원하고 있으니 가능한 한 파악 보고
바람. 끝.

(중동아국장 이 해 순)

예고 : 91.6.30.까지

19 91 6.30 에 예고문에
의거 일반문서로 재 분류됨.
㊞

보 안 통 제	가

앙 고 재	21 년 1 월 2 일	중근동 과	기안자 성명 권원양	과 장	심의관	국 장	차 관	장 관	외신과통제

0102

| 관리
번호 | 91
/583 |

외 무 부

종　별 : 지 급

번　호 : BHW-0059　　　　　　　　　　일　시 : 91 0120 1850

수　신 : 장관(중근동)

발　신 : 주 바레인 대사

제　목 : 걸프사태

대:WBH-0046

대호, 기뢰 발견위치 아래 보고함.

1. 확인지점:북위 26.28, 동경 50.57

2. 미확인지점:북위 25.21, 동경 54.45. 끝.

(대사 우문기-국장)

예고:91.6.30 일반

1991 6. 30 예고문에
의거 일반문서로 재 분류됨.

① 영 공 통과 (주외반 인도
허가 요청 미얀마 대사
② KAL 협의후
우운항로 ~ 일시

744 - 9591　1.21 08:30 항만청통보 대

중아국

분류번호	보존기간

발 신 전 보

번   호 : WSB-0172   910121 1712   AO종별 : 초긴급

수   신 : 주 수신처 참조 ////대사//총영사

WBH -0052	WAE -0063
WJO -0111	WQT -0041
WOM -0047	WIR -0071
WYM -0038	WTU -0034
WJD -0037	WCA -0071

발   신 : 장 관   (중근동)

제   목 : 교민 신변 안전 보호

각하께서는
대통령은 걸프전쟁의 확전 가능성에 대비, 전쟁 위험지역에 잔류중인
아국민의 보호 대책에 만전을 기하고 교민 철수 방안도 적극 강구하라는 지시가
있었는바 귀직은 귀직 책임하에 귀지에 잔류중인 아국민의 보호(철수 포함)에
만전을 기하기 바람.   끝.

(장관)
(중동국장   이 해 순)

수신처 : 주 사우디, 바레인, UAE, 요르단, 카타르, 오만, 이란, 예멘, 터키 대사
주 젯다 총영사, 주카이로 총영사.

예 고 : 1991.6.30. 일반

보 부 장 :

보 안 통 제	13

앙 고 재	91 년 월 일 중 근 동 과	기안자 성 명 박홍순		과 장 72	심의관 국 장		차 관	장 관

외신과통제

0104

관리
번호 : 71-
          1774

외 무 부

종   별 : 긴 급

번   호 : JOW-0090   일   시 : 91 0121 1020

수   신 : 장 관(중근동,대책본부장,공보,기정)

발   신 : 주 요르단 대사

제   목 : 교민및 기자현황

연:JOW-0086

1. 연호 2 항의 서울(김주혁, 류재림), 한국(이상덕), 경향(김종두), 중앙(배명복), 국민(염성덕), 동아(반병희) 및 연롱(유영준)특파원 8 명은 금 21 일 오전 이스라엘에 입국함

2. 이라크에서 귀환한 MBC 팀 4 인(강성주, 이진숙, 서태경, 황성희)은 금일 출국항공편 귀국 예정임. 따라서 당지체류기(617)는 KBS 이영일, 황성규 및 MBC 윤두환 기자등 3 명임

3. 1.21. 현재 잔류 교민현황은 교민 1 명의 본국철수(1.20)로 20 명임

(대사 박태진-국장)

예고:91.6.30 까지

1991. 6. 30. 에 예고문에 의거 일반문서로 재 분류함.

중아국   차관   1차보   2차보   공보   안기부

관리
번호 91/110

외 무 부

종 별 : 지 급

번 호 : QTW-0027

일 시 : 91 0121 1110

수 신 : 장관(대책본부,중근동)

발 신 : 주 카타르 대사

제 목 : 걸프전쟁

대:WMEM-0010, WQT-0038
연:QTW-0024

1. 인접 사우디에 대한 이라크의 스커드 미사일 공격 및 바레인에서의 경보발령에도 불구,1.21 10:00 현재 주재국은 평면상 대체로 평온하며 체류교민 65 명 전원 무사함. 다만 난무하는 유언비어로 인하여 발생하고 있는 정신적 불안의해소를 위하여 매일 교민 대표회합을 통하여 정례 브리핑을 실시하고 있음.

2. 당지 잔류 아국근로자는 남송산업(제빵업)5 명 뿐인바 본사 방침에 의거전원 기히 전쟁보험에 가입하고 있음.

끝

(대사 유내형-본부장)

예고:91.6.30 일반

1991. 6. 5. 에 예고문에
의거 일반문서로 지 분류됨.

중아국   차관   1차보   2차보

외 무 부

종 별 : 지 급

번 호 : YMW-0056

일 시 : 91 0120 2230

수 신 : 장 관(중근동,기정)

발 신 : 주 예멘 대사

제 목 : 걸프 전쟁 관련 주재국 동향

대:WMEM-0007

1. 이집트정부는 주 예멘 이집트 대사관 앞에서 1.18. 일어난 격렬한 반 이집트 시위 및 부석에 항의하여 2 등 서기관등 수명만 제외하고 대사를 포함 10여명의 외교관을 본국으로 소환하였음.

2. 주재국 교민중 삼환 기업(4 명), 정우(4 명), 현대건설(3 명), 한국식품(2 명), 당관 가족 1 명등 14 명의 근로자 및 가족이 봄베이발 IY-705 편으로 1.24. 귀국 예정임.끝.

(대사 류 지호-국장)

예고:91.6.30. 까지

중아국	장관	차관	1차보	2차보	정문국	청와대	안기부

PAGE 1

외 무 부

종 별 : 지 급

번 호 : YMW-0055

일 시 : 91 0120 2230

수 신 : 장 관(중근동,기정)

발 신 : 주 예멘 대사

제 목 : 잔류 근로자 전쟁 보험 가입

대:WYM-0035

당관은 1.20. 주재국내 삼환 기업(근로자수 59 명, 자사장: 정 문영),
현대건설(근로자수 103 명, 지사장: 정 규철)이 한재 전쟁 보험에 가입하지 않고
있음을 확인하고 잔류 근로자에 대해 동 보험 가입을 양 지사장에게
권유하였던바, 이들은 본사에 각각 당관으로부터 권유를 받았다는 사실을 보고하고
가입하여 줄것을 본사에 건의하겠다고 하였음을 보고함. 끝.

(대사 류 지호-국장)

예고:91.6.31. 까지

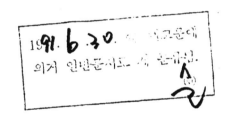

중아국   차관   1차보   2차보   안기부

관리
번호 91/585

외 무 부

종   별 : 지 급

번   호 : YMW-0057   일   시 : 91 0121 0900

수   신 : 장 관(페만본부장)

발   신 : 주 예멘 대사

제   목 : 걸프 사태 관련

대:WMEM-0010

1. 교민 안전에 이상없음.(1.21. 09:00 현재)

2. 1.20. 일에도 주 예멘 사우디, 이집트, 시리아 대사관등 아랍 외교 공관에 집중부석하는등 시위가 격렬해지고 있는것으로 알려지고 있음.

3. 특기 사항:

- 상사(대우, 현대) 주재원 및 가족 7 인, 현대건설 근로자 3 인, 기타 교민(한국식품) 2 인이 예멘 항공편 1.21. 일 귀국함으로서 주재국내 잔류 교민은 195 명임.끝.

(대사 류 지호-본부장)

예고:91.6.30. 까지

기록

1991 6.30.

중아국   장관   차관   1차보   2차보   정문국   청와대   안기부

외 무 부

관리번호 91/57

종 별 :

번 호 : IRW-0048

일 시 : 91 0121 1130

수 신 : 장관(중근동,정일,기정)

발 신 : 주 이란 대사

제 목 : 걸프전

연:IRW-0044

표제관련 주재국 동향 아래 보고함.

1. 라프산자니 대통령은 1.20 신임 인니 대사 접견시 동 사태의 조속 해결을 위해 모든 이슬람 국가들이 단결할 것을 촉구하였으며, BESHARATI 수석 외무차관은 1.20 알제리 대사 접견시 이란의 중립 입장을 재 천명한 것으로 알려짐.

2. 이라크내 바스라시 미사일 폭격으로 동지역과 접한 이란의 KHORRAMSHAR 에도 위험이 감지되고 있으나 학교 정상 운영등 아직 평온한 것으로 알려짐.

3. 강경파 중심의 반전(특히 반미)시위가 대규모로 금(1.21) 당지 개최 예정임. 이와 관련 강경파 언론 및 의회내 강경파 인사들은 이란의 대 이라크 지원을 사주하고 있으며 육로를 통한 양국간 물자 이동이 행해지고 있는 것으로 알려짐.(미확인). 또한 이란의 대 이라크 지원 사실이 외신에 의해서도 보도되고 있는 것으로 파악되는바, 관련 정보 있을시 당관에도 참고로 알려주기 바람. 끝.

(대사 정경일-국장)

예고:91.6.30 까지

1991. 6.30 에 예고문에 의거 일반문서로 재 분류됨.

중아국	장관	차관	1차보	2차보	정문국	청와대	안기부

91.01.21 18:22

외신 2과 통제관 CW

0110

외 무 부

종 별 : 지 급

번 호 : BHW-0060

일 시 : 91 0121 1130

수 신 : 장관(중근동)

발 신 : 주 바레인 대사

제 목 : 중동전쟁지역 잔류 근로자 전쟁보험

대:WBH-0048

1. 당지의 표제관련 대상업체인 현대건설 및 영진공사는 현재 양사 공히 근로자 재해 보험에만 가입하고 있다는바, 본직은 대호 지시에 따라 양사 당지 지점장을 대사관으로 초치, 근로자 전쟁보험 가입을 권유함.

2. 동 지점장들은 동 보험 가입 결정권은 지사가 아닌 본사의 권한이라면서동 권유 사실을 본사에 보고하겠다며, 본사에 권유하여 줄것을 요망함.

3. 한편, 1.20 현재 당지에 잔류중인 아국인 근로자(직원포함) 수는 아래와같음.

현대:52 명(직원 17 명, 근로자 35 명)

영진:134 명(직원 20 명, 근로자 114 명). 끝.

(대사 우문기-국장)

예고:91.6.30 일반

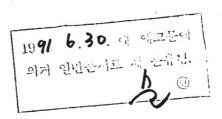

1991 6.30. 대 예고문에 의거 일반문서로 재 분류됨.

중아국   차관   1차보   2차보

PAGE 1

91.01.21   18:46

외신 2과 통제관 BA

0111

외 무 부

관리번호 91/586

종 별 : 지 급

번 호 : BHW-0061

일 시 : 91 0121 1130

수 신 : 장관(중근동)

발 신 : 주 바레인대사

제 목 : 걸프사태

연:BHW-0059

1. 당지의 THE EAST NAVIGATION AIDS SERVICE 는 작 1.20. 걸프만내에서 2 개 이상의 지뢰가 추가로 발견되었다고 발표함. 동 기뢰의 정확한 지점은아직 확인되지 않았으나, MENAS 의 발표에 따르면 걸프 중앙의 사우디 해안으로 부터 64KM(바레인 및 카타르 북쪽방향)및 바레인 북동방향 72KM 지점일 가능성이 높다고 함.

2. 한편, 미 해군 당국은 지난 1.19. 걸프내에서 기뢰가 발견되고 있고, 현재 전쟁중이므로 민간상선은 자체 위험부담아래 이지역을 항행하여야 할것이라고발표하였음. 끝.

(대사 우문기-국장)

예고:91.6.30 일반

중아국   차관   1차보   2차보

외 무 부

종 별 : 지급

번 호 : OMW-0022

일 시 : 90 0121 1220

수 신 : 장관(중근동)

발 신 : 주 오만 대사

제 목 : 근로자 전쟁보험 가입

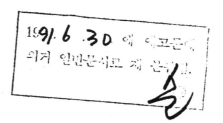

연:WOM-0043

1. 당지에는 아국 건설업체 근로자는 없으나 원양어선 선원 214 명및 지사원 2 명이 있어 당지 주재 2 개 수산회사 지사장에게 전쟁보험가입을 적극 권유함.

2. 동지사장들은 소속어선 7 척의 조업해역이 모두전쟁구역에서 원거리에 위치하여 본사에서 신중검토중에 있다고함을 첨언함. 끝

(대사 강종원-국장)

예고:91,6,30. 일반

1991.6.30 에 예고문에 의거 일반문서로 재 분류함.

중아국   차관   1차보   2차보

외 무 부

종 별 :

번 호 : BHW-0064

일 시 : 91 0121 1340

수 신 : 장관(중근동, 영재), 사본:문교부장관

발 신 : 주 바레인대사

제 목 : 한국학교

　　1. 당지 한국학교 학생 대부분이 걸프전쟁과 관련 본국에 일시 대피중이며, 현재당지에는 5명의 학생 (신학기 입학예정 1명 포함)이 잔류중임.

　　2. 학생들의 안전문제및 이와 관련한 학부모들의 희망을 고려, 상황 호전시까지 가정학습 체재를 취하였음.

　　끝.

　　(대사 우문기-국장)

중아국	장관	차관	1차보	2치보	미주국	정문국	영교국	청와대
총리실	안기부	교육부	대책반					상황실

91.01.21　19:00 DA

외신 1과 통제관

0114

외 무 부

종 별 :

번 호 : OMW-0021   일 시 : 90 0121 1210

수 신 : 장관(중근동, 대책본부)

발 신 : 주 오만대사

제 목 : 민항기 운항 상황 보고

　　1.1.21.(월) 주재국 교통부 항만및 민항담당 차관은 GULFAIR 를 증편, 런던, 카라치, 방콕, 홍콩, 봄베이, 뉴델리, 콜롬보및 다카를 명 1.22(화)부터 운항토록 할것이라고 말함.

　　2.한편, BRITISH AIRWAYS 는 오만및 UAE 에서 런던왕복 주 4편을 운항 재개할것이라고 발표함.

　　끝

　　(대사 강종원-국장)

중아국 안기부	장관 대책반	차관	1차보	2차보	미주국	정문국	청와대	총리실

PAGE 1   91.01.21   18:57 DA

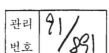

분류번호	보존기간

발 신 전 보

번 호 : WJO-0112   910121 1932 DA   종별: 초긴급

수 신 : 주 요르단   대사. 총영사

발 신 : 장 관 (중근동)

제 목 : 교민 자진 철수 권유

　　　1.　걸프전쟁과 관련, 서방국가들이 귀 주재국 체류 자국민들의 자진
철수를 권유하고 있었으며 특히 최근에는 미국이 자국민 철수를 적극 권장하고
있는 것으로 알려 진바 있는 물론 욜단내 팔레스타인 테러 가능성에 대비하기 위한
것일수도 있으나 전쟁 전개가 욜단에 영향을 미칠 가능성에 대비키 위함일수도
있음.

　　　2.　이상 감안하여 아국 교민의 철수가 시급하다고 귀관이 판단할 경우,
이들의 자진 철수를 강력 권유하고, 결과 보고 바람.

　　　3.　기지시 한데로 공관원 철수 문제에 대해서도 계속 관심을 가지고
대한 귀관도 지급 보고 바람. 끝.
대처바람.

　　　　　　　　　　　　　　　　　(중동아국　　　이 해 순)

예 고 : 1991.6.30. 일반

1991. 6. 30. 에 예고문에
의거 일반문서로 재 분류됨.

		보 안 통 제	7ㄴ

앙 고 재	91년 1월 1일	중근동과	기안자 성명 박종실		과 장 7ㄴ	심의관 양	국 장 재건		차 관	장 관 7개		외신과통제

0116

외 무 부

관리 번호	91/308

종 별 :

번 호 : AEW-0052

일 시 : 91 0121 1300

수 신 : 장관(중근동,기정)

발 신 : 주 UAE 대사

제 목 : 교민 비상철수

연:AEW-0044

연호,1.21. 현재 자진철수 교민은 총 108 명(1.20.:30 명)으로서 현 잔류인원은 449 명(일반교민및 대사관직원, 가족:267 명, 건설 근로자:150 명, 상사직원및 가족:32 명)으로 파악됨. 끝.

(대사 박종기-국장)

예고:91.6.30 일반

1991 6.30 에 ...
의거 ... 재 분류됨.

중아국	장관	차관	1차보	2차보	청와대	안기부

91.01.21 21:11
외신 2과 통제관 CE
0117

분류번호	보존기간
	.

발 신 전 보

WJO-O112   910121 1932   DA   초긴급

번   호 :   종별 : 초긴급

수   신 : 주 <u>요르단   대사. 총영사</u>

발   신 : <u>장   관   (중근동)</u>

제   목 : <u>교민 자진 철수 권유</u>

1. 걸프전쟁과 관련, 서방국가들이 귀 주재국 체류 자국민들의 자진
철수를 권유하고 있었고 특히 최근에는 미국이 자국민 철수를 적극 권장하고
있는 것으로 알려진바 있는 물론 욜단내 팔레스타인 테러 가능성에 대비하기 위한
것일수도 있으나 전황 전개가 욜단에 영향을 미칠 가능성에 대비키 위함일수도
있음.

2. 이상 각안하여 아국 교민의 철수가 시급하다고 귀관이 판단할 경우,
이들의 자진 철수를 강력 권유하고, 결과 보고 바람.

3. 기지시 한데로 공관원 철수 문제에 대해서도 계속 관심을 가지고
대처 바람. 끝.

(중동아국   이 해 순)

예 고 : 1991.6.30. 일반

보 안 통 제	

앙 고 재	년 월 일	과	기안자 성명		과 장		국 장		차 관	장 관

외신과통제

0118

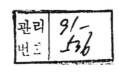

주 일 대 사 관

일본(정)700-<del>42</del>   1991. 1. 22.

수신 장 관
참조 중동아프리카국장
제목 요르단 대사관 구상서 송부

        연 : JAW - 0287

        연호, 당지 요르단 대사관 구상서를 별첨 송부합니다.

        첨부 : 상기 구상서 1부.   끝.

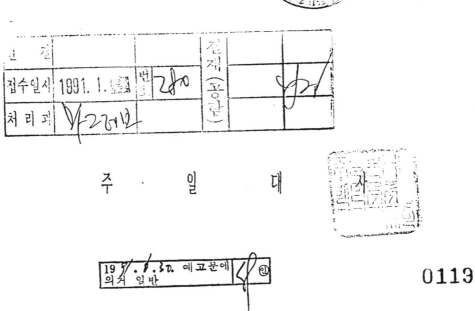

주 · 일 대

                                                    0119

Ref. S/1/30
Date .... January 16, 1991

The Embassy of the Hashemite Kingdom of Jordan presents its compliments to the Ministry of Foreign Affairs of the Republic of Korea and has the honour to convey the following clarification regarding the decision of the Government of Jordan on 9th of January 1991, not to permit the flow of evacuees from Iraq and Kuwait to Jordan :

1. The above-mentioned decision does not mean the closure of the borders, but represents an organizational arrangements.

2. Jordan is ready to receive any groups of evacuees, irrespective of nationality, on the following conditions :

    (a) The concerned government should have a prior agreement with the Jordanian Evacuee Welfare Committee and concerned United Nations organizations to provide for the cost of caring and transporting the evacuees, including timetable for their departure.

    (b) Jordanian borders remain open for the citizens of neighbouring countries for transit through Jordan, provided that their government guarantees their transportation and welfare.

----- 2

0120

EMBASSY OF
THE HASHEMITE KINGDOM
OF JORDAN
SEOUL

———

Ref. ....

Date ....

(2)

3.   Diplomats and a limited number of local
staff accompanying them are excluded from
these stipulations.

4.   The Government of Jordan is forced to take
these steps in order to avoid a mass exodus
of evacuees to its territory without
arrangements or chances for their departure
to their home countries.

The Embassy of the Hashemite Kingdom of Jordan
avails itself of this opportunity to renew to the
Ministry of Foreign Affairs the assurances of its
highest consideration.

The Ministry of Foreign Affairs
S E O U L

0121

원 본

외 무 부

종 별 : 긴 급

번 호 : JOW-0106

일 시 : 91 0123 1300

수 신 : 장관(마그,중근동,기정)

발 신 : 주 요르단 대사

제 목 : 공관 비상철수준비

대:WJO-0095

1. 정세동향

가. 주재국은 역사적, 지정학적으로 반이스라엘 친이락입장을 견지하지 않을수 없음에 금번 걸프전쟁 발생후 요르단정부및 의회에서는 다국적군의 군사행동을 공식 규탄한바있고, 회교원칙론자및 일부 팔레스타인 과격분자들은 이라크에 대한 공격이 회교내지 회교성지에 대한 공격으로 보고 이에 대항하는것이 성전이라는 인식으로 대결자세를 취하고 있어 국내는 일반적으로 긴장이 점차 고조되고 있음

나. 팔레스타인 과격 단체들은 국민에게 다국적군을 직접, 간접적으로 지원하고 있는 29 개 국가와 국민들에게 테러를 호소하는등 강한 적대감을 나타내면서 선동하고 있음

다. 반면 정부에서는 전황및 소요사태를 대비 경계를 강화하고 특히 취약한미국 대사관의 경비를 강화하는등의 조치를 취하는 일방, 국민들의 시위행동이과격해지지 않도록 적절히 대처해 나가고 있음

2. 외국공관실태

당지주재 49 개국 외국공관중 1.23. 현재 철수한 공관은 아직 없으며 공관에 따라 축소유지하고 있는 실정인바, 미국 공관의 경우 직원 120 명에서 40 명으로, 일본공관은 12 명에서 5 명으로 필요 최소한의 인원으로 축소하였음. 미국의 경우 현 체류 교민이 4 천명에 이르고 있어 영사및 안전업무 위주로한 필수요원이 주류를 이루고 있으며 일본의 경우 현 체류교민이 없기때문에 적은 수의 공관직원 철수는 용이한 형편임

3. 아공관 철수요령및 시기판단

가. 철수시기 판단을 위한 상황설정

중아국	장관	차관	1차보	2차보	중아국	청와대	안기부

PAGE 1

91.01.23 23:06

외신 2과 통제관 CH

0122

1)제 1 상황

전황및 내부소요 상황이 긴박해지고 미국 내지 일본 공관이 철수를 준비할때

2)제 2 상황

사태악화로 외국공관이 철수할시 특히 미국, 서방국, 일본등의 관련국이 철수하고 아공관의 철수도 불가피하다고 판단될때

3)제 3 상황

전황및 내부 소요면에서 불안국면은 있으나 정부 통제가 가능할때 그리고 예기치 않게 갑자기 상황이 극도로 악화되어 외국공관이 서둘러 철수하고 아공관도 철수가 불가피하다고 판단될시

나. 각상황별 철수요령

1)제 1 상황

가)공관장및 외신관을 제외한 나머지 직원 전원철수건의및 가용철수로에 따라 철수

나)철수로 우선은 항로에 의한 카이로 내지 비행가능지역 철수, 육로에 의한 이스라엘 철수, 아카바 해로에 의한 이집트 철수, 육로에 의한 시리아 철수순이 될수있을것임

2)제 2 상황

공관장 철수건의 및 철수가능 교민과 함께 철수로 우선에 따라 최종철수

3)제 3 상황

현직원 5 명 그대로 필수요원으로 유지하다가 본상황 발생시 본부에 건의 전원동시에 철수로 우선에 따라 철수 가능교민과 함께 최종 철수

4. 공관 철수준비

-여하한 상황하에서도 대처할수있도록 사전준비

가. 가용철수로에 대한 철수에 필요한 사전점검및 준비

나. 잔류교민 철수준비 및 비상연락망 유지

다. 공관 최종철수시 고용원에 대한 퇴직금 지급준비및 공관복귀시 재채용 우선약속(비상가계약 준비)

라. 공관잠정 철수에 대한 주재국 통보및 잔류교민, 공관 보호 의뢰 준비

5. 주기

당지에서 긴장이 다소 고조됨에 따라 유언비어, 메스콤 오보등이 나타나고 있는바, 상황판단시, 확인되지 않은 첩보에 각별히 유의할것임

PAGE 2

0123

(예:작일, 대만 대사관 철수및 이집트 대사 피격설이 있었으나 사실무근이었음)
(대사 박태진-국장)
예고:91.6.30 일반

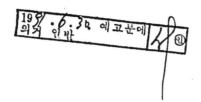

외 무 부

종 별 : 긴 급
번 호 : BHW-0065   일 시 : 91 0121 1540
수 신 : 장관(중근동 박종순서기관님)
발 신 : 주 바레인 대사(김종용배)
제 목 : 전쟁보험

    연:BHW-0060
    1. 제번하옵고, 연호 3 항 영진공사 잔류 근로자 수를 아래와 같이 정정하여
주시기 바랍니다.
    0 영진:124 명(직원 19 명, 근로자 105 명)
    2. 건승기원.끝.
    예고:91.6.30 일반

중아국

관리 번호 91/1112

외 무 부

종 별 : 지 급

번 호 : YMW-0060

일 시 : 91 0121 1500

수 신 : 장 관(중근동,기정)

발 신 : 주 예멘 대사

제 목 : 비상시 안전대피 계획

대:WYM-0038

연:YMW-0279

당관은 1.21 비상시 교민 안전대피를 위한 대책 회의를 개최(현대건설, 삼환기업, 정우개발, 대우상사 참석)아래와 같이 비상시 교민 안전대피 계획을 수립하고 유사시 이를 시행코저함.

--- 아 래 ---

1. 대피 시기

-주재국이 연합군측으로부터 공격대상이 되거나 주재국 내부에서의 무력 충돌 또는 치안 상태가 교란되어 아국민의 안전을 위협받는다고 판단될때(연호 상황 4 참조)

2. 대피 대상

-아국인 195 명 및 아국건설업체에 근무하는 필리핀, 태국인 근로자 65 명, 계:260 명(1.21.일 현재)

3. 대피 경로

가. 1 안: 아국특별기의 주재국 취항이 가능한 경우 본국에 특별기 요청

나. 2 안(1 안이 불가할경우): 주재국 수역에 조업중인 한국해외수산 선박(500 본급 2 척 또는 1,500 본급 1 척)을 이용 주재국 아덴항에서 봄베이로 대피

-주재국내 각 지역에 위치한 전교민은 타이즈 현대건설현장(사나시에서 6 시간 거리)에 집결

- 한국 해외 수산 선박의 아덴항 입항 및 출국수속이 완료(약 2-3 일 소요)되는대로 타이즈에서 아덴항에 도착(소요시간 3 시간)승선, 봄베이 향발(아덴항에서 지부티 향발도 고려)

아덴항-봄베이 소요시간:7 일

중아국   장관   차관   1차보   2차보   청와대   안기부

(아덴항-지부티 소요시간:7 시간)

4. 공관원 및 가족 대피:

-대사, 오윤영 외신관겸부영사는 공관 철수시까지 잔류

-이 정재 1 등서기관은 공관원 가족, 교민 인솔 대피

5. 기타

가. 비상 연락망 재점검, 봉신 불가시 차량이용한 연락체제 구축(주재국내 6개 지역에 교민 산재)

나. 10 일분의 비상 식량 비축 및 차량 유류 확보

다. 대피 이용 차량은 대사관 차량 및 현대, 삼환 기업 차량 동원

(약 50 대 가량 소요)

라. 건설업체의 공사 중단과 출국수속관련 대주재국 교섭

마. 상기 한국해외수산 선박이용 관련 사항은 동사 두바이 중동기지장과 사전협의하였음.

(대사 류 지호-본부장)

예고:91.6.30. 일반

1991. 6 . 30. 에 예고문에
의거 일반문서로 재 분류됨.

외 무 부

종 별 :

번 호 : BHW-0066

일 시 : 91 0122 1000

수 신 : 장관(중근동)

발 신 : 주 바레인대사

제 목 : 걸프사태

1. 당지에 본부를 유지하고 있는 GULF AIR 는 금 1.22 15:45 부터 바레인-모스카트간 매일 1편씩 운항을 재개할 예정임.

2. 주재국과 사우디간의 연육교도 금 1.22부터 GCC 국민들에 대해서는 통행이 허용됨.

3. 주재국 정부는 바레인의 위험도는 상당히 감소된 것으로 확신하는 것으로 관측됨.

끝.

(대사 우문기-국장)

중아국 안기부	장관 대책반	차관	1차보	2차보	미주국	정문국	청와대	총리실

PAGE 1

91.01.22   20:55 DA

외신 1과 통제관

0128

관리 번호	91/587

분류번호	보존기간

발 신 전 보

WJO-0115   910122 1542 BX

번   호 : _____   종별 : _____

수   신 : 주 요르단   대사. /총영사/

발   신 : 장 관   (중근동)

제   목 : 잔류교민 명단 송부

대 : JOW-0090

대호 3항 귀지 잔류교민 명단 송부 바람. 끝.

(중동국장   이 해 순)

예 고 : 1991.6.30. 까지

1991 6.30. 에 예고문에
의거 일반문서로 재 분류됨.

앙 고 재	91년 1월 22일	기안자 성명		과 장		국 장		차 관	장 관

보 안 통 제	7h

외신과통제

0129

외 무 부

```
관리  91
번호  /58?
```

종 별 :
번 호 : JOW-0104   일 시 : 91 0122 1940
수 신 : 장 관(중근동,대책반)
발 신 : 주 요 르 단 대사
제 목 : 잔류교민명단

대:WJO-0115

대호 1.22 현재 잔류교민(20 명)명단은 아래와 같음(성명, 직업순)

1. 공관원및 고용원가족(7 명)

공관원:5 명

고용원(박응철)및 처:2 명

2. 상사및 건설업체직원:1 명

박철수 현대건설지사장

3. 개인사업및 취업자:9 명

박흥운 개인회사(PACON) 경영

이상래 (취업)철강 기능공

이영은 '' ,, 이장희 '' ,, 정인숙 물리치료사

판티판 정인숙의 처(아국귀화 월남인)

정순자 정인숙의 녀

정순선 정인숙의 녀

정원호 정인숙의 자

4. 기타:3 명

김동월 '외항선교회'파견 유학생

유영희 요르단인처

이지매 ''

5. 상기 교민 20 명중 정인숙씨 가족5 인및 국제결혼자 2 명등 7 명은 철수는 불원하고 있으며, 그외 8 명은 공관의 철수지시에 따라 철수예정임

(대사 박태진-국장)

─────────────────────────────

중아국

예고:91.6.30 까지

관리번호 91/616

외 무 부

종 별 :

번 호 : AEW-0059

일 시 : 91 0123 1000

수 신 : 장관(중근동,기정)

발 신 : 주 UAE 대사

제 목 : 교민 비상철수

연:AEW-0052

연호,1.23. 현재 자진철수 교민은 총 122 명(작 1.22. 14 명)으로서 현 잔류인원은 435 명(일반교민및 대사관직원, 가족:264 명, 건설근로자 150 명, 상사직원및 가족:21 명)으로 파악됨. 끝.

(대사 박종기-국장)

91.6.30 일반

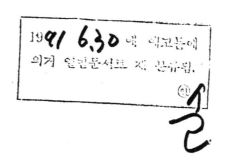

1991 6.30 에 대외분에 의거 일반문서로 재 분하됨.

중아국   장관   차관   1차보   2차보   안기부

91.01.23   15:11

외신 2과 통제관 BN

0132

외 무 부

종 별 : 긴 급

번 호 : AEW-0060   일 시 : 91 0123 1400

수 신 : 장관(비상대책본부,중근동,기정),사본:주사우디,카타르대사 - 즐게필

발 신 : 주 UAE 대사

제 목 : 사우디교민 철수

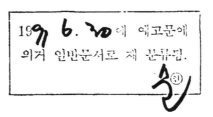

연:WAE-0055

1. 금 1.23. 사우디 리야드에 주재하고 있는 극동건설 이홍길 이사외 58 명은 리야드로부터 1.24. 주재국에 육로철수할 것을 알려왔음.

2. 당관은 주재국 외무성과 협조, 이들의 입국및 체재를 주선하고 오참사관과 관계관을 UAE, 카타르국경 임시 이민사무소로 파견, 이들을 접수할것임을 중간보고함.

3. 참고로 동일행중 일부(약 7 명)는 당지에 계속 체재후 사우디로 귀임할것이라고 하며 잔여인원은 당지에서 일반 항공편이 예약되는대로 귀국예정임.

4. 본건 진전사항 추보위게임.끝.

(대사 박종기-국장)

예고:91.6.30 일반

1991. 6. 30에 예고문에
의거 일반문서로 재 분류됨.

중아국   장관   차관   1차보   2차보   청와대   총리실   안기부

원 본

외 무 부

종 별 : 긴 급

번 호 : QTW-0031   일 시 : 91 023 1250

수 신 : 장관(중근동,주사우디,주UAE대사)근제됨

발 신 : 주 카타르 대사

제 목 : 교민철수

1. UAE 로 철수코자하는 사우디체류 아국 교민 59 명의 카탈 통과(1.24 11:00)를 위해 외무성과 교섭한 결과 통과편의 제공 협조 받음.

2. 통과예정 인원에대한 인적사항등 (성명, 여권번호, 차령번호등)필요사항을 지급통보해 주시기 바람.

3. 관련 사항 연락을 위해 당지 남송산업 FAX(번호 820930)를 이용토록 협조되었으니 활용해주시기 바람.

끝

(대사 유내형-국장)

예고:91.6.30 일반

1991. 6. 30에 대고문에 의거 일반문서로 재 분류됨.

관리번호 91/426

외　무　부

번　호 : BHW-0068　　　　　　　　　　일　시 : 91 0123 1230

수　신 : 장관(중근동,정일)

발　신 : 주 바레인 대사

제　목 : 걸프사태(자료응신제2호)

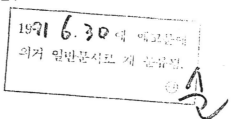

　연:BHW-0066

1. 연호 GULF AIR 는 1.24 및 1.25. 중으로 작 1.22 부터 운항이 재개된 바레인-모스카트 노선을 매일 2 편으로 증편하고, 동시에 바레인-도하-아부다비 노선의 운항(매일 1 편)도 재개할 예정이라고 발표함.

2. 한편, 주재국의 AL-AYAM 아랍어 일간지는 금 1.23 이란 군사 소식봉을 인용, 이라크 당국이 최근 이라크의 대공방위 사령관(성명미상)을 다국적군의 공습방어 실패 책임을 물어 처형하였다고 보도함. 끝.

　(대사 우문기-국장)

　예고:91.6.30 일반

1991 6.30 에 예고문에 의거 일반문서로 재 분류됨.

─────────────────────────────

중아국　　정문국　　청와대　　안기부

PAGE 1　　　　　　　　　　　　　　　　91.01.23　　20:34

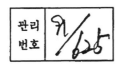

외 무 부

종 별 :

번 호 : SSW-0039   일 시 : 91 0123 1805

수 신 : 장관(중근동,마그) 사본: 이우상 주수단대사

발 신 : 주 수 단 대사대리

제 목 : 걸프사태

연: SSW-0032

　　1. 걸프전과 관련, 주재국의 공식성명 발표는 상금 없으나, 당지 언론에 보도된 EL BESHIR 혁명위원장, KHALIFA 혁명위 외무위원장등의 발언내용을 보면, 미국등 다국적군의 이락공격 행위는 이락군의 쿠웨이트 철수목적에 있는 것이 아닌 이락의 자원과 이슬람 세력을 철저히 파괴하려는 불법행위이고, 수단은 걸프전 종식을 위해 리비아, 쫍단, 예멘, PLI, 튜니시아등 아랍제국과 협력할 것이라는등 친이락 입장을 분명히 하고있음.

　　2. 한편, 이는 1.19. 당지 시위대가 이집트대사관앞에서 무바락 타도, 아스완댐 파괴등을 외친데 대한 항의 조치로서 카이로대학 카르툼 분교등 이집트계 학교 폐쇄와 이집트 항공의 취항을 중단시킨 바 있음. (학교는 수일후 재개되었으나, 항공기 취항은 계속 중단됨)

　　3. 당지 교민은 정상생활을 영위하고 있음. 끝.

(대사대리 김채국-국장)

예고: 91.12.31. 일반

91. 6. 30

중아국　　중아국　　중아국

PAGE 1   91.01.24   05:37

외 무 부

종 별 : 지 급

번 호 : AEW-0064   일 시 : 91 0124 1100

수 신 : 장관(비상대책본부,중근동,기정), 사본:주사우디,카타르대사-중계필

발 신 : 주 UAE 대사

제 목 : 사우디교민 철수

연:AEW-0060

연호, 리야드 교민일행 59 명은 젯다에서 출발하는 아국 KAL 특별기를 이용하게 됨에 따라 당지로의 철수계획을 취소하였다고 금 1.24. 당관에 봉보하여 왔음을 보고함. 끝.

(대사 박종기-국장)

91.6.30 일반

중아국   안기부

PAGE 1   91.01.24   16:52

외신 2과 통제관 BN

0137

외 무 부

관리
번호

종 별 :

번 호 : IRW-0071   일 시 : 91 0124 1200

수 신 : 장관(중근동,미북,정일,기정)

발 신 : 주 이란 대사

제 목 : 걸프전

　　금 1.24(목) 당지주재 일본대사는 본직앞 전화로 일본대사관에는 작 1.23 2 회에 걸쳐 협박전화(통화자 신원및 통화목적불투명)가 걸려왔었다고 알려주며 당관에도 유사한 사례가 있었는지 문의하였음을 참고로 보고함(당관에는 상금유사한 협력사례없었음). 끝

　　(대사정경일-국장)

　　예고:91.6.30 일반

1991. 6.30. 에 예고문에 의거 일반문서로 재 분류됨.

중아국　　차관　　1차보　　2차보　　미주국　　정문국　　안기부

PAGE 1   91.01.24   18:39

　　　　　　　　　　　　　　　　　　　　외신 2과 통제관 BA

0138

<table>
<tr><td>분류번호</td><td>보존기간</td></tr>
<tr><td></td><td></td></tr>
</table>

발 신 전 보

번   호 : WSB-0221   910124 1939 DA   종별 :

수   신 : 주 수신처 참조 /대사//총영사/

발   신 : 장   관   (중근동)

제   목 : 걸프사태에 따른 공사 관리

WAE -0077   WBH -0063
WQT -0047   WJD -0050
WOM -0054   WYM -0054
WIR -0093

1. 건설부는 걸프사태에 장기화되고 이라크의 공격전이 확대되어감에 따라
   걸프지역에서 시공중인 아국업체의 공사에 대한 위험 발생에 대비,
   ~~근로자의 철수, 안전지역으로서~~ 대피동 진출 인력의 안전 조치와 공사
   관리 대책이 요구된다면서 현지 공관이 아래와 같이 대책을 수립 시행
   하도록 요청해옴.

   가. 근로자의 신변 안전에 최우선 역점을 둠.

   나. 손실을 최소화 할수 있도록 각현장별 공사 관리

2. ~~따라서, 진출 인력의 안전조치와 대 발주처 관계등의 계약관리, 기자재와~~
   ~~시설등의 공사 현장 관리등 종합적인 대책을 수립, 시행하고 그 내용을~~
   ~~보고 바람.   끝.~~

2. 이상은 이미 공관별로 대책을 수립, 시행하고 있는 사항이므로
   참고바라며, 금후 관련 현황보고는 사 ~~불~~ 본 건설부, 노동부 이해 순에 송부 예정 글
   (중동아국장 이해 순)

   수신처 : 주사우디, UAE, 바레인, 카타르 대사, 주젯다 총영사

   사 본 : 주오만, 예멘, 이란 대사

   예 고 : 1991.6.30. 까지

   [stamp: 1991. 6.30. 에 예고문에 의거 일반문서로 재 분류됨]

<table>
<tr><td>보 안
통 제</td><td></td></tr>
</table>

<table>
<tr><td rowspan="2">앙
고
재</td><td>91
년
월
일</td><td>중
근
동화</td><td>기안자
성명
박종순</td><td></td><td>과 장</td><td>심의관
앙</td><td>국 장</td><td></td><td>차 관</td><td>장 관</td></tr>
</table>

<table>
<tr><td>외신과통제</td></tr>
<tr><td></td></tr>
</table>

0139

관리번호 91/427

외 무 부

종 별 : 지 급

번 호 : YMW-0073

일 시 : 91 0124 1200

수 신 : 장 관(폐만본부장,기정)

발 신 : 주 예멘 대사

제 목 : 걸프 사태 관련

1. 교민 안전에 이상없음(1.24. 09:00 현재)

2. 특기사항

-1.24 일 교민 10 명이귀국, 현재 잔류 인원은 185 명임.끝.

(대사 류 지호-본부장)

예고:91.6.30. 까지

19 91. 6.30 에 예고문에 의거 일반문서로 재 분류됨.

중아국   차관   1차보   2차보   안기부

PAGE 1

91.01.24   23:23

외신 2과 통제관 CW

0140

관리
번호 91 / 6기

외 무 부

종 별 :

번 호 : JOW-0111

일 시 : 91 0125 1200

수 신 : 장관(중근동,마그)

발 신 : 주 요르단 대사

제 목 : 주재국 교민 국왕 치료

연:JOW-0104

1. 현잔류 교민중 정인숙(62 세)은 81.8. 요르단에 이주한 이래 물리치료소(수기지압)를 운영해 왔으며, 최근에는 후세인 국왕의 좌골신경통을 직접 치료하고 있는바 효과가 좋다는 반응과 함께 국왕요구로 완치될때까지(앞으로 3-4 개월 예상) 국왕치료를 계속 예정하고 있음

(왕비및 파이잘 왕자등 10 여명 치료대상)

2. 교민 철수문제와 관련하여 본인은 개인 사업상 철수를 불원하고 있을 뿐안니라 국왕치료의 특별한 관계와 효과면도 있고하여 본인 희망대로 동인을 포함한 가족 5 명은 교민철수후에도 잔류케 될예정임

(대사 박태진-국장)

예고:91.6.30.까지 예고문에 의거 일반문서로 재 분류됨. (인)

검토필(1991. 6.30.)

중아국	장관	차관	1차보	2차보	중아국

PAGE 1

91.01.25   19:34

외신 2과 통제관 CH

0141

외 무 부

종 별 :

번 호 : BAW-0040　　　　　　　　　　일 시 : 91 0125 2330

수 신 : 장 관(아서/영재/기정)

발 신 : 주 방 대사

제 목 : 걸프전쟁관련 주재국 상황

자료응신:91-05

연:BAW-0028,0032,0036

1. 주재국의 극열회교도들은 1.18 부터 다국적군 지원 국가들의 당지 주재 공관원 또는 민간인드을 습격하기 시작함.

1.18 15:00-16:00 교포 박재걸 일본인 차량 피습

17:0 다카소재 일본국제협력단 사무실 난입

놀웨이인 1 명 피습 중상

이태리대사관 차량 피습

1.19 15:00 일본인 2 명 구타

2. 당지주재 외국공관 또는 민간인 철수현황

미국:1.24 현재 공관원및 가족 250 명중 약 130 명이 철수하고 122 명이 잔류중이었으나, 1.24 오전 90 명 추가 철수시키고 경비원포함 32 명 필수요원만 잔류, 민간인은 전원철수 명령

영국:공관원가족등 40 명이 1.22 출국하고 민간인들은 전원 철수키로함.

카나다, 불란서, 호주:공관원가족 20 명 철수

일본:1.24 오후 상사원등의 가족들을 철수키로 결정

3. 이락대사관의 지원을 받은 당지 벵갈어일간지 INQUILAB 발행인이며 전 종교장관인 MANNAN 은 주재국의 극열회교도들에게 금전을 살포 외국인들 습격을 선동하고있음.

4. 주재국 외무성은 1.24 이락대사를 초치 당지주재 외국공관및 민간인습격에 이락대사관의 관련을 지적하고 엄중경고함. 이락대사관은 관련설을 부인하고 사담후세인의 사진 1,000 매 제공 사실만 인정함. 첩보에 의하면 외무차관이 주재국

아주국　　차관　　1차보　　2차보　　중아국　　영교국　　안기부

PAGE 1　　　　　　　　　　　　　　　　　　　　91.01.26　　05:34

외신 2과　통제관 BW

0142

언론인들에게 당지 이락대사관 폐쇄도 고려중이라고 언급하였더.

　5. 아국인은 기보고한 박재걸이외에는 추가피해는 없으나, 아국의 군의료요원 출국전송장면이 1.25 주재국 영자지 BANGLADESH OBSEVER 에 게재된것과 관련,교민들의 외출자제등 신변안전에 만전을 기하고있음.

　(대사 이재춘-국장)

공　　　란

공   란

공   란

외 무 부

종 별 : 지 급

번 호 : YMW-0076

일 시 : 91 0126 1330

수 신 : 장 관(페만본부장,기정)

발 신 : 주 예멘 대사

제 목 : 걸프 사태 관련

대:WMEM-0010

1. 교민 안전에 이상 없음.

(1.26 10:00 현재)

2. 특기 사항:

- 1.24 일 삼환 기업 근로자 1 명 예멘 도착으로 현 잔류 교민은 186 명임.

(대사 류 지호-본부장)

예고:91.6.30. 까지

1991 6.30 에 예고문에
의거 일반문서로 재 분류됨.

중아국   2차보   안기부

91.01.26   20:56

외신 2과 통제관 CA

0147

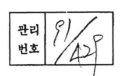

외　무　부

관리번호 91/428

종　별 :

번　호 : BHW-0074　　　　　　　　일　시 : 91 0127 0930

수　신 : 장관(중근동,정일)

발　신 : 주 바레인 대사

제　목 : 걸프사태(자료응신제4호)

　　1. 주재국 관계 당국에 따르면, 쿠웨이트에서 유출되고 있는 원유는 향후 72시간 정도가 경과하면 바레인 인근에 도달할 것으로 예측되며, 이에 따라 담수화 공장등 주요 기간산업의 오염 방지를 위해 해상 부유장벽 설치등 긴급 조치를 취하고 있다함.

　　2. 한편, GULF AIR 는 주재국과 무스카트, 도하, 아부다비간의 운항횟수를 금 1.27 부터 매일 5 편으로 증편한다고 발표함. 끝.

　　(대사 우문기-국장)

　　예고:91.6.30 일반

중아국　　차관　　1차보　　2차보　　정문국　　안기부

PAGE 1

91.01.27　　16:04

외신 2과　통제관 CW

0148

관리
번호 91/00

외 무 부

종 별 :

번 호 : AEW-0070   일 시 : 91 0127 1300

수 신 : 장관(중근동,기정)

발 신 : 주 UAE 대사

제 목 : 교민 인원현황 보고

　　연:AEW-0059

　　연호,1.27. 현재 교민인원 현황을 아래 보고함.

　　1. 자진철수 인원: 총 134 명(작 26 일:12 명)

　　2. 현 잔류인원:423 명

　　-대사관 직원, 가족및 일반교민:252 명

　　-건설근로자:150 명

　　-상사직원및 가족:21 명. 끝.

　　(대사 박종기-국장)

　　91.6.30 일반

1991 6.30.에 대고문에
의자 일반문서로 재 분하됨.

중아국	차관	1차보	2차보	미주국	정와대	안기부

PAGE 1

91.01.27　18:52
외신 2과　통제관 FI

0149

외 무 부

종 별 : 지 급

번 호 : YMW-0080

수 신 : 장 관(페만본부)

발 신 : 주 예멘 대사

제 목 : 걸프 사태 관련

일 시 : 91 0127 1300

대:WMEM-0010

교민 안전에 이상 없음.(91.1.27. 12:00 현재)

(대사 류 지호-본부장)

예고:91.6.30. 까지

1991. 6. 30. 여 예고문에
의거 일반문서로 재 분류됨.

중아국

공 란

공   란

공 란

공 란

공   란

| 관리
번호 | 91/082 | | | | 원　본 |

외　무　부

종　별 : 지　급

번　호 : YMW-0081

일　시 : 91 0128 1230

수　신 : 장　관(페만본부,기정)

발　신 : 주　예멘　대사

제　목 : 걸프 사태 관련

대:WMEM-0010

교민 안전에 이상없음.(1.28. 10:00 현재)

(대사 류 지호-본부장)

예고:91.6.30. 까지

1991. 6. 30. 예고문에
의거 일반문서로 재 분류됨.

안기부　　2차보　　중아국

PAGE 1

91.01.28　　20:20

외신 2과　통제관 CH

0156

외 무 부

종 별 : 긴 급

번 호 : BHW-0078

일 시 : 91 0128 1700

수 신 : 장관(중근동)

발 신 : 주 바레인 대사

제 목 : 걸프사태

1.28 현재 체류민 현황 아래 보고함.

1. 공관원 및 가족:7 명(직원 3 명, 가족 3 명, 고용원 1 명)

2. 한국학교:4 명(직원 1 명, 가족 3 명)

3. 금융기관 및 상사:9 명(가족없음)

4. 건설업체및 용역업체:184 명(직원 36 명, 근로자 139 명, 가족 9 명)

5. 개인:35 명(본인및 직원 21 명, 가족 14 명)

6. 합계:239 명. 끝.

(대사 우문기-국장)

중아국	장관	차관	1차보	2차보	안기부

외 무 부

종 별 :

번 호 : BHW-0081   일 시 : 91 0129 1320

수 신 : 장관(중근동)

발 신 : 주바레인대사

제 목 : 걸프사태

1. 걸프사태 관련, 1.17개전 이후 금 1.29 당지 출발 항공편에 의한 출발자 포함, 당지 기관 및 업체별 인원 감소 상황은 아래와 갈음.

　　공관 : 7명(전원가족)

　　금융기관 및 상사 : 43명 (직원및 가족) (외환은 : 22명, 한일은 : 17명, 대한항공 : 4명)

　　건설및 용역업체 : 22명 (현대 : 11명, 영진 : 11명)

　　개인 : 40명 (대부분 가족)

　　합계 : 112명

2. 상기에 따라, 금일 현재 당지 잔류 아국민 총수는 233명임. 끝.

(대사 우문기-국장)

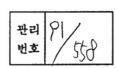

외 무 부

원 본

종 별 :

번 호 : JOW-0128

일 시 : 91 0130 1100

수 신 : 장 관(중근동,대책본부,기정)

발 신 : 주 요르단 대사

제 목 : 잔류교민현황

연:JOW-0104

금 1.30 현재 잔류교민현황은 당지 한보건설 지사장인 문병래가 1.29 요르단에 업무상 일시 입국함에따라 총 21 명이 됨

(대사 박태진-국장)

예고:91.6.30 까지

1991. 6.30. 에 예고문에 의거 일반문서로 재 분류함.

중아국   차관   1차보   2차보   안기부

PAGE 1

91.01.30   18:27

외신 2과 통제관 BA

0159

발 신 전 보

번   호 : WSB-0275   910201 1636 DP   종별 :

수   신 : 주수신처 참조 ////대사//총영사

발   신 : 장 관 (중근동)

제   목 : ICRC 설치 난민 캠프

WJD -0067	WJO -0142
WBH -0075	WAE -0091
WOM -0060	WYM -0066
WIR -0133	WTU -0057

주제네바 대사 보고에 의하면, 걸프전쟁과 관련 ICRC는 전쟁지역 난민 수용을 위해 총 30만명 수용이 가능한 캠프 및 야전병원을 설치할 계획 이라고 하는바, 유사시 귀 주재국 체류 아국교민이 동 ICRC 설치 캠프로 피난하는 방법도 고려될 수 있음을 참고 바람. 끝.

(중동아국장   이 해 순)

수신처 : 주 사우디 대사, 주 젯다 총영사

사 본 : 주 요르단, 바레인, UAE, 오만, 예멘, 이란, 터키 대사

예 고 : 91. 6. 30. 일반

본부장 :

보 안 통 제	7ㄴ

	기안자 성명		과 장	국 장	차 관	장 관	
앙 고 재	91 중근동과			전결			외신과통제

분류번호	보존기간

발 신 전 보

WSB-0287   910202 1241 CG

번 호 :   종 별 :

수 신 : 주 수신처 참조 ///대사///총영사/

발 신 : 장 관 (중근동)

제 목 : 화학전 대비 비상계획

WAE -0095	WBH -0077
WQT -0056	WJO -0145
WJD -0070	

귀관이 이라크의 공습 및 화학무기 사용에 대비 수립한 공관 대피계획 의
개요 보고 바람.   끝.

(중동아국장   이 해 순)

수신처 : 주 사우디, UAE , 바레인, 카타르, 요르단 대사, 주 젯다 총영사

예 고 : 91.6.30. 일반

본부장: 보안통제

앙고재	년 월 일	기안자 성명 과	과 장	심의관	국 장	차 관	장 관	외신과통제

0161

외 무 부

관리번호 91-772

종　별 :

번　호 : BHW-0086　　　　　　　　일　시 : 91 0201 1000

수　신 : 장관(중근동)

발　신 : 주 바레인 대사

제　목 : 화학전 대비 비상계획

대:WBH-0077

대호 아래 보고함.

1. 특성

바레인은 왜소 도서상에 위치한 도시국가라는 특성상 적의 공격시, 국민의 공로 및 육로를 통한 안전지역으로의 대피등은전혀 불가능하며, 다만 연합군이 제해권을 장악하고 있어, 선박등을 이용 가능한 경우, 해상 대피만이 가능함.

2. 공습대책:

가. 전체류민 및 업체는 비상 연락망을 통해 주변상황 공관에 수시 보고.

나. 진출 업체는 업체별로 대처함. 다만 '다'항 해상대피 경우에는 공관장 지휘에 따름.

다. 무연고 체류민은 공관으로 집결함.

라. 최악 경우 선박편(현대건설 보유)으로 해상 대피함.(상세는 90.12.26 방독면 관계로 당지 방문한 중근동과 박종순 서기관에게 수교한 철수계획참조)

3. 화학전 대책

가. 사전조치(전항복 조치필)

(1). 방독면 및 해독제 사용법 훈련

(2). 각 업체 및 주택에 밀폐실, 비상식량 및 식수 준비

(3). 화학전 대처요령 유인물 배부 및 교육

(4). 긴급 의료수송반 편성

나. 화학전 발생시

(1). 비상망을 통한 화학전 발생 긴급 통보

(2). 기 배포한 화학전 대처요령 유인물에 따른 조치 재강조

중아국　　장관　　차관　　1차보　　2차보

(3). 피해자는 긴급 의료수송반 동원 최근 병원으로 이송
(4). 상황 종결시, 차기 공격에 대비 방독면등의 세척 보관등 지도.
(대사 우문기-국장)
예고:91.6.30 일반

1991. 6. 30. 에 예고문이
적기 일반문서로 재 분류됨.

관리 번호	91/		원 본

외 무 부

종 별 : 지급

번 호 : AEW-0083   일 시 : 91 0202 1200

수 신 : 장관(중근동)

발 신 : 주 UAE 대사

제 목 : 비상계획 보고

대:WAE-0095

연:AEW-0022(91.1.14)

대호, 당관의 비상대피계획 개요를 아래 보고함.

1. 제 1 단계:교민 비상연락망에 의거 긴급비상대피 지시

가. 지역별 대피장소

0 아부다비:대사관및 관저

0 두바이:대우경남현장

0 샤쟈, 아즈만: 아즈만 코리아

0 알아인:현대건설현장

나. 대피장소 준비사항

0 화학전대비 실내공간 밀폐조치

0 식량, 음료, 구급약등 비상물자 확보

2. 제 2 단계:비상철수

연호, 교민비상철수계획에 의거 당지로부터 철수.끝.

(대사 박종기-국장)

91.6.30 일반

> 1991. 6. 30. 에 예고문에
> 의거 일반문서로 재 분류됨.

중아국

관리 번호	91/114				원 본

외 무 부

종 별 :

번 호 : JOW-0144   일 시 : 91 0202 1630

수 신 : 장 관(중근동)

발 신 : 주 요르단 대사

제 목 : 화학전 대비 비상계획

대:WJO-0145

대호관련 화학전을 대비하여 당지체류 교민전원을 아래 요령에 의거, 대피할 계획임

1. 비상계획수립

가. 대상

본비상계획은 공관원, 교민및 일시체류 언론 기자들을 포함한 당지 체류 전아국인을 대상으로 함

나. 방독면 지급및 관리

방독면은 공관원및 교민 전원에게 지급완료하였으며, 동관리는 당지 출국시까지 개인이 휴대케하는 일종의 지역 장비식으로 관리함

2. 대피요령

가. 시간적 여유가 있을시

비상 연락망을 통한 긴급소집으로 공관지하실에 집결, 대피시킴

나. 시간적 여유가 없을시

각자 거주지에서 가까운 대피시설 또는 호텔내 대피시설로 대피하되 비상 연락망을 유지, 접촉한다

3. 기타 화생방전에 대비한 수시교육

교민안전 여부확인, 정보교환, 화생방전 교육을 위해 주 1 회 공관에 모이는 것을 원칙으로 하며, 수시로 화생방전 교육을 실시

(대사 박태진-국장)

예고:91.6.30 일반

1991.6.1. 에 예고문에 외거 일반문서로 재 분류됨.

중아국   장관   차관   1차보   2차보   청와대   총리실   안기부

외 무 부

관리번호 91/124

종　별 : 지급
번　호 : YMW-0099
수　신 : 장 관(미북,중근동,기정)
발　신 : 주 예멘 대사
제　목 : 대미추가 지원 발표 관련 테러 활동 대처

일　시 : 91 0202 1730

대:WMEM-0010, AM-0029, AM-0012
연:YMW-0040,0092,0093

1. 소직은 2.2 주재국 외무성으로 AL-AZEEB 정무 담당 차관보를 방문, 대호 대미 추가 지원 결정 내용을 설명하고, 1.31. 발생한 주예멘 미국 대사관 총격사건과, 다국적군에 비군사적인 지원만을 하고 있는 주 예멘 일본 및 터키 대사관저에서의 수류탄 폭발 사건등에 비추어 당관 및 주재국내 아국민의 안전에 대한 우려를 표시하였음.

2. 이에대해 AL-AZEEB 차관보는 동 사건이 발생된데 대해 주재국 정부로서 유감스럽게 생각하며 유사 사고가 재발하지 않도록 범인 체포에 최선의 노력을 경주하고 있으나, 다국적군이 이락 침공에 대한 주재국 국민의 증오 감정을 진정시키는데 어려움이 있음을 이해해 달라고 말하면서 당관의 우려를 공안당국에 알려 보호조치를 강화하도록 하겠다는 반응을 보였음. 그러나 아국의 금번 추가 지원이 아국 교민의 안전에 별도 영향을 주지 않을것이라는 언급은 하지 않았음.

3. 한편 동 차관보는 유엔이 안보리 결의안 및 안보리 소집등 문제 취급에 있어서 편파성을 보였다고 비난하고 주재국은 걸프 전쟁 종결을 위한 비동맹권의 협력을 모색하기 위해 이란 및 쏘련(DALI 외무담당 국무장관), 알제리아(YUSUF SHAHARI 국회 부의장), 중국(TABET 국회 담당 국무상), 유고(AL-ARASHI 내각담당 국무장관), 인도(HAMDI 지방행정담당 국무장관)에 대통령 특사를 파견중에 있다고함.

동 차관보는 특히 독일의 이스라엘에 대한 무기지원 결정은 중동 지역 문제를 더욱 복잡하게 한다고 비난하였음.

4. 교민안전은 2.2 일 현재 이상없음.(현 잔류 교민 182 명). 끝.

(대사 류 지호-장관)

미주국 안기부	장관	차관	1차보	2차보	중아국	영교국	청와대	총리실

PAGE 1

91.02.03　07:21
외신 2과　통제관 DO
0166

예고:91.12.31. 일반

91. 6.30. 보고필. 乙

0167

외 무 부

관리 번호	91~ 773

종 별 :

번 호 : YMW-0101

일 시 : 91 0203 1530

수 신 : 장관(페만본부,기정)

발 신 : 주 예멘 대사

제 목 : 걸프 사태 관련

1. 교민 안전에 이상없음.(2.3. 12:00 현재)

2. 특기 사항:

　아국 건설 회사 현장(당관으로부터 약 260KM)의 보고에 의하면, 동 현장 소속 근로자들이 2.2. 오전 인근 도시의 시내를 보행중 예멘 청년들로부터 "미국 앞잡이","한국인 나쁜놈"등 욕설을 몇차례 받았다고함. 이와같은 현지인의 언동은 아국의 다국적군 지원에 대한 불쾌감의 표시인것으로 보임.끝.

　(대사 류 지호-본부장)

　예고:91.6.30. 까지

사본 - 영미3
(외출자제등 조치요망)

1991. 6. 30 에 예고문에
의거 일반문서로 재 분류됨.

중아국　2차보　안기부

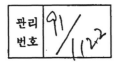

외 무 부

종 별 : 지 급

번 호 : QTW-0041

일 시 : 91 0203 1200

수 신 : 장관(중근동)

발 신 : 주 카타르 대사

제 목 : 화학전대비 비상계획

원 본

대:WQT-0056

대호 계획 개요 아래보고함.

제 1 단계:현재상태, 불필요한 외출억제, 상호긴밀 연락 유지,5 세대 1 개조로 편성 조별대기, 화학무기 공격시의 주의사항 배부, 방독면 배포

제 2 단계:국내치안 악화시 또는 유사시 대사관 집결 상황에 따라 대처

제 3 단계:사태긴박시 UAE 또는 오만 방향 육로 철수 특별기 탑승

끝.

(대사 유내형-국장)

예고:91.6.30 일반

19**.6.**. 에 예고문에 의거 일반문서로 재 분류됨.

중아국

PAGE 1

91.02.04   13:20

외신 2과 통제관 BW

0169

외 무 부

관리
번호 91 / 13 (?)

종 별 : 지급
번 호 : JOW-0162
일 시 : 91 0206 1200
수 신 : 장 관(중근동, 대책본부, 마그, 기정, 총인, 영일, 사본:TOTRA 사장)
발 신 : 주 요르단 대사
제 목 : 태권도 사범및 TOTRA 직원 귀환

1. 태권도 사범

가. 정부파견 태권도 사범 이태인및 김기환은 금번 걸프전쟁 발발직전 1.13. 주재국 당국에 대해서는 휴가 명목으로 일시 귀국한바 있음

나. 동인들이 당초예상했던 휴가기간도 거의 종료되었으며 주재국에 대해서도 태권도 사범들이 임지로 귀환 정상 근무토록 함이 양인들의 희망과 양국간의 정부지원 약속도 감안하는것이 주재국 정부및 국민들의 감정에도 좋을것으로 사료됨

2. KOTRA 직원

가. 현재 주재국에는 일부 외국 공관원이나 국가기관 소속원의 가족은 철수했으나 외국 국가 공공기관 자체가 폐쇄된곳은 없음

나. 비록 주재국이 준전시상태에 있다하더라도 양국관계로 보나 주재국민의감정을 고려해서라도 최소한 KOTRA 는 축소상태 일지라도 업무는 수행되고 있어야할 것이나, 전직원이 귀국, 현지인이 사무소를 지키고만 있어 대외 체면 및 나름대로의 통상업무 추진에 지장이 있는바 동 무역관직원 일부라도 조속 귀환 근무할수 있도록 조치바람

3. 태권도 사범이나 KOTRA 직원을 준공관원으로 취급, 비상사태시 주재국 당국의 협조하에 이에 대처할수 있을 것인바 양지바람

(대사 박태진-국장)

예고:91.6.30 까지

중아국	장관	차관	1차보	2차보	총무과	중아국	영교국	안기부
KOTRA								

원 본

외 무 부

종 별 : 지 급

번 호 : YMW-0109

일 시 : 91 0205 1300

수 신 : 장관(페만본부,기정)

발 신 : 주 예멘 대사

제 목 : 걸프전 관련

1. 교민 안전에 이상없음.(2.5. 11:00 현재)

2. 특기 사항

- 2.5.일 7 명 귀국(삼환기업 2, 현대 건설 5)으로 현 교민은 175 명임.

- AL-THAWRA 2.5. 일자)는 주재국은 이락 지원을 위한 첫 단계로 사나, 아덴등 주요 도시에 헌혈 센터를 설치하고 헌혈을 받고 있다고 보도함. 끝.

(대사 류 지호-본부장)

검토필(1991. 6.30.)

중아국	장관	차관	1차보	2차보	청와대	총리실	안기부

관리
번호 91/298

외 무 부

종 별 : 지 급

번 호 : YMW-0111   일 시 : 91 0206 1300

수 신 : 장 관(폐만본부,기정)

발 신 : 주 예멘 대사

제 목 : 걸프 사태 관련

대:WMEM-0010

1. 교민 안전에 이상없음.(2.6. 12:00 현재)

2. 특기 사항:

-2.5. 일 현대 건설 근로자 2 명 예멘 입국으로 현 당지 교민은 177 명임.끝.

(대사 류 지호-본부장)

예고:91.6.30. 까지

중아국   2차보   안기부

PAGE 1   91.02.06   20:14

발 신 전 보

번   호 : WSB-0330   910208 1801 CG 종별 : 지급

WAE -0116   WBH -0084
WQT -0059   WJO -0164
WJD -0085

수   신 : 주 수신처 참조   //대사.//총영사

발   신 : 장   관 (중근동)

제   목 : 화학전 대비 계획

대 : SBW-0378, JDW-0045, QTW-0041,
BHW-0086, AEW-0083, JOW-0144

　　1.지상전이 발발하면, 이라크의 공습 및 화생방전 가능성이 많을 것으로
보이는 바 귀지 체류 아국교민등에게 대호 귀관이 수립한 교민 대피 및 철수 계획과
행동 요령을 구체적으로 사전 알려주어, 유사시 당황하지 않도록 현지실정에 맞게
필요 조치 바람.

　　2. 본부는 우리교민들이 공습 또는 화학전에 대비하여 필요한 안내를 현지공관
으로 부터 받도록 KBS국제 방송을 통해 수차 방송한바 있으니 참고 바람.끝.

(중동아프리카국장 이 해 순)

수신처 : 주 사우디, UAE, 바레인, 카타르, 요르단 대사
　　　　　주 젯다 총영사
예 고 : 1991. 6. 30. 일반

보 안 통 제	2ㅅ

앙고재	91년 월 8 일 중근동	기안자 성명 박종순	과 장 2ㅅ	국 장	차 관	장 관 연

외신과통제

0173

외 무 부

종 별 : 지 급

번 호 : YMW-0136
일 시 : 91 0209 1400

수 신 : 장 관(페만본부,기정)

발 신 : 주 예멘 대사

제 목 : 걸프전 관련

대:WMEM-0010

1. 교민안전에 이상없음(2.16 12:00 현재)

2. 특기 사항:

-당지 AL-THAWRA 지(2.16 일자)는 주재국 대봉령 위원회가 이락이 제시한 전쟁 종식을 위한 5 개항을 지지하면서 다음과 같은 반응을 보인것으로 보도함.

- 전쟁 종식을 위한 유엔 긴급 결의안 발의 촉구, 이스라엘의 아랍 지역 철수와 팔레스타인의 권리 회복을 위한 공동 노력 호소

-다국적군에 가담하고 있는 아랍, 이스람 국가들은 전쟁을 중지함과 아울러여타 다국적군에 대해서도 전쟁 중지를 종용할것

-2.12 일 바그다드 방공호 폭격 사건 규탄 시위가 2.16 당지 도심지에서 조용히 거행됨. 끝.

(대사 류 지호-국장)

예고:91.6.30. 까지

중아국   차관   1차보   2차보   정와대   안기부

91.02.17   22:10

외신 2과 통제관 CE

0174

관리 번호	91 -770

외 무 부

종   별 :

번   호 : BHW-0107

수   신 : 장관(중근동)

발   신 : 주 바레인 대사

제   목 : 국적선 안전 항행

일   시 : 91 0210 1200

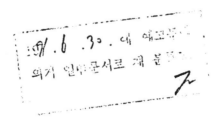

연:BHW-0045

1. 연호, 주재국 정부는 금 2.10 당관에 접수된 2.5 자 공한을 통하여 바레인 근해에서의 아국적 선박에 대한 피해 발생시 탐색, 구조및 수리등을 포함한 선박 안전 항행과 관련된 모든 협조를 제공하겠다고 통보하여 왔음.

2. 동 공한은 행낭 재개되는 대로 송부 위계임.끝.

(대사 우문기-국장)

예고:91.6.30 일반

91.6.30. 대 예고문서
의거 일반문서로 재 분류

외 무 부

종 별 :

번 호 : QTW-0056

수 신 : 장관(중일)

발 신 : 주 카타르대사

제 목 : 철수 공관원 가족

일 시 : 91 0212 1200

대: WQT-0064

2.12 현재 당관 철수 공관원 가족 없음.

끝

(대사 유내형-국장)

중아국   미주국   정문국   대책반

PAGE 1

91.02.12   22:10 DA

외신 1과 통제관

0176

외 무 부

관리번호 91/1399

종 별 : 지 급

번 호 : YMW-0125

수 신 : 장 관(중근동,기정)

발 신 : 주 예멘 대사

제 목 : 걸프 사태 관련

일 시 : 91 0212 1500

대:WMEM-0010

1. 교민 안전에 이상없음(2.15 15:00 현재)

2. 특기 사항:

- 2.12 일 현재 8 명이 귀국하여(대우 1, 현대 6, 삼환 1)현 교민수는 169 명임.

- 2.10 심야에 주 예멘 사우디 대사관에 폭발물 부착, 총격을 가하는 테러가 발생하였으며, 범인 2 명은 즉시 체포된것으로 알려짐.동 사건은 주재국내 외국 공관에 대한 7 번째 테러임.

- 주재국 사나에서 2.10일 3-4일간 예정으로 제 3차 아랍 민중회의(ARAB POPULAR CONFERENCE)가 개막, 다국적군에 재정적으로 지원한 국가에 대해서도 보복을 건의하는 내용의 결의안이 주재국 대표에의해 제출됨.(예멘, 이라크, 요르단등 친 이라크 대표가 참가한 APC 회의는 이번 회의에 앞서 요르단 및 알제리에서 개최된바 있었음. 끝.

(대사 류 지호-국장)

예고:91.6.30. 까지

홍콩영사관리 : 381-3659

중아국   차관   1차보   2차보   미주국   영교국   청와대   안기부

PAGE 1

91.02.13   03:44

외신 2과 통제관 CF

0177

외 무 부

종 별 :

번 호 : OMW-0040

일 시 : 90 0213 1320

수 신 : 장관(중근동,정일)

발 신 : 주오만대사

제 목 : 카부스국왕 연례 민정시찰

　　1. 작2,12. 주재국 카부스국왕은 국민과의 직접대화를 위한 연례 민정시찰(' MEET THE PEOPLE'TOUR) 를 시작함.

　　2.동국왕은 매년 2-3월중 약1개월간 관계각료들을 대동하고 전국각지를 시찰하면서 지역주민들과 지역문제등에 관한 국사를 직접 협의하고 민의를 청취,국정에 반영하고 있는바,금년에는 특히 제4차 5개년 경제 개발계획이 착수되고 금년을 ' YEAR OF INDUSTRY' 로 선포한 점을 감안, 이의 성공적인 수행을 위한 국민들의 노력을 강력히 촉구 할 것으로 보임.끝

　　(대사 강종원-국장)

중아국　　정문국

91.02.13　　20:48 DQ

외신 1과　통제관

0178

관리번호 91/1400

외 무 부

종 별 : 지급

번 호 : YMW-0128

일 시 : 91 0213 1700

수 신 : 장 관(페만본부,기정)

발 신 : 주 예멘 대사

제 목 : 걸프전 관련

대:WMEM-0010

1. 교민안전에 이상없음.(2.13 12:00 현재)

2. 특기 사항

- 2.12 일 상사원 1 명이 예멘 입국하여 현 교민수는 170 명임.

- 당지 AL-THAWRA 지(2.13. 일자)는 예멘 의료진 21 명과 의료장비, 혈액등 21 본을 전세 항공기 편으로 바그다드에 보낸것으로 보도함. 끝.

(대사 류 지호-본부장)

예고:91.6.30. 까지

중아국	장관	차관	1차보	2차보	영교국	정와대	총리실	안기부

PAGE 1

91.02.13   23:43

외신 2과 통제관 DO

0179

외 무 부

종 별 : 지 급

번 호 : YMW-0138   일 시 : 91 0217 1800

수 신 : 장 관(페만본부,기정)

발 신 : 주 예멘 대사

제 목 : 걸프전 관련

대:WMEM-0010

1. 교민안전에 이상없음(2.18 12:00 현재)

2. 특기사항:

- 주재국 SALEH 대통령은 2.17 일 요르단, 수단, 지부티 국가 원수와 전화
통화에서 전쟁의 종식과 역내 평화를 위한 대책을 협의한것으로 알려짐.

- 약 2,000 명의 시위대(이락 수호 국민위 주도)가 의용군 캠프를 개설하고 이락과
이란 국경개방을 외치며 가두 시위를 벌임.

시위대의 프랑카드에는 "이락의 적은 아랍의 적이다" "미국과 사우디 왕가에
죽음을"등의 구호가 적혀있었음. 끝.

(대사 류 지호-본부장).

예고:91.6.30. 까지

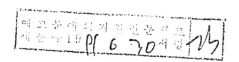

종아국   장관   차관   1차보   2차보   미주국   영교국   청와대   종리실
안기부

외 무 부

종 별 :

번 호 : BHW-0119　　　　　　　　　　일 시 : 91 0218 1600

수 신 : 장관(중동일,정일)

발 신 : 주 바레인 대사

제 목 : 주재국 공항 재개(자료응신 제11호)

　　당지 영어 일간지 GULF DAILY NEWS 는 금 2.18 일, 주재국 민간 항공 당국 대변인 언급 내용을 인용, 주재국 공항이 민간 상업 항공에 대해서 전면 개방되었다고 보도함. 끝.

　　(대사 우문기-국장)

중아국　　장관　　차관　　1차보　　2차보　　정문국　　청와대　　안기부

외 무 부

관리번호 91/78

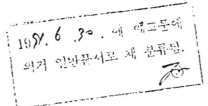

종 별 :

번 호 : AEW-0139　　　　　　　　　일 시 : 91 0219 1310

수 신 : 장관(중일)

발 신 : 주 UAE 대사

제 목 : 진출 근로자 철수문제

대:WAE-0137

1. 대호, 당지내진출 아국건설업체 근로자들은 상금 주재국이 직접적인 전쟁위험지역이 아닌 관계로 커다란 동요없이 작업에 임하고 있어 근로자들의 철수에 따른 업체별 피해는 없음.

2. 따라서 근로자 철수문제로 앞으로 건설공사 수주에 미칠 영향도 없을것으로 파악됨. 끝.

(대사 박종기-국장)

예고:91.6.30 일반

1984. 6 .30 . 에 예고문에 의거 일반문서로 재 분류됨.

중아국　　2차보　　노동부

PAGE 1　　　　　　　　　　　　　　　　91.02.19　20:31

　　　　　　　　　　　　　　　　　외신 2과　통제관 CH

0182

외 무 부

관리번호 91/19

원 본

종   별 :

번   호 : BHW-0120

일   시 : 91 0219 1140

수   신 : 장관(중일)

발   신 : 주 바레인 대사

제   목 : 진출 근로자 철수 문제

대:WBH-0094
연:BHW-0118

1. 당지에는 걸프사태 발발당시 공사가 진행중이었던 건설 현장은 없었으며, 진출 업체로는 현대건설이 시멘트 공장(년산 15 만톤 규모)을 운영하고 있고, 영진공사가 공항및 항만에 용역을 제공하고 있는바, 양사소속 근로자 다수의 잔류결정에 따라 조업상의 피해는 없음.

2. 본건관련, 90.8 월 사태 발생 초기및 금년 1 월 개전 직전 당지 체류 일본및 영국인들의 집단 출국사태에 대해 주재국 KHALIFA 수상, MOHAMED 외무, SHIRAWI 상농장관등은 일.영대사를 각기 별도 초치 강한 불만을 표명한바 있었음.

3. 아국인 잔류와 관련하여 주재국 ISA 국왕은 2.17. 본직 면담시 연호 보고대로 크게 만족을 표한바 있음.

4. 결론적으로 피해입은 업체 없으며, 앞으로 수주에 유리한 입장임.끝.

(대사 우문기-국장)

예고:91.6.30 일반

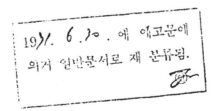

1991. 6.10. 에 예고문에 의거 일반문서로 재 분류됨.

중아국   2차보   영교국   노동부

91.02.19   21:29
외신 2과 통제관 CH
0183

외 무 부

관리번호 91/1402

종 별 : 지 급

번 호 : YMW-0147

일 시 : 91 0219 1400

수 신 : 장 관(폐만본부)

발 신 : 주 예멘 대사

제 목 : 걸프전 관련

대:WMEM-0010

1. 교민안전에 이상없음(2.19 12:00 현재)

2. 특기사항:-2.19 3 명 귀국하여 현교민수는 167 명임.

-당지 AL-THAWRA 지(2.19 일자)는 주재국 NOMAN 국회의장이 2.18 주 예멘 북한 대사 최 인섭으로부터 IPU 평양회의에 초청장을 전달받고, 금번 걸프전에서북한이 취한 입장에 사의를 표명한것으로 보도함.

(대사 류 지호-국장)

예고:91.6.30. 까지

중아국   2차보   영교국   안기부   노동부

91.02.20 00:25

외신 2과 통제관 CH

0184

외 무 부

종 별 :

번 호 : QTW-0060   일 시 : 91 0220 0700

수 신 : 장관(중일)

발 신 : 주 카타르 대사

제 목 : 진출근로자 철수 문제

대:WQT-0070

당지 진출 건설 업체 전무하여 관련 사항 없음.

끝

(대사 유내형-국장)

예고:91.6.30 일반

중아국

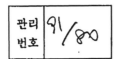

외 무 부

종 별 :

번 호 : OMW-0043

수 신 : 장관(중일)

발 신 : 주 오만 대사

제 목 : 진출근로자 철수

일 시 : 90 0220 1840

대:WOM-0070

당지에는 아국 건설업체가 진출치 않아 대호 관련사항 해당없음. 끝

(대사 강종원-국장)

예고:91.6.30. 일반

1991. 6. 30. 에 예고문에 의거 일반문서로 재 분류됨.

중아국   2차보

관리 번호 91/180

분류번호 | 보존기간

발 신 전 보

번   호 : WSB-0417   910224 1158 FK   종별: 긴급

수   신 : 주 수신처 참조   대사//총영사//

WBH -0104	WJO -0199
WQT -0076	WAE -0170
WJD -0112	WCA -0164
WIR -0191	WYM -0090

발   신 : 장 관   (중동일)

제   목 : 대 이라크 지상전 개시

　　1. 2.24. 오전 04시(한국시간)를 기해 다국적군의 대 이라크 지상전이
전면 개시 되었~~다고 각 언론들이 일제 보도 하였~~는바, 만일의경우 대비하여 귀 주재국
체류 교민의 신변 안전에 만전을 기하도록 하고 이라크의 화생방전 가능성이 매우
큼에 따라 체류교민들에게는 기지급된 방독면을 언제든지 착용할 수 있는 준비를
갖추도록 당부하고, 유사시 안전지대로 긴급대피 하는등 귀관이 현지 실정에
맞게 마련한 안전 대책을 차질없게 시행 바람.

　　2. 주 카이로 총영사는 이스라엘 체류 아국 교민들의 안전을 위해 상기와
같이 동일 조치 바람.   끝.

　　　　　　　　　　(중동아국장 이 해 순)

수신처 : 주 사우디, 바레인, 요르단, 카타르, UAE 대사, 주 젯다, 카이로 총영사
사 본 : 주 이란, 예멘 대사
예 고 : 91. 6. 30. 일반

1991. 6. 30. 에 예고문에
의거 일반문서로 재 분류됨.

앙 고 재	91 년 2 월 24 일	기안자 성 명	과 장	국 장	차 관	장 관	보 안 통 제
	중동1 과						

0187

	분류번호	보존기간

발 신 전 보

번 호 : WSB-0418   910224 1309 FK   종별 : 긴급

수 신 : 주수신처 참조   ~~대사//총영사~~

발 신 : 장 관 (중동일)

제 목 : 비상근무 체재 유지

WBH -0105	WJO -0200
WQT -0077	WAE -0171
WJD -0113	WCA -0165
WIR -0192	WYM -0091
WOM -0079	WTU -0082

연 : 하단참조

2.24. 오전 4시 (현지시간)를 기해 다국적군의 대이라크 지상전이

전면 개시 되었는바, 귀관은 ~~24시간~~ 비상근무 체재를 운영하고 주요정세동향

수시 보고 바람.   끝.

1991. 6. 30. 에 예고문에 ~~의기~~ 일반문서로 재 분류됨.

(중동아국장   이 해 순)

예 고 : 91. 12. 31. 일반

수신처 : 주 사우디, 바레인, 요르단, 카타르, UAE대사,

주 젯다, 카이로 총영사. 주 이란대사, 예멘 대사,

주 오만대사, 터키 대사.

연 : WSB-0417, WBH-0104, WQT-0076, WJD-0112,

WIR-0191, WJO-0199, WAE-0170,

WCA-0164, WYM-0090.

보안통제	13

앙고재	년2월24일	중동1과	기안자 성명		과 장		국 장		차 관	장 관	
							전결				

외신과통제

0188

원 본

외 무 부

종 별 : 지 급

번 호 : SBW-0561

일 시 : 91 0224 1000

수 신 : 장관(중일,노동)

발 신 : 주 사우디 대사

제 목 : 인원현황

1. 2.24 현재 교민은 3,022 명(공관 53, 교사 13, 국영기업 3, 상사 18, 의료요원 326, 업체 1,459, 현지업체및 가족 1,15(717)명 기자, 군인제외)

2. 지역별 동부 254, 중부 1,393, 서부 1,384 명, 그중 동부는 교사 2, 의료원 97, 업체 32(한진 26, 현대건설 3, 한국강관 1, 극동 2), 현지업체및 가족 114 명

3. 기자단 19 명중 동부에 11, 리야드에 8 명이 체제하고 있음.

(대사대리 박명준-국장)

예고:91.6.30 일반

1991. 6. 30. 에 예고문에
의거 일반문서로 재 분류됨.

중아국   장관   차관   2차보   정와대   안기부   노동부

PAGE 1

91.02.24   17:25

외신 2과 통제관 CE

0189

외 무 부

종 별 :

번 호 : MTW-0056

일 시 : 91 0224 1600

수 신 : 장관(중동1, 중동2)

발 신 : 주 모리타니 대사대리

제 목 : 걸프전관련 주재국정세

연:MTW-0049

1. 연합군의 2.24 전면 지상 전개시와 관련, 금 2.24 주재국내 에서는 친이락시위등 별다른 동향은 없으나 주재국정부는 예방 조치로서 금일부터 일주일간 휴교령을 내림.

2. 누아디부 거주 아국교민과 선원들은 정상생활 중인바 당관은 당분간 신변안전에 각별히 유의토록 당부함. 끝.

(대사대리김원철-페만대책본부장)

예고:91.6.30 일반

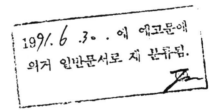
1991. 6. 30. 에 예고문에 의거 일반문서로 재 분류됨.

중아국   장관   차관   1차보   2차보   중아국   청와대   안기부

외 무 부

관리
번호 91-81

종   별 : 긴 급

번   호 : QTW-0068

일   시 : 91 0226 1240

수   신 : 장관(중동일,비상대책 본부)

발   신 : 주 카타르 대사

제   목 : 주재국 이라크 스커드 미사일 피격

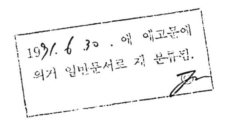

1. 당지 방송 보도에 의하면 당지 시간 2.26 01:30 이라크에서 발사한 스커드 미사일이 주재국 수도 DOHA 의 주민 비거주 지역에 떨어졌음.

2. 인적, 물적 피해는 없는 것으로 보도되었으며 당관 확인 결과 <u>교민 피해도 없음.</u>

3. 계속적인 미사일 및 화학무기 공격에 대비 당관은 교민들에 이에 대한 대비를 철저히 하도록 재강조하였음.

끝

(대사 유내형-국장)

예고:91.6.30 일반)

1991. 6. 30 . 에 예고문에
의거 일반문서로 재 분류됨.

중아국

PAGE 1

91.02.26   19:07

외신 2과 통제관 BA

0191

외 무 부

종 별 :

번 호 : SBW-0605

일 시 : 91 0227 1500

수 신 : 장관(중일,노동부)

발 신 : 주 사우디 대사대리

제 목 : 인원현황

1. 2.27 현재 교민수 총 2,981 명(동부 249, 중부 1,417, 서부 1,315)

2. 동부는 의료요원 97, 업체 36(한진 26, 극동 2, 현대 3, 국제 4, 한국강관1),
현지업체및가족 114 명, 교사 2 명임

(대사대리 박명준-국장)

예고:91.6.30 일반

1991. 6. 30. 에 예고문에
의거 일반문서로 재 분류됨.

끝야국, 노동부

PAGE 1

91.02.27   22:53

외신 2과 통제관 CH

0192

외 무 부

관리번호 91/54

종 별 : 지 급

번 호 : YMW-0169

일 시 : 91 0227 1400

수 신 : 장 관(페만본부,기정)

발 신 : 주 예멘 대사

제 목 : 걸프전 관련

대:WMEM-0010

1. 교민안전에 이상없음(2.27 14:00 현재)

2. 특기사항:

- 건설업체 근로자 2 명 예멘 입국으로 현 교민수는 167 명임.끝.

(대사 류 지호-본부장)

예고:91.6.30. 까지

1991. 6.30. 의 예고문에
의거 일반문서로 재 분류됨.

중아국   차관   1차보   청와대   안기부

PAGE 1

외 무 부

원 본

종 별 : 지 급

번 호 : YMW-0167

일 시 : 91 0226 1400

수 신 : 장 관(중동일,기정)

발 신 : 주 예멘 대사

제 목 :

대:WMEM-0010,WYM-0091

1. 주재국 국영 사나 방송은 13:00 뉴스에서 사담 후세인의 쿠웨이트 철수 계획을 논평없이 보도함.

2. 한편 이락의 쿠웨이트 철수 계획이 전해진 직후 주재국 여당인사는 걸프전이 종식될 경우 상당 기간 그 후유증으로 주재국은 경제적인 압박과 친사우디파의 주재국 국민에 대한 분열책동이 예상되며, 향후 서방과 사우디측에 대항하기 위해서 주재국은 이란과의 결속을 더욱 강화해야할것이라고 언급함.

3. 교민안전에 이상없음.(2.26 일 건설업체 근로자 3 명귀국으로 현 교민수는 165 명임.)끝.

(대사 류 지호-국장)

예고:91.6.30. 까지

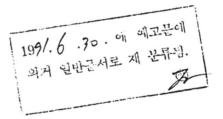

1991. 6 .30. 애 예고끈에 의거 일반문서로 재 분류됨.

중아국   장관   차관   1차보   2차보   영교국   청와대   안기부

관리
번호 91~
/38

유
(2)

외 무 부

종 별 :

번 호 : BHW-0133

일 시 : 91 0227 1430

수 신 : 장관(영재), 사본:체신부장관

발 신 : 주 바레인 대사

제 목 : 국제 우편물 발송

1. 당지에서 전문하는 바에 의하면, 체신부는 걸프사태와 관련, 각급 우체국으로 하여금 주재국을 포함한 일부 중동국가행 우편물의 접수를 거절케 하고 있다함.

2. 이로 인하여 주재국 체류 아국민의 경우, 본국 가족과의 소식 교환에 있어 다음과 같은 불편을 겪고 있음.

가. 국제전화 이용을 강제하는 결과를 초래함. 또한 이에 따른 고액의 경비지출 강요당함.

나. 개인적, 사적 의사소통 방법 선택권이 제한됨.

다. 세대주의 장기 외국근무에서 발생하는 불가피한 각종 민원관계 서류는 물론 가족간의 사진등, 공, 사문서 교환이 불능하여 지장 다대함.

3. 외국의 경우 주재국 에서는 다음과 같은 사례있음.

가. 본국 가족과 일선 장병간의 우편물 소통조차 평소보다 지연된다 하여 국민적 관심사가 되고, 국회에서까지 논란되고 있음.

나. 역내에서 근무하는 자국민에 대한 근로소득세 감면조치하고 있음.

4. 상지 1 항이 사실이라면, 본건 제한 계속경우 불필요한 물의 발생우려 있음. 바레인 경우에는 국제우편물이 수발되어 오고 있음에 비추어 1 항 제한을 해제하여 주시기 바람.

5. 만일 당관이 알지 못하는 특별한 국제우편 취급상 이유때문에 제한 조치 계속치 않을 수 없다면, 잠정적으로 우편 전파이용 방법등도 검토하여 줄것을 건의함.

(대사 우문기-국장)

예고:91.6.30 일반

사본접수처:91.6.30 파기

영사교민국		담 당	계 장	과 장	리 관	국 장
	년월일					

영교국   체신부

91.02.28   05:24
외신 2과 통제관 CW

0195

| 관리
번호 | 91 - 84 | | 원 본 |

외 무 부

종 별 :

번 호 : JOW-0231　　　　　　　　　일 시 : 91 0304 1700

수 신 : 장 관(중동일,기정)

발 신 : 주 요르단 대사

제 목 : 비상철수 공관원 가족 귀임

대:WJO-0223

1. 대호 귀임희망 당관 직원가족 명단은 아래와 같음

성명 연령 관계

김정희 53 박태진 대사 처

한영숙 39 이종천서기관 처

이예리 13 이종천서기관 녀

이민호 12 이종천서기관 자

김서경 36 정신구영사 처

정성훈 10 정신구영사 자

강영미 30 김오종부영사 처

김용 2세미만 김오종부영사 자

2. 상기와 관련 김균참사관 처 김명희(44 세)는 자녀가 재학중인 미국
샌프란시스코로 1.10 대피하였음

(대사 박태진-국장)

예고:91.6.30 까지

1991. 6. 30. 에 예고둔에
의거 일반문서로 재 분류됨.

중아국　　안기부

PAGE 1　　　　　　　　　　　　　　　　　　　　91.03.05　　04:12

외신 2과　통제관 CW

0196

정 리 보 존 문 서 목 록

기록물종류	일반공문서철	등록번호	2020120205	등록일자	2020-12-28
분류번호	721.1	국가코드	XF	보존기간	영구
명 칭	걸프사태 : 재외동포 철수 및 보호, 1990-91. 전14권				
생 산 과	북미1과/중동1과	생산년도	1990~1991	담당그룹	
권 차 명	V.14 기타				
내용목차	1. 쿠웨이트 잔류동포 문제 2. 쿠르드 반군의 현대 근로자 억류 문제 3. 특파원 동향 4. 비상연락망 * 재외동포 철수 및 비상철수계획 수립 등				

0001

1. 쿠웨이트 잔류동포문제

0002

쿠웨이트 잔류교민 7세대 9명

대사관 관리	조성묵	건설업
	전성규	〃
	유재성	〃
	최길웅	(선물)
	강재억 (부인,딸)	(선물센타)
	오 호	식품업
	신자철	(선물센타)

0003

(쿠웨이트 잔류 교민)

o o 오호 : 하 ? 유터 식품점

o 조성목 : 현대건납 하청 ?

(장미)

o 최길용 : 韓국도 산품점 경영

o 강재역 : 수퍼 맛 선물가게
및 가족2명 (부인. ?)

o 유 재 ?성 : 선물가게

o 신자철 : "

o 전 ? 규 :   ?선 하청 ?
선

o

Q ㅊ 철수당시   대사관건물 관리 (1名)   (45세 이상 된분)
폐 사관저 ?지 , (1名)

시내 큰건물지하건물

10.28 이라크 바스라로 건너와. 서울
국제전화를 ?서실 有.

(생 활 어려운? 있다고함)
? 가 ? 좋 ? ?

Q 12月 中旬경   3名   바그다드에 1回 취유
기?

어려운점 : ? ? 까지 의 ?편 어려운

비고 : 전쟁을 밤? ? 은 분이라. 응급시 ? ? ?
? 로 되 ? 수없을 것으로봄   0004
(대사관. ? ? 진행실로 ,

발 신 전 보

WGV-0112   910122 1857 BX   종별: 초긴급

번   호: _____

수   신: 주 제네바   대사·총영사

발   신: 장 관 (중근동)

제   목: 쿠웨이트 잔류 아국교민 소재 파악

    1. 걸프전쟁 관련, 91.1.22. 현재 쿠웨이트에 잔류중인 아국인 9명의 소재
및 생사여부가 확인되지 않고 있는바, 귀지 ICRC와 접촉 동인들의 소재 및 안전
여부를 파악해 줄것을 요청하고, 결과 보고 바람.

    2. 상기인들의 인적사항은 다음과 같음. (ICRC측 요청시 영문성명은 각의 기재)

가. 오 호 : 하얀 슈퍼 식품점 경영

나. 조성목 : 건설장비 하청업

다. 전선규 :   "

라. 최길웅 : 토산품점 경영

마. 강재억 (및 부인과 딸) : 식품점 및 선물가게 운영

바. 유재성 : 선물가게 운영

사. 신자철 :   "

> 1991. 6. 30. 에 예고문에
> 의거 일반문서로 재 분류됨.

    4. 참고로, 지난 90.8.2. 걸프사태 발발에 따라 당시 쿠웨이트 체류교민
총 605명에 대한 정부의 긴급 철수 권유로 동 9명을 제외한 전원이 정부가 주선한
KAL 특별기 운항으로 본국 철수 하였으나 이들은 현지에서의 개인사업 운영을 위해
대사관의 강력한 권유에도 불구 계속 체류를 희망 현재까지 잔류해 왔음. 이들중
2명은 걸프사태 이후 아국 공관 및 관저 건물에 거주, 동 건물을 관리해 왔다함을 통보함.

첨언함. 끝. 공관 및 관저 주소는 아래와 같음.

공관: Villa No. 12. Block 2. Division 42. Damascus St. Al-Nuzha
P.O Box 4272. Safat, 13043 Safat, Kuwait (중동아국장 이해 순)
Tel: 2531816, 2513243

예고: 91.6.30. 일반

관저: House No. 20 Block 2. Ibn Abbas St. Dahiyat
Abdullah Al Salem, Kuwait   국제기구조약국장:
Tel: 2563308, 2528285

보안 통제	7h

0005

長官報告事項

報告畢

1991. 1.22.
中近東課

題 目 : 쿠웨이트 殘留僑民 問題

> 1.22. 現在 쿠웨이트에 있는 我國人은 9명인바, 殘留 經緯 및 이들에 대한 向後 對策을 아래와 같이 報告 합니다.

1. 殘留僑民 人的事項

    가. 오 호 : '하얀 슈퍼' 식품점 경영

    나. 조성목 : 건설장비 하청업

    다. 최길웅 : 토산품점 경영

    라. 강재억(부인과 딸) : 식품점 및 선물가개 운영

    마. 유재성 : 선물가개 운영

    바. 신자철 : 선물가개 운영

    사. 전선규 : 건설 하청업

2. 殘留 經緯

    o 지난 90.8.2. 걸프사태 발발에 따라 쿠웨이트 체류 교민 605에 대한 정부의 긴급 철수 권유로 동 9명을 제외한 전원이 정부가 주선한 5회의 KAL 특별기 운항으로 본국 철수 하였으나, 이들 9명은 상기 개인사업 운영을 위해 대사관의 강력한 권유에도 불구 계속 체류를 희망, 현재 잔류중임.

3. 最近 近況

    o 걸프사태 이후 이들 잔류교민 9명중 2명이 공관 및 관저 건물에 거주, 동 건물을 관리하고 있다 함.

    o 90.12.21. 이들중 3명이 쿠웨이트 국경을 통과, 이라크 바그다드에 와서 1박 체류후 쿠웨이트로 다시 복귀 함. (귀국중에 있는 한인회장 제보)

4. 向後 對策

    o 국제 적십자사 및 주한 이락 대사관을 통해, 이들의 소재 및 안전 유무 확인 요청 . 끝.

0006

외 무 부

종 별 : 긴 급

번 호 : GVW-0130

일 시 : 91 0122 1700

수 신 : 장관(중근동,국기)

발 신 : 주 제네바 대사대리

제 목 : 쿠웨이트 잔류 아국교민 소재 파악

대: WGV-0112

연: GVW-1529(90.8.8)

1. 금 1.22(화) 당관 김종일 서기관은 ICRC 의 TRACING 담당관(MRS.CAGNEUX)과 접촉, 대호 상황을 설명하고 ICRC 가 쿠웨이트 잔류 아국인 교민 9 명의 소재 및 안전여부를 파악해 줄것을 요청하였음.(동 9 명 명단도 전달)

2. 이에대해 CAGNEUX 담당관은 상금 쿠웨이트에는 ICRC DELEGATION 이 주재하고 있지 않으므로(상세는 연호 참조), ICRC 로서도 별다른 조치를 취할 수 없는 상황이라고 말하면서, ICRC 로서는 일단 상기 9 명의 명단을 접수하되 ICRC DELEGATION 이 쿠웨이트에 주재한 이후에야 동인들의 소재파악을 위한 활동을 할수 있을 것이라고 말하였음.

3. 당관 김서기관이 ICRC DELEGATION 이 언제쯤 쿠웨이트에 주재할 수 있을것으로 전망하느냐고 질문한데 대해, CAGNEUX 담당관은 현재로서는 어떠한 전망도 할수 없다고 답변하였는바, 본건 진전 있는대로 추보 예정임.

4. 한편 IOM 은 걸프사태 이후 쿠웨이트, 이라크 주변국가에서 외국인 철수를 지원하여 왔으며 쿠웨이트, 이라크에는 IOM 직원이 주재하고 있지않아 상기 아국교민 소재 파악은 불가능하다고 함. 끝.

(대사대리 박영우-국장)

예고:91.6.30 일반

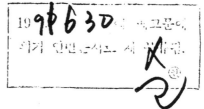

중아국   장관   차관   1차보   2차보   국기국

PAGE 1

91.01.23   08:41

외신 2과 통제관 BW

0007

外務部 걸프事態 非常對策 本部

題 目 : 쿠웨이트 殘留僑民 9명 問題

1991. 1. 24.

(年頭報告 參考資料)

1. 殘留僑民 人的事項

  가. 오호 : '하얀 슈퍼' 食品店 經營

  나. 조성목 : 建設裝備 下請業

  다. 최길웅 : 土産品店 經營

  라. 강재억(부인과 딸) : 食品店 및 膳物가게 運營

  마. 유재성 : 膳物가게 運營

  바. 신자철 : 膳物가게 運營

  사. 전선규 : 建設 下請業

2. 殘留 經緯

  ○ 지난 90.8.2. 걸프事態 勃發에 따라 쿠웨이트 滯留 僑民 605명에 대한 政府의 緊急 撤收 勸諭로 同 9명을 제외한 全員이 정부가 주선한 5회의 KAL 特別機 運航으로 本國 撤收 하였으나, 이들 9명은 上記 個人事業 運營을 위해 大使館의 강력한 勸諭에도 불구 계속 滯留를 希望, 現在 殘留中임.

3. 最近 近況

  ○ 걸프事態 以後 이들 殘留僑民 9명중 2명이 公館 및 官邸 建物에 居住, 同 建物을 管理하고 있다 함.

  ○ 90.12.21. 이들중 3명이 쿠웨이트 國境을 通過, 이라크 바그다드에 와서 1泊 滯留後 쿠웨이트로 다시 復歸 함. (歸國中에 있는 韓人會長 提報)

4. 向後 對策

  ○ 國際 赤十字社를 통해, 이들의 所在 및 安全 有無 確認 要請

0008

政府綜合廳舍 810號   電話 : 730-8283/5, 730-2941.6.7.9. (구내)2331/4, 2337/8   Fax : 730-8286

外務部 걸프事態 非常對策 本部

題 目: 쿠웨이트에 잔류중인 교민들에 대한 외무부 걸프사태
비상대책본부의 메세지 (KBS 국제방송을 통하여 전달 요청)   1991. 2. 25

쿠웨이트에 남아계신 조성목씨, 오호씨, 강재억씨와 가족 두분, 유재성씨,
신자철씨, 그리고 전선규씨에게 대한민국 외무부 걸프사태 비상대책본부에서
알려드립니다.

2.24. 04:00(현지시간)를 기해 다국적군의 대이라크 지상전이 전개 되었으며,
~~대규모의 다국적군 병력이 쿠웨이트로 진격, 쿠웨이트시를 탈환중 이라크군과의~~
치열한 교전이 벌어지고 있어, 여러분의 안전에 대해 정부와 모든 국민을 크게
염려하고 있습니다.

현재의 지상전 상황을 감안해 볼때, 여러분의 안전이 심히 우려될 정도로 사태가
매우 긴박하오니 여러분들께서는 현지 실정에 맞게 신속히 공관 또는 관저 건물
지하실등 안전 ~~대피시설로~~ 한 곳으로 긴급 대피하시고, 가능하다면 이란등 인근 안전지역
으로 대피하시어 우리 공관과 연락을 취하여 주시기 바랍니다.

이란에 있는 아국 공관에서는 여러분의 이란 입국에 대비, 필요한 제반조치를
취해놓고 있으니 참고하시기 바랍니다.

여러분의 건강과 안전을 계속 기원합니다.

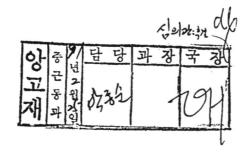

0009

外務部 걸프事態 非常對策 本部

題 目 : 쿠웨이트에 잔류중인 교민들에 대한 외무부 걸프사태
비상대책본부의 메세지 (KBS 국제방송을 통하여 전달 요청) 1991. 2. 25.

쿠웨이트에 남아계신 조성목씨, 오호씨, 강재억씨와 가족 두분, 유재성씨,
신자철씨, 그리고 전선규씨에게 대한민국 외무부 걸프사태 비상대책본부에서
알려드립니다.

2.24. 04:00를 기해 다국적군의 대이라크 지상전이 전개 되었고, 대규모의
다국적군 병력이 쿠웨이트로 진격, 쿠웨이트시를 탈환중 이라크군과의 치열한
교전이 벌어지고 있어, 여러분의 안전에 대해 정부와 모든 국민을 크게 염려하고
있습니다.

현재의 지상전 상황을 감안해 볼때, 여러분의 안전이 심히 우려될 정도로 사태가
매우 긴박하오니 여러분들께서는 현지 실정에 맞게 신속히 공관 또는 관저 건물
지하실등 안전 대피시설로 긴급 대피하시고, 가능하다면 이란등 인근 안전지역
으로 대피하시어 우리 공관과 연락을 취하여 주시기 바랍니다.

이란에 있는 아국 공관에서는 여러분의 이란 입국에 대비, 필요한 제반조치를
취해놓고 있으니 참고하시기 바랍니다.

여러분의 건강과 안전을 계속 기원합니다.

0010

관리 번호	91/151

분류번호	보존기간

발 신 전 보

WIR-0194   910225 1759   DP

번 호 : _____   종별 : _____

WJO -0204

수 신 : 주 수신처 참조 대사. ~~총영사~~ //

발 신 : 장 관 (중동일)

제 목 : 쿠웨이트 잔류교민 안전

     2.24. 04:00(현지시간)을 기해 다국적군의 대이라크 지상전이 전개되어 치열한 교전이 벌어지고 있어 본부는 쿠웨이트에 잔류하고 있는 아국인 9명에게 현사태의 긴박성을 알리고, 안전지대로의 긴급 대피등을 촉구하는 메세지를 2.25. KBS 국제방송을 통하여 ~~아래와 같이~~ 전달 하였는바, ~~교민 철수 업무에 참고 바라며,~~ 이들이 동 메세지를 받고 귀지로의 대피 가능성에 대비 ~~상호 관련의 준비표 당하기~~ 바람. 끝.

(중동아국장   이 해 순)

예 고 : 91.6.30. 일반

수신처 : 주이란. 요르단대사

1991. 6 .30. 에 예고문에
의거 일반문서로 재 분류됨.

	보 안 통 제	

앙 고 재	91 년 2 월 25 일	중 동 2 과	기안자 성명 박종순		과 장 홍정	심의관	국 장 전결		차 관	장 관

외신과통제

0011

外務部 걸프事態 非常對策 本部

題 目: 쿠웨이트에 잔류중인 교민들에 대한 외무부 걸프사태   1991. 1. 26.
비상대책본부의 메세지   17:30

(KBS 국제방송을 통하여 전달요청)

　　　쿠웨이트에 남아 계신 조성묵씨, 최길웅씨, 오호씨, 강재억씨와 가족
두분, 유재성씨, 신자철씨, 그리고 전선규씨에게 서울 대한민국 외무부 걸프
사태 비상대책본부에서 알려드립니다.

　　　걸프전쟁의 전황이 점점 긴박해지고 있어, 여러분의 안전에 대해 정부와 모든
국민이 크게 염려하고 있습니다. 물론 여러분들의 개인사정으로 끝까지 남아
계시기를 원했던 것을 잘 이해하지만, 지금은 여러분의 안전이 심히 우려될
정도로 사태가 매우 긴박하오니, 이란등 인근 안전지역으로 대피하시어 우리
공관과 연락을 취하여 주시기 바랍니다.

　　　바그다드에 있는 우리 대사관은 지금은 임시로 철수하였으니 참고하시기 바랍니다.
여러분의 건강과 안전을 계속 기원합니다.

배포(참고) : 공관
　　　　　　　청와대
　　　　　　　총리실
　　　　　　　안기부
　　　　　　　즉이란, 주욜단대사관

91
김영철 후면 측면

0012

政府綜合廳舍 810號　　電話 : 730-8283/5, 730-2941. 6. 7. 9, (구내) 2331/4, 2337/8　Fax : 730-8286

발 신 전 보

WIR-0104   910126 1940 FC   종별:

WJO -0125

번   호 :

수   신 : 주   이란, 요르단 대사 .총영사

발   신 : 장   관   (중근동)

제   목 : 쿠웨이트 잔류교민 소재파악

걸프사태 관련, 쿠웨이트에 잔류하고 있는 아국인 9명의 소재파악을 위해
본부는 이들에게 현사태의 긴박성을 알리고, 안전지대로의 긴급대피등을 촉구하는
메세지를 KBS 국제방송을 통하여 아래와 같이 전달하였는바, 교민철수업무에 참고
바라며, 이들이 동 메세지를 받고 귀지로의 대피가능성에 대비 사전 만반의
준비도 다하기 바람.

- 아   래 -

쿠웨이트에 남아 계신 조성목씨, 최길웅씨, 오호씨, 강재억씨와 가족
두분, 유재성씨, 신자철씨, 그리고 전선규씨에게 서울 대한민국 외무부 걸프
사태 비상대책본부에서 알려드립니다.

걸프전쟁의 전황이 점점 긴박해지고 있어, 여러분의 안전에 대해 정부와 모든
국민이 크게 염려하고 있습니다. 물론 여러분들의 개인사정으로 끝까지 남아
계시기를 원했던 것을 잘 이해하지만, 지금은 여러분의 안전이 심히 우려될
정도로 사태가 매우 긴박하오니, 이란등 인근 안전지역으로 대피하시어 우리
공관과 연락을 취하여 주시기 바랍니다.

바그다드에 있는 우리 대사관은 지금은 임시로 철수하였으니 참고하시기 바랍니다.
여러분의 건강과 안전을 계속 기원합니다.   끝.

(중동아국장 이 해 순)

예고 :91.6.30.일반.

1991. 6. 30. 에 예고문에
의거 일반문서로 재 분류함.

	보 안 통 제	가

앙 고 재	91 년 1 월 일	중 근 동 과	기안자 성명			과 장		국 장		차 관	장 관

외신과통제

0013

발 신 전 보

	분류번호	보존기간

번 호 : WOS-0111   910228 1052   FD종별 : _____

수 신 : 주 오사까   대사. / 총영사 (김일만 영사)

발 신 : 장 관 (중동일 과장)

제 목 : 업 연

    주쿠웨이트 대사관에 근무했던 이준화 영사는 3.1. 20:00 KE 722 편으로
귀지 도착 예정임. 끝.

<table>
<tr><td rowspan="2">앙
고
재</td><td rowspan="2">91
년
2
월
28
일</td><td>중동1
과</td><td>기안자
성 명</td><td></td><td>과 장</td><td></td><td>국 장</td><td></td><td>차 관</td><td>장 관</td></tr>
<tr><td></td><td></td><td></td><td>전결</td><td></td><td></td><td></td><td></td><td></td></tr>
</table>

보 안 통 제	

외신과통제
72

0014

국 제 방 송 국

(영어 오한국)

걸프사태 관련 방송 종합

'1.26, 27

- 쿠웨이트 잔류 교민들에 대한 외무부 걸프사태
  비상대책본부의 메시지 방송 감청 보고임.

o 외무부가 26일(토) 오후 쿠웨이트에 잔류하고 있는
   교민 9명에게 철수를 권고하는 내용의 메시지를
   단파로 방송해 주겠음 KBS 국제방송국에 긴급
   요청해 옴에 따라
   이 방송을 토요일밤 12:30분 월드뉴스로
   첫방송을 내보낸후
   일요일에도 영어 각 담당어와 각 우리말과 뉴스시간과
   우리말의 전담 프로그램 빼고르를 넘어서(60분)
   시간대 이를 집중적으로 계속 내보냈음.

o 권고 방송내용은
   걸프전쟁의 전황이 점점 긴박해지고 있으므로 이란 등
   인근 안전지역으로 대피하여 우리 공관과 연락을 취하기
   바란다는 당부 메시지임.

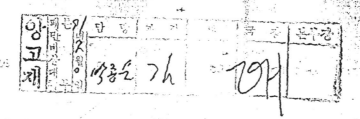

	분류번호	보존기간

발 신 전 보

WJD-0126   910301 1303   WG   종별: 지급

번   호 :

수   신 : 주   젯 다   ~~대사~~·총영사   (소병용 주쿠웨이트 대사)

발   신 : 장   관   (중동일)

제   목 : 쿠웨이트 잔류교민 소재 파악

쿠웨이트 잔류 아국 교민 9명의 ~~대한 소재 및 안전여부가 크케~~
~~염려되고 있는 바~~, 이들의 소재 파악 및 신변 안전 보호를 위해 쿠웨이트
망명 정부를 통해 협조를 요청하는등 현지에서 필요 조치를 취하기 바라며,
여타 방안에 대한 귀견 있을시 건의 바람.   끝.

(중동아국장 이 해 순)

예고 : 91.6.30. 일반

1991. 6.30. 에 예고문에
의거 일반문서로 재 분류됨.

		보 안 통 제	

앙고재	91년 3월 일 중동과	기안자 성명 박종순		과 장	심의관	국 장 전결 후결		차 관	장 관	외신과통제

0016

외 무 부

관리 91
번호 -162

종 별 : 긴 급

번 호 : SBW-0641   일 시 : 91 0303 1530

수 신 : 장관(중일,국방부,기정)

발 신 : 주 쿠웨이트 대사(주사우디대사관경유)

제 목 : 쿠웨이트 잔류교민 안전 14 번

대:WJD-126

1. 3.2 의료지원단 부대원 수명이 쿠웨이트의 우디대사관에 다녀온바, 대사관 건물은 유리가 많이 파손된것 이외에는 큰피해는 없었으며, 대사관이 작년 9.2 철수할때 게양해 두고온 정문의 태극기가 그대로 있었다고 함, 동의료단원들은 대사관 건물의 옥상 게양대에 대형 태극기를 게양하고 왔다고함

2. 또한 동의료단원들은 대사관에서 교민 수명을 만났는데 그들에 의하면 잔류교민 9 명은 모두 무사하다고함

3. 위 교민안부를 쿠웨이트 교민회 장희장에게 알려주시기 바람

(대사 소병용-국장)

예고:91,12,31 일반

91. 6. 30. 3도까 ~

696-
8279
쿠웨이트한인
회장 장정기
기통보
3. 4.
02:0

중아국	장관	차관	1차보	2차보	영교국	정와대	안기부	국방부

분류번호	보존기간

발 신 전 보

번 호 : WSB-0492   910306 1729 FK   종별 :

수 신 : 주 ~~사우디~~ 쿠웨이트 대사(주중임시부) (주사태대사대리 겸무)

발 신 : 장 관 (중동일)

제 목 : 쿠웨이트 잔류 교민

대 : SBS-0663, 0669

김희상비서관의 보고품의완한하여를

대호 쿠웨이트 잔류 교민들의 생활난과 관련, 사실 여부를 확인하고,

관련 필요 조치해야 할 사항이 있을시 귀견과 함께 건의 바람. 끝.

(중동아국장   이 해 순)

예 고 : 91.6.30. 일반

1991.6.30. 에 예고문에 의거 일반문서로 재 분류됨.

		기안자 성명		과장	심의관	국장		차관	장관	
앙고재	91년 3월 6일	중동과	박홍순		춘집	안	전결1		191	

보안통제 *심a*

외신과통제

관리
번호 91/169

외 무 부

종 별 : 지 급

번 호 : SBW-0691   일 시 : 91 0306 1730

수 신 : 장관(중동일)

발 신 : 주 쿠웨이트 대사(주사우디대사경유)

제 목 : 쿠웨이트 잔류교민(27)

대:WSB-492

　　1. 쿠웨이트 잔류교민은 관련전문으로 보고드린바와같이 전원 안전하다는 것이 확인되고있고, 전쟁직후라는 쿠웨이트의 특수한 사정에서 겪고 있는 일반적인 어려움은 있으나, 식량에는 문제가 없는것이 재차 확인되었음, 다만 쿠웨이트 시민 전체가 식수공급 부족문제를 현재격고 있는데 쿠웨이트 정부측에 의하면 이문제는 점진적으로 해결되어 가고있다함, 따라서 현재로서 "특별한 구호조치"가 필요할 정도는 아니라고 생각됨

　　2. SBW-663 에 대해서는 SBW-669 로 일부 정정된 사실이 있음을 참고하시기바람

　　(대사 소병용-국장)

　　예고:91.6.30 일반

1991. 6. 30. 에 예고문에
의저 일반문서로 재 분류됨.

중아국　　차관　　1차보　　2차보　　청와대　　안기부

2. 쿠르드 반군의 현대 근로자 억류문제

0021

外務部 걸프事態 非常對策 本部

題 目: 이라크 쿠르드반군 억류 아국 근로자 억류 1991. 3. 25.
0:30

1. 3. 24. 다마스커스발 로이타 통신 보도 내용

o 이라크 쿠르드 반군이 장악한 이라크 북부 유전
도시 키르쿠크 부근의 "Sadam Hussein
Irrigation Project" 현장에 있던 아국인
5명과 방글라데시인 구명이 쿠르드 반군에
체포됨

o 다마스커스에 본부를둔 "Patriotic Union
of Kurdistan" 대변인은 로이터 통신과의
회견에서 이들의 체포사실을 확인하고, 이들의
신병을 조속히 해당 정부에 인도할 것이라 언급함

o PUK 대변인은 이들이 지난주 반군들의 키르쿠크
점령시 체포되었으나, 아국 및 방글라데시
외교관들이께 시리아, 이란, 터어키 등에서 억류
자들과 무선 교신을 할수 있도록 허용할 용의가
있다고 언급

o 한국인 근로자 명단
김한택(4?, 과장), 박현수(52, 근로자),
장순봉(51), 이경택(31), 이만호(24)
이상 4인 근로자
0022
(이상 5인는 현대측이 제공한 키르쿠크 현장 직원과

政府綜合廳舍 810號   電話 : 730-8283/5. 730-2941. 6. 7. 9. (구내)2331/4. 2337/8 Fax : 730-8286
명단과 동일)

2. 조치사항

◦ 현대측에 ⊗ 등 로이터 통신 보도내용 통보하고
  필요한 조치 촉청 (중동1과장, 하오문
  전무와 통화)

◦ 주이란, 토르코, 터키 대사에게 ~~상화한~~ ⊗
  ~~본~~ 쿠르드 반군 억류 근로자의 석방을 위해
  PUK 측과 가능한 방법을 통하여 접촉하고
  결과 보고 토록 지시

```
a1592ALL   r
u i BC-GULF-IRAQ-KURDS     03-24 0117        쿠르드 반군, 한국인 5명 강도    3.24
BC-GULF-IRAQ-KURDS                                                          23:15
KURDISH REBELS SEIZE KOREANS, BANGLEDESHIS IN IRAQ:
    DAMASCUS, March 24, Reuter - Kurdish rebels fighting the
Iraqi government say they have captured five South Koreans and
seven Bangladeshis working on an irrigation project near the
rebel-held northern Iraqi oil town of Kirkuk.
    A Damascus-based spokesman for the Patriotic Union of
Kurdistan (PUK) told Reuters the Koreans and Bangladeshis would
be handed over to their governments as soon as possible.
    He said 12 were captured when rebels seized the "Saddam
irrigation project" near Kirkuk which fell to the rebels last
week.
    He said the rebels were ready to allow Bangladesh and South
Korean diplomats to talk the men by radio from Syria, Iran or
Turkey.
  REUTER IH DLT
Reut13:55 03-24


a1593ALL   r
u i BC-GULF-IRAQ-KURDS     03-24 0054
BC-GULF-IRAQ-KURDS ≈2 DAMASCUS (REOPENS)
    The PUK named the Koreans as Kim Han Tik, 49, John Won Bot,
51, Pak Hon Su, 52, Li King Yo, 31 and Li Man Hu, 29.
    The Bangladeshis were identified as Mohammed Moslem, 38,
Mohammed Kodesh, 33, Mozam Ali, 34, al-Tab Hussein, 32, Shadoun
Shojart, 34, Mohammed Shahloum, 30 and Mohammed Faydarous Ali,
26.
  REUTER IH DLT
Reut13:55 03-24
```

0024

한국인 근로자 5명,쿠르드 반군에 억류중

(다마스쿠스 로이터=聯合)이라크의 쿠르드족 반군에 장악된 이라크 북부의 유선
도시 키르쿠크 부근의 관개시설 공사장에서 일하고 있는 5명의 한국인들과 7명의 방
글라데시인 근로자들이 반군에 체포된 것으로 24일 알려졌다.

시리아의 수도 다마스쿠스에 있는 쿠르디스탄 애국동맹(PUK)의 대변인은 로이터
통신과의 회견에서 이들 한국인과 방글라데시인들의 체포 사실을 밝히면서 이들의
신병은 가능한한 조속히 그들의 정부에 인도될 것이라고 말했다.

PIK의 대변인은 반군 대원들이 이들 12명의 근로자가 지난주 반군의 수중에 떨
어진 키르쿠크 부근의 "사담 관개사업"공사장을 점령했을 때 체포된 것으로 전했다.

그는 한국과 방글라데시의 외교관들에게 시리아나 이란,터키등에서 무선으로 이
들 근로자들과 대화할 수 있도록 허용할 용의가 있다고 덧붙였다.

PUK측이 반군에 억류중인 것으로 밝힌 한국인 근로자들의 신원은 김한택(49),선
원북(51.),박헌수(52)이경효(31),이만후(29)등 5명인 것으로 알려졌다.(끝)

(YONHAP) 910324 2342 KST

0025

발 신 전 보

분류번호 보존기간

번   호 : WIR-0259   910325 0126 FG 종별 : 초긴급
                                    WTU-0123 WJO-0274
수   신 : 주 수신처 참조대사. 총영사
발   신 : 장 관 (중동일)
제   목 : 이라크 쿠르드 반군 아국근로자 억류

1. 로이터통신 보도(3.24)에 의하면, 이라크의 쿠르드족 반군에 장악된 이라크 북부의 유전도시 키루쿠크 부근의 관개시설 공사장에서 일하고 있는 5명의 한국인들과 7명의 방글라데쉬인 근로자들이 반군에 체포된 것으로 알려졌다 함.

2. 시리아의 수도 다마스쿠스에 있는 쿠르디스탄 애국동맹(PUK)의 대변인은 로이터통신과의 회견에서 이들 한국인과 방글라데쉬인들의 체포사실을 밝히면서 이들의 신병은 가능한 한 조속히 그들의 정부에 인도될 것이라고 말했다 함.

3. PUK 대변인은 반군대원들이 이들 12명의 근로자가 지난주 반군의 수중에 떨어진 키루쿠크 부근의 "사담 관개 사업" 공사장을 점령했을 때 체포된 것으로 전하면서 한국과 방글라데시의 외교관 들에게 시리아나 이란, 터어키 등에서 무선으로 이들 근로자들과 대화할 수 있도록 허용할 용의가 있다고 덧붙였다 함

4. PUK 측이 반군이 억류중인 것으로 밝힌 한국인 근로자들의 신원은 김한택(49), 박현수(53), 장운봉(51), 이경열(31) 이만호(29). 5명인 것으로 알려졌다 함.

보 안 동 제 74

앙 고 재	91년 3월 21일 중동1과	기안자 성명 박종순		과장 (서명)	심의관 (서명)	국장 전결 후결		차 관	장 관 (서명)	외신과통제

0026

발 신 전 보

분류번호	보존기간

번   호 : _____   종별 : _____

수   신 : 주   대사. 총영사

발   신 : 장   관

제   목 : _____

5. 상기 쿠루드반군에 억류 중인 아국인 5명의 석방을 위해 현지 현대측과도 협의, 적절한 방법을 동원, 다마스커스 소재 쿠르디스탄 애국동맹 (Patriotic Union of Kurdistan, PUK) 측과 접촉하고 결과 보고 바람. 끝   (중동아국장 이해순)

예고문: 1991. 12. 31 일반

수신처 : 주이란, 터어키, 오르단 대사

보 안 통 제	

앙고재	년월일	과	기안자성명		과 장		국 장		차 관	장 관

외신과통제

0027

외 무 부

관리
번호

종 별 : 긴 급

번 호 : JOW-0300   일 시 : 91 0324 2200

수 신 : 장 관(중동이)

발 신 : 주 요르단 대사

제 목 : 이라크 쿠르드 반군 아국근로자 억류

대:WJO-0274

대호 추진을 위해 당관으로서는 김균참사관을 시리아에 파견, 동국내 아측 협조자들을 통해 PUK 측과 접촉코자하는바 지침(긴급) 회시바람

(대사 박태진-국장)

예고:91.12.31 일반

중아국   장관   차관   1차보   2차보   상황실

PAGE 1

분류번호	보존기간

발 신 전 보

WJO-0276   910325 1441 DQ

번   호 : _____   종별 : 긴급

수   신 : 주 요르단   대사. 총영사 (사본: 슈신처 -0202) WTU -0124
NIRI -0263

발   신 : 장   관   (중동일)

제   목 : 억류 아국 근로자 5명 석방 교섭

대 : JOW-0300

연 : WJO-0274

1. 대호 관련, 억류 현대근로자 5명에 대한 신변안전 및 석방 교섭을 위해
   귀 건의대로 김균 참사관을 다마스커스에 출장시키기 바람.

2. 상기 관련, 본부 훈령을 아래와 같이 지시하니 이들이 조기 석방되도록 최대
   노력을 경주하기 바라며, 진전 결과를 수시보고 바람.

   가. 김참사관을 다마스커스에 파견하고 암만 주재 현대직원이 동행
   　　(현대 본사에 기요청)

   나. 시리아내 아국 협조자를 통해 억류 아국근로자 5명의 신변 안전을
   　　확인하고, 이들의 석방 교섭

   다. 쿠르드 반군측의 석방 몸값 대가로 요구 가능성에 대비,　김 참사관
   　　이나 귀관에서는 전면에 나서지 않도록 유의 바람

   라. 아국 근로자들의 신변안전 확인을 위해 귀관 비상통신기를 이용한 교신을
   　　시도(김균 참사관의 다마스커스 출장시 교신 주파수등을 확인)

   히리 이는 현대에서 피견한 형식이 되도록 히여야함

   / 계속 . . .

앙 고 재	91 년 3 월 강 일	주 동 과	기안자 성명 [서명]	과 장 [서명]	심의관 [서명]	국 장 [서명]	차 관	장 관 [서명]	사본→장관실 외신과통제

보 안
통 제

3. 금 3.25. 아침 국내라디오 방송은 귀관을 인용, 반군측의 몸값 요구 가능성을
   보도하였는바 아직까지 이에대한 반군측의 언급이 없고, 또 반군측이 이를
   요구할 의요가 있다하더라도 우리가 먼저 언급하면 요구가 커질 가능성도
   있으므로 이러한 보도가 일체 나오지 않도록 각별 유의 바람. (본부에재는
   각언론사에 이미 협조를 당부하였음. 끝.

WBA -0102

(차관 유종하)

(중동아국장   이해순)

사 본 : 주이란, 터어키, 방글라데시 대사
예 고 : 1991.12.31. 일반

0030

발 신 전 보

번   호 : WBA-0103   910325 1447 DQ   종별: 긴급

　　　　　　　　　　　　　　　　　　　　　　　WIR-0264   WTU-0125
수   신 : 주 방글라데시 대사. 총영사//   WJO-0277

발   신 : 장 관   (중동일)

제   목 : 이라크 쿠르드 반군 아국근로자 억류

　　1.　다마스커스발 로이터 통신보도(3.24)에 의하면, 이라크의 쿠루드족 반군에 장악된 이라크 북부의 유전도시 키루쿠크 부근의 관개시설 공사장에서 일하고 있는 5명의 한국인들과 7명의 방글라데시인 근로자들이 반군에 체포된 것으로 알려졌다함.

　　2.　시리아의 수도 다마스쿠스에 있는 쿠르디스탄 애국동맹(PUK)의 대변인은 로이터 통신과의 회견에서 이들 한국인과 방글라데시인들의 체포사실을 밝히면서 이들의 신병은 가능한한 조속히 그들의 정부에 인도될 것이라고 말했다 함.

　　3.　PUK 대변인은 반군대원들이 이들 12명의 근로자가 지난주 반군의 수중에 떨어진 키투쿠크 부근의 "사담 관개 사업"공사장을 점령했을때 체포된 것으로 전하면서 한국과 방글라데시의 외교관들에게 시리아나 이란, 터어키등에서 무선으로 이들 근로자들과 대화할 수 있도록 허용할 용의가 있다고 덧붙였다함.

　　4.　상기관련, 본부는 쿠루드 반군에 억류중인 아국인 5명의 신변안전 및 석방교섭을 위해 주요르단 김균 참사관을 다마스커에 출장시켜 다마스커스 소재 쿠르디스탄 애국동맹(PUK)측과 접촉할예정인바, 억류 방글라데시인 근로자들의 신변안전 및 석방을 위한 귀 주재국측의 조치계획을 파악하고, ~~대책을 강구~~

결과보고 바람. ~~~~ 현대 본사측에 의하면 방글 근로자 구명은 현대측이 ~~키르쿠크~~ 키르쿠크현장에 고용한 근로자인듯 하다라 하니 당분간을 귀관참고로아 하기 바람.
(중동아국장 이 해 순)

사본 : 주이란, 터이키 대사
　　　　　　　　　오르다
예고 : 1991. 12. 31. 일반

	보안통제	7ㄴ

앙고재	기안자성명	과장	심의관	국장	차관	장관	
91년3월일 중동4	박동순	7ㄴ	후현	전결		사본→강관실	외신과통제

0031

주이란 전해진 참사관 전화보고 내용

(3.25. 17:35)

o 이라크 쿠르드 반군의 아국 근로자 억류관련, 접촉 가능할 수 있는 이란
  소재 쿠르드 반군측 인사 명단을 파악 중에 있으며, 3.26중 파악 될 것으로
  예상됨.

o 주 이란 아국 공관은 상기 인사명단이 파악 되는대로 이들을 접촉 할
  계획임.

  〈참 고〉 동 전화보고 관련, 주 요르단 공관에서 억류 아국 근로자의 석방
         교섭을 위해 관련 필요한 조치를 취하도록 지시 한바 있음을
         알려주면서, 가급적 교섭창구 일원화가 됨이 바람직 하다고
         말함. (중동1과 박종순 서기관)

0032

外務部 걸프戰 事後 對策班

題 目 : 억류 현대근로자 5명 석방 대책

91. 3. 25.
中 東 1 課

1. 기조치 사항

   가. 3.24. 주요르단, 이란, 터어키 대사관에 외신내용 통보하고, 쿠르디스탄
      애국 동맹(PUK)측과 접촉토록 훈령한바, 주요르단 대사관은 직원 1명을
      다마스커스에 파견, 아측 협조자를 통한 접촉을 건의해옴.

   나. 현대 본사측에도 통보하고 대책 강구토록 요청

2. 고려사항

   가. 억류 아국인의 신변 안전 및 조기 석방

   나. 몸값 요구 가능성 (우리측에서 상대측의도를 확인함이 없이,
      그 가능성을 대외적으로 언급하는 것은 절대금물)

   다. 쿠르드 반군측과의 직접 접촉에 따른 반군단체 지위 문제

3. 금후 조치할 사항

   가. 주요르단 대사관 직원의 시리아 파견(김균 참사관)

      o 시리아내 아국 협조자 통해 신변안전 확인하고 석방 절차 교섭

      o 현지 현대직원 동반 파견

      o 몸값 요구 가능성에 대비, 파견 직원이나 대사관은 전면에 나서지
        않도록 유의

   나. 신변안전 확인 위한 무선 교신 시도

      o 주요르단 대사관 비상 통신기를 이용한 억류 근로자들과의 교신 시도

      o 김균 참사관 다마스커스 출장시 교신 주파수등 확인

   다. 방글라데시인 근로자에 대한 방글라데시측의 조치 확인 및 협조 강구

      o 주방글라데시 대사 및 인근국 방글라데시 대사관과 협조

   라. 미.영등 우방국과의 협의 및 협조

      o 반군과 서방과의 관계가 미지수인 싯점에서 미.영과 현단계에서는
        협의 보류

   마. 이라크 정부와의 접촉   (4. 3   중동아국 양신의과. 주한이라크대사대리 전화접촉. 통보)

      o 반군이 이라크 통제 밖에 있으므로 바그다드 정부와의 접촉은 실질적
        효과는 없음

      o 다만, 적절한때에 주한이라크 대사대리에게 동 사실을 통보하는것은
        양국간 외교관계에 비추어 적절할 것으로 생각됨

0033

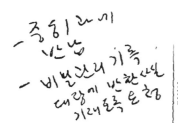

3/5

題 目 : 억류 현대근로자 5명 석방 대책

91. 3. 25.
中 東 1 課

1. 기조치 사항

　　가. 3.24. 주요르단, 이란, 터어키 대사관에 외신내용 통보하고, 쿠르디스탄
　　　　애국 동맹(PUK)측과 접촉토록 훈령한바, 주요르단 대사관은 직원 1명을
　　　　다마스커스에 파견, 아측 협조자를 통한 접촉을 건의해옴.

　　나. 현대 본사측에도 통보하고 대책 강구토록 요청

2. 고려사항

　　가. 억류 아국인의 신변 안전 및 조기 석방

　　나. 몸값 요구 가능성 (우리측에서 상대측의도를 확인함이 없이,
　　　　그 가능성을 대외적으로 언급하는 것은 절대금물)

　　다. 쿠르드 반군측과의 직접 접촉에 따른 반군단체 지위 문제

3. 금후 조치할 사항

　　가. 주요르단 대사관 직원의 시리아 파견(김균 참사관)

　　　　ㅇ 시리아내 아국 협조자 통해 신변안전 확인하고 석방 절차 교섭

　　　　ㅇ 현지 현대직원 동반 파견

　　　　ㅇ 몸값 요구 가능성에 대비, 파견 직원이나 대사관은 전면에 나서지
　　　　　않도록 유의

　　나. 신변안전 확인 위한 무선 교신 시도

　　　　ㅇ 주요르단 대사관 비상 통신기를 이용한 억류 근로자들과의 교신 시도

　　　　ㅇ 김균 참사관 다마스커스 출장시 교신 주파수등 확인

4. 방글라데시인 근로자에 대한 방글라데시측의 조치 확인 및 협조 강구

　　ㅇ 주방글라데시 대사 및 인근국 방글라데시 대사관과 협조

5. 미.영등 우방국과의 협의 및 협조

　　ㅇ 반군과 서방과의 관계가 미지수인 싯점에서 미.영과 현단계에서는 협의 보류

6. 이라크 정부와의 접촉

　　ㅇ 반군이 이라크 통제 밖에 있으므로 바그다드 정부와의 접촉은 실질적 효과는
　　　　없음

　　ㅇ 다만, 적절한때에 주한이라크 대사대리에게 동 사실을 통보하는것은 양국간
　　　　외교관계에 비추어 적절할 것으로 생각됨

일반문서로 재분류(1991. 12. 31.)

0034

한국인 근로자 5명, 쿠르드 반군에 억류중

(다마스쿠스 로이터=聯合)이라크의 쿠르드족 반군에 장악된 이라크 북부의 유전 도시 키르쿠크 부근의 관개시설 공사장에서 일하고 있는 5명의 한국인들과 7명의 방글라데시인 근로자들이 반군에 체포된 것으로 24일 알려졌다.

시리아의 수도 다마스쿠스에 있는 쿠르디스탄 애국동맹(PUK)의 대변인은 로이터 통신과의 회견에서 이들 한국인과 방글라데시인들의 체포 사실을 밝히면서 이들의 신병은 가능한한 조속히 그들의 정부에 인도될 것이라고 말했다.

PUK의 대변인은 반군 대원들이 이들 12명의 근로자가 지난주 반군의 수중에 떨어진 키르쿠크 부근의 "사담 관개사업"공사장을 점령했을 때 체포된 것으로 전했다.

그는 한국과 방글라데시의 외교관들에게 시리아나 이란, 터키등에서 무선으로 이들 근로자들과 대화할 수 있도록 허용할 용의가 있다고 덧붙였다.

PUK측이 반군에 억류중인 것으로 밝힌 한국인 근로자들의 신원은 김한택(49), 선원복(51), 박헌수(52)이경효(31), 이만후(29)등 5명인 것으로 알려졌다.(끝)

(YONHAP) 910324 2342 KST

0035

a1592ALL r
u i BC-GULF-IRAQ-KURDS   03-24 0117
BC-GULF-IRAQ-KURDS
KURDISH REBELS SEIZE KOREANS, BANGLEDESHIS IN IRAQ:

     DAMASCUS, March 24, Reuter - Kurdish rebels fighting the
Iraqi goverment say they have captured five South Koreans and
seven Bangladeshis working on an irrigation project near the
rebel-held northern Iraqi oil town of Kirkuk.

     A Damascus-based spokesman for the Patriotic Union of
Kurdistan (PUK) told Reuters the Koreans and Bangladeshis would
be handed over to their governments as soon as possible.

     He said 12 were captured when rebels seized the "Saddam
irrigation project" near Kirkuk which fell to the rebels last
week.

     He said the rebels were ready to allow Bangladesh and South
Korean diplomats to talk the men by radio from Syria, Iran or
Turkey.
     REUTER IH DLT
     Reut13:55 03-24

a1593ALL r
u i BC-GULF-IRAQ-KURDS   03-24 0054
BC-GULF-IRAQ-KURDS =2 DAMASCUS (REOPENS)

     The PUK named the Koreans as Kim Han Tik, 49, John Won Bot,
51, Fak Hon Su, 52, Li King Yo, 31 and Li Man Hu, 29.

     The Bangladeshis were identified as Mohammed Moslem, 38,
Mohammed Kodesh, 33, Mozam Ali, 34, al-Tab Hussein, 32, Shadoun
Shojart, 34, Mohammed Shahloum, 30 and Mohammed Faydarous Ali,
26.

     REUTER IH DLT
     Reut13:55 03-24

0036

이락 사태 현황
----

91. 2.28 : 전쟁 끝남.

91. 3. 2일자 키루쿡현장 김한택 과장 서신 : 빨리 철수하라는 본사 지시 실행
        못해서 죄송하며, 무사히 잘지내고 있다는 내용. 출국비자 발급건은
        발주처에 수차 요청하였으나 자재, 장비 분실, 피해시 당사가 책임
        지겠다는 각서 제출을 요구하여 사실상 출국을 허용치 않고 있다는
        내용.

91. 3.11일자 이락사업본부 이영철씨 서신 : 키루쿡 현장 김한택 과장과 만나
        바그다드 소재 발주처를 방문하였으며 (자재, 장비 관련), 이락
        전체인원은 다잘지내고 있다는 내용.

91. 3.12일자 본사 공문 : 키루쿡 지역의 안전상 문제를 고려하여 김한택 과장
        및 키루쿡 인원은 바그다드 본부에 내려와서 근무토록 하고, 이락
        인원 전체 신변안전에 특히 주의하도록 당부. (이 그그드 기리 긴답 늘인,
        키루크 현장 로청 대서 기록2)

91. 3.18일자 이영철씨 서신 : 김한택 과장과 만나 다시 발주처에 들어가기로
        했으나 김한택 과장이 바그다드에 오지않아 혼자 발주처 방문.
        모두 신변조심에 신경을 쓰고있음. 3/19일 키루쿡의 김과장을 만나
        다시 서신연락 하겠음.

        (Kirkuk 출의 동제주역, 선화,모임등
        교신 누가 없었는)

外務部 걸프戰 事後 對策班

제 목 : 이라크 잔류 현대소속 근로자 동정

(현대건설 김호영 이사 보고 내용)   91. 3. 14.

1. 현   황

   o 바그다드 현대지점 본부 잔류 : 근로자 2명 및 가족 2명

   o 키와스 현장(키루쿠 지역) 잔류 : 직원 1명, 근로자 4명

2. 근   황

   o 최근 10일동안 요르단 현지인 메신저(현대 요르단 지점 고용)가

     매일 이라크에 파견돼, 상기인들 소식을 접하고 있으며, 또한 현대

     본사측 메시지들을 전달

     - 이들 전원 무사함을 확인후 귀임

   o 3.13. 현대측, 동 메신저편에 최근 이라크 정세 불안(키와스 지역

     치안상 위험성 상존)으로 키와스 체류 5명 전원을 바그다드 현대

     본부로 이동토록 지시하는 본사의 메세지를 전달한 바 있음

0038

이탈지역 인원현황

Ⅰ

한국인	방글라	계
9	9	18

Ⅱ

구분	한국인			소계	산국인 (중근관)	계	비고
	전체인	근로자	가족				
IPOC	1 (김순관장)	2 (조성철, 이영철)	2 (박진우-체효중 사진화영) (이수인 - 이영철씨 함)	4	2	6	
KIWAS	1	4 (박현수, 정안호 이영열, 이한호)		[5]	[7]	[12]	
계	1	6	2	9	9	18	

外務部 걸프戰 事後 對策班

제 목 : 이라크 잔류 현대소속 근로자 최근 동정

(현대건설 보고 내용)   91. 3. 25.

1. 인원 현황
   ○ 바그다드 현대지점 본부 잔류 : 근로자 2명 및 가족 2명
   ○ 키와스 현장(키루쿠크 지역) 잔류 : 직원 5명

2. 근   황
   ○ 최근 3월 초순경 10일동안 요르단 현지인 메신저(현대 요르단 지점 고용)가
     매일 이라크에 파견돼, 상기인들 소식을 접하고 있었으며 또한 현대
     본사측 메시지들을 전달함.
     - 이들 전원 무사함을 확인후 귀임
   ○ 3.12. 현대측, 최근 이라크 정세 불안(키와스 지역 치안상 위험성 상존)으로
     키루쿠크지역 체류 5명 전원을 바그다드 현대 본부로 이동하라는 본사의
     메세지를 메신저편에 전달함.
     - 동 메신저가 메세지를 바그다드까지 전달한것이 확인 되었으나, 키루쿠크
       현장 도착 여부는 미확인됨.
   ○ 3.18. 바그다드 체류 근로자 이영철 씨가 메신저편에 현대 본사에 서신 송부
     - 서신 내용
       . 키루쿠크 현장 잔류 김한택 과장과 만나 발주처에 들어가기로 했으나,
         김과장이 바그다드에 오지않아 혼자 발주처 방문
       . 모두 신변 조심에 신경
       . 3.19. 키루쿠크의 김과장을 만나 다시 서신 연락 예정
   ○ 그 이후 키루쿠크가 출입 통제구역으로 되어 전화, 무선등 교신수단 없었음.

〈참   고〉
   이라크 잔류 현대소속 방글라데시 근로자 9명
   - 바그다드 현대 본부 잔류 : 2명
   - 키와스 현장(키루쿠크 지역) 잔류 : 7명

0040

이라크 쿠르드반군의 한국인 근로자 억류문제

1991.3.25.
국제법규과

Ⅰ. 관련 국제조약

o 반군에 의한 외국인 억류문제를 직접 규율하는 국제협약은 발견되지
않음.

- 인질 억류방지에 관한 국제협약(1983.6.3. 발효)은 평시에 있어서의
인질억류방지를 위한 당사국의 실효적 조치를 위한 것이므로
본건과 관련 없음.

o 전쟁이 아닌 기타 무력충돌(내란 포함)의 경우에 적대행위에 참가
하지 않은 자의 인도적 대우를 규정하고 있는 "전시민간인 보호에
관한 제네바협약"의 3조에서는 "인질로 잡는 일"을 금지하고 있음.

o ILC 가 심의중인 "국가책임에 관한 국제협약 초안"도 참고로 적용될
수 있을 것임.

Ⅱ. 관련 국제법원칙

1. 중앙정부에 대한 책임추궁가능성의 부존재

o 반군의 행동이 제3국의 권익에 영향을 미치는 경우에도 일반적으로
중앙정부의 책임을 추궁할 수 없음.

- 중앙정부가 반군을 교전단체로 승인하는 경우 반도단체의
행위에 대하여 책임을 지지 않게 되며, 만일 중앙정부 또는
제3국이 반군을 교전단체로 승인하지 않았다 하더라도
중앙정부가 상당한 주의의무를 다하였다면 어떠한 책임도
지지 않음.

0041

ㅇ 따라서 쿠르드반군의 행위에 대하여 아국은 쿠르드반군 점령
   지역내 아국인의 신변안전과 권익보호를 위해 반군과 접촉하고
   교섭을 행할 필요가 생김.

2. 반군에 대한 책임추궁가능성

가. 반군의 책임발생

   ㅇ "한 국가의 영토 또는 그 통치하의 기타 영토에서 이루어진
      반도단체의 행위는 국제법상 그 국가의 행위로 간주되지
      않는다"(제14조 제1항)

   ㅇ 적절한 예방적 및 징벌적 조치를 취하였어야 할 중앙정부의
      관계기관이 이러한 조치를 취하지 않은 경우를 제외하고는
      반군의 행위로 인한 중앙정부의 책임문제는 발생하지 않음
      (ILC 의 1975년 총회보고서, 국제중재판정, 국제관례 등에서
      널리 인정됨).

나. 입증책임은 피해외국인이 부담

   ㅇ 중앙정부가 반도진압에 태만할 리가 없다는 측면에서 나옴.

다. 신정부 수립시 반군의 행위에 대한 책임추궁

   ㅇ 반군이 반란에 성공하여 신정부를 수립하는 경우 신정부는
      그 반란단체가 반란중에 저지른 모든 행위(불법적인 작위
      또는 부작위)에 대한 책임을 부담하여야 함(ILC 조문초안
      제15조 제2항, 학설, 관행에서도 널리 인정됨).

   ㅇ 전정부의 불법행위에 대하여도 책임을 부담함.

3. 아국의 반군접촉시 유의사항

가. 교전단체로의 묵시적 승인가능성 회피

   ㅇ 제3국이 반란단체를 교전단체로 승인하는 방식에는 일정한
      방식이 없으므로 묵시적 승인의 의사가 추정될 수 있는
      행위에 의하여도 가능함.

0042

- 따라서 아국정부당국이 반군을 직접 접촉하는 경우
  묵시적 교전단체 승인이 되지 않도록 유의할 필요가
  있음.
- 그러므로 제3국을 통하든지 또는 국제적십자사나 아국의
  민간단체(소속회사대표 등)를 통한 방식이 바람직할 것임.

나. "반란상태의 승인"방식 이용

ㅇ 전통국제법하에서는 반도단체와 교섭할 필요성이 있는
  경우, 제3국은 잠정적이나마 반란단체를 그 점령지역내의
  사실상의 권력자로서 인정하는 방식을 이용하고 있음.

- 이는 교전단체의 승인과는 달리 반도단체에게 정식의
  법적지위를 부여하는 것이 아니며, 단지 사실상의 관계를
  가지는데 불과함.

ㅇ 따라서 이러한 유보하에 아국정부가 직접 쿠르드반군과
  접촉할 수 있다고 봄.

Ⅲ. 결

ㅇ 이라크반군에 대한 교전단체로의 승인여부에 관계없이 일단 아국은
  아국인의 권익에 대한 피해를 반군측과 직접 접촉·교섭하여
  해결하여야 할 것임.

ㅇ 이 경우 가능한 한 묵시적인 교전단체승인으로 되지 않도록 해야 할
  것이며, 따라서 가능하면 제3국이나 국제민간기구 등을 통하는 것도
  한 방법일 것임.

ㅇ 만일 아국정부가 직접 접촉하는 경우에도 양자간의 관계가 사실상의
  관계에 불과한 반란상태의 인정에 그친다는 점을 유보해야 할 것임.

ㅇ 현상태에 있어서는 아국정부가 쿠르드반군을 접촉하여 교섭을
  행하더라도 이러한 행위는 교전단체로의 승인의사가 없는 것으로서
  기껏해야 반란상태의 사실상의 인정에 불과한 것이라는 점을 이라크
  정부에게 통보하는 방식도 고려할 수 있음.

0043

관리번호 91/364

외 무 부

종 별 : 지 급

번 호 : IRW-0270

일 시 : 91 0325 1530

수 신 : 장관(중동일)

발 신 : 주 이란 대사

제 목 : 이라크내 아국근로자 억류

대:1) WIR-0259, 2)0263

1. 대호 1)관련, 당관은 금 1.25(월) 오전 주재국 외무부및 당지주재 시리아 대사관의 관계관을 접촉, 사건발생 경위를 설명하고, 현대지사의 당지 PUK 및이라크 반정부단체 접촉 가능성을 문의하고 가능한 협조를 비공식으로 요청한바, 외무부는 관련사항을 파악, 금명간 회보하여 주겠다고 말함. 한편 시리아대사관은 아측요청을 본국정부에도 보고, 본국정부가 시리아내 PUK 와 접촉토록 건의할 것이라말함.

2. 관련사항이 파악되는대로 재보고 예정이나 대호 2) 감안 PUK 등과의 접촉이 가능할경우에도 본부의 지시접수후 추진토록 하겠음. 끝

(대사 정경일-국장)

예고:91.12.31 일반

중아국	차관	1차보	2차보	청와대	안기부

PAGE 1

외 무 부

관리번호 91/365

종 별 :

번 호 : TUW-0245

일 시 : 91 0325 1851

수 신 : 장관(중동일)

발 신 : 주 터 대사

제 목 : 아국 근로자 억류

대:WTU-0123, 0125

1. 대호관련, 당관 이참사관은 금 25 일 당지주재 로이터 수석통신원 ALISTAIR LYON 과 접촉한바, 동인은 PUK 의 다마스커스주재 대표 DR.KAMAL FUAT 또는동인이 이락에 입국하였을 경우 PUK 의 다른 인사(전화 456922)와 접촉 아국 근로자의 인수문제를 협의할수 있을것이라 하였음. 또한 동인은 대호 내용을 처음 보도한 로이타통신 다마스커스주재 현지인 통신원 MR.ISSAM HAMZA (전화 228022/3)과 접촉 대호 보도경위등을 알수 있을것이라 하였음.

2. 동인은 사견임을 전제, 대호 아국근로자는 이라크 퀴르쿠크 부근 관개시설 공사장이 쿠르드 반군 점령하에 들어가므로써 우발적으로 반군측에 억류된것으로 보이며, 쿠르드 반군으로서는 국제적 이미지를 높여야 할 입장이기때문에 악의적 의도에의해 억류한 것이 아니고 아측과 인도문제 협의를 위해 접촉하려는것으로 본다하였음.

3. 본직은 아국근로자의 터키국경으로의 인도 가능성에대비 명일 오전 주재국 외무성 영사법률담당 국장과 접촉, 협조제공및 관련정보의 신속한 통보를 요청해 두고저함.

(대사 김내성-국장)

예고:91.12.31.일반

중아국	차관	1차보	2차보	정와대	안기부

건설부 추가배포

PAGE 1

91.03.26 06:31

외신 2과 통제관 CE

0045

外務部 걸프事態 非常對策 本部 대책반

題目: 억류 현대근로자 석방노력   홍일

1991. 3. 26.
10:30

1. 주이란大使 報告

　○ 외무성과 시리아 大使館 접촉, 協調 요청

　○ 외무성은 관련사항 타인, 今明向 회보 약속

　○ 시리아 대사관은 본국政府에 報告, 시리아
　　 정부가 시리아內 쿠르드 叛軍단체와 접촉
　　 토록 건의하겠다함.

2. 주 터키大使 報告

　○ 터키주재 로이타 通信員을 通해 報道
　　 경위 확인중

　○ 同 통신원은 쿠르드 반군이 工事현장을 占領
　　 할 때 우발적으로 억류되었을 可能性이 많으며
　　 惡意的 意圖는 없을 것이라는 個人的 견해
　　 表明

　○ 외무성에 대해서도 억류근로자의 터키국경
　　 인도에 対備 協調요청.

0046

관리
번호 위/377

외 무 부

종 별 :

번 호 : JOW-0312   일 시 : 91 0326 1600

수 신 : 장 관(중동일,중동이,기정)

발 신 : 주 요르단 대사

제 목 : 억류아국 근로자 석방교섭

대:WJO-0276

1. 금 26 일 시리아 비자를 득하여 명 27 일 오전 김균참사관은 당지 현대 박형근 과장, 박웅철봉역원(만일에 대비)을 대동 시리아로 출발예정이며 진전사항 추보위게임

2. 대호 3 항, 당관인용 국내 방송사항을 당지 체류 KBS, MBC 특파원들에게확인한바 당관을 인용한 사실이 없다함. 본직은 당지체류 방송, 언론 특파원들에게 본문제의 원만한 해결을 위해 여사한 일이 생기기 않도록 각별 협조해줄것을 당부하였음

(대사 박태진-국장)

예고:91.12.31 일반

중아국   중아국   안기부

외 무 부

종 별 : WBA-198

번 호 : TUW-0248   910327 0846 BX   일 시 : 91 0326 1714

수 신 : 장관(중동일)

발 신 : 주 터 대사

제 목 : 아국 근로자 억류

대:WTU-0125
연:TUW-0245

1. 대호관련, 본직은 금 26 일 주재국 외무성 영사. 법규. 사회국 ACAR GERMEN 국장대리와 면담, 아국 근로자의 억류상황을 설명하고 이들이 터키국경으로 넘어올 경우에 대비 주재국측의 협조를 요청한바, 동인은 내무성에 요청 국경수비대에서 한국인임을 밝히면 입국조치후 이들의 신병인도를위해 당관에 즉시 통보해주겠다 하였음.

2. 또한 동인은 아측이 희망한다면 시리아주재 터키대사관에 훈령, 알아보아주겠다 하였는바, 본직은 교섭채널의 혼선을 피한다는 고려하에 필요시 요청하겠다고 하고 일단 보류토록 하였으니, 본건관련 다마스커스주재 터키대사관이 협조할 사항이 있으면 지시바람.

(대사 김내성-국장)

예고:91.12.31. 일반

중아국   2차보

PAGE 1   91.03.26   23:46
                                                    외신 2과 통제관 CA
                                                    0048

관리 번호	91/367

원 본

외 무 부

종 별 : 지급

번 호 : BAW-0184

일 시 : 91 0326 1200

수 신 : 장관(중동일,참조: 중아국장,아주국장,영교국장)

발 신 : 주 방 대사

제 목 : 억류 아국근로자 석방교섭

대: WBA-103

1. 3.26 오전 본직은 AHSAN 외무차관을 자택으로 방문(3.26.은 주재국 독립기념일로 공휴) 본건에 관한 현재의 상황을 설명하고 아국 및 방글라데시 근로자들의 신변 안전과 신속한 석방을 위한 협력을 요망함.

2. 이에 대하여 동 차관은 방글라데시 정부는 전혀 관련정보를 접하지 못했다고 하면서 주이란 및 주터어키 대사관에 지급 훈령하여 쿠르드측과 접촉토록 하겠다고 말함. 또한 시리아(다마스커스)에는 대사관이 없으나(주이란 대사관이 겸임) 그곳 거주 방글라데시인들과의 가능한 봉신수단을 강구하여 PUK 와 접촉토록 해 보겠다고하고 결과가 있는대로 알려주겠다고 하였음.

3. 동 차관은 한국측이 새로운 정보를 입수하는대로 방측에도 알려달라고 하였음.

(대사-차관)

예고: 91.12.31 일반

사본 → 주이란, 요르단, 터키 대사관
3.26. 18:50 (필)

중아국	차관	1차보	2차보	아주국	중아국	영교국	청와대	안기부

PAGE 1

91.03.26   17:18
외신 2과 통제관 CF
0049

외 무 부

종 별 :

번 호 : JOW-0312 ~~0129~~ 910327 0807 BX   일 시 : 91 0326 1600

수 신 : ~~W~~ 장관(중동일,중동이,기정) 910327 0845 BX   WIR -0271

발 신 : 주 요르단 대사

제 목 : 억류아국 근로자 석방교섭

대:WJO-0276

　　1. 금 26 일 시리아 비자를 득하여 명 27 일 오전 김균참사관은 당지 현대 박형근

과장, 박응철봉역원(만일에 대비)을 대동 시리아로 출발예정이며 진전사항 추보위계임

　　2. 대호 3 항, 당관인용 국내 방송사항을 당지 체류 KBS, MBC

특파원들에게확인한바 당관을 인용한 사실이 없다함. 본직은 당지체류 방송, 언론

특파원들에게 본문제의 원만한 해결을 위해 여사한 일이 생기기 않도록 각별

협조해줄것을 당부하였음

　　(대사 박태진-국장)

　　예고:91.12.31 일반

1COPY⇒공보관실

중아국　　　중아국　　　안기부

PAGE 1

이라크 쿠르드반군의 아국인 근로자 억류

1991.3.27.
국제법규과

1. 문제의 제기

   ㅇ 이라크내 쿠르드반군측에 의해 아국인 근로자 5명이 억류되었는 바,
      동 석방교섭과 관련하여 국제법적인 측면을 검토함.

2. 중앙정부의 책임 여부

   ㅇ 반군의 행동이 제3국의 권익에 영향을 미치는 경우 일반적으로
      중앙정부에게 책임을 추궁할 수 없다는 것이 국제관행임.

      - "한 국가의 영토 또는 그 통치하의 기타 영토에서 이루어진 반도
         단체의 행위는 국제법상의 그 국가의 행위로 간주되지 않는다"
         (ILC 의 국가책임에 관한 협약 초안 제1조 제1항)

   ㅇ 중앙정부가 반군을 교전단체로 승인하는 경우 중앙정부는 반군
      점령지에 있어서의 외국인의 신체·재산상의 손해에 대한 책임이
      면제되며, 반군을 교전단체로 승인하지 않은 경우에도 중앙정부가
      상당한 주의의무를 다하였다면 그러한 책임으로 부터 면제됨.

      - 상당한 주의의무의 내용은 외국인의 권익이 침해되지 않도록
         사전에 모든 행정적 조치를 다함과 동시에 권익침해시에는 모든
         사법적 구제를 다하는 것인데, 내란의 경우 중앙정부는 내란발생
         방지에 소홀히 할리 없다는 측면에서 일반적으로 상당한 주의의무를
         다하였다고 간주됨.

0051

3. 반군의 법적지위

　가. 교전단체로서의 승인

　　ㅇ 중앙정부에 대하여 반란을 일으킨 단체가 그 국가영역의 일부를
　　　점령하여 여기에 하나의 사실상의 정부를 수립하고 중앙정부의
　　　권력이 전혀 이곳에 미치지 못할 경우 제3국은 반도의 관할지역
　　　내에 있는 자국민의 이익을 보호하기 위해 반군과의 관계를
　　　정상화 할 필요가 생기게 되며 이같은 필요때문에 반군측에게
　　　일정한 제한된 국제법상의 주체성을 부여하는 것이 교전단체의
　　　승인임.

　　ㅇ 제3국이 반란단체를 교전단체로 승인하는 경우 중앙정부(법률상의
　　　정부)와 반란단체간의 무력충돌은 승인국에게 있어서 전쟁으로
　　　인정되며, 따라서 승인국은 전시중립국의 지위에 서게됨.
　　　그리고 교전단체의 실효적 지배하에 있는 승인국의 권익에
　　　대해서는 교전단체가 직접 책임을 지게됨.

　　ㅇ 그러나 반란단체가 일정한 승인요건을 충족하기 전에 승인을
　　　부여하는 것은 상조의 승인으로서 중앙정부에 대한 간섭행위가
　　　되며 비우호적인 행위로 간주됨.

　　(승인요건)
　　- 반란군은 영토의 일부분을 실제적으로 지배하는 정치조직을
　　　가지며 전시법규를 준수해야 함.
　　- 승인을 행하는 제3국은 이지역에 보호해야할 자국인의 생명·
　　　재산 등의 권익을 갖고 있어야 함.

　나. 반란상태의 인정
　　ㅇ 전통국제법하에 있어서 한 반란단체가 아직 교전단체로서 승인
　　　받을 만한 요건을 구비하지 못하고 있는 경우에도 제3국은
　　　한 국가의 내란을 전적으로 그 국가의 국내문제로 취급하여
　　　방관할 수 만은 없는 경우가 있음.

0052

o   이러한 상황하에서 제3국은 반란단체를 점령지역내의 사실상의
    권력자보서 인정하는 경우가 있는데 이를 반란상태의 승인이라고
    하며 그러한 승인은 교전단체의 승인과는 달리 정식의 법적인
    지위를 부여하는 것은 아님.

4. 억류인질 석방 교섭 방식
    o   상기 2항에 비추어 쿠르드반군이 억류하고 있는 아국인의 신변안전과
        조기송환을 위해서는 어떠한 형태로든 반군측과의 접촉이 필요할 것임.
    o   반군측과의 접촉은 제3국, 국제적십자사 또는 아국민간기업을 통한
        간접적인 방식과 아국정부와 반군측과의 직접접촉 방식을 상정할 수
        있음.
    o   반군측과의 접촉방식을 결정함에 있어서는 다음이 사항을 충분히
        고려하여야 할 것임.
        -   제3국이 반란단체를 교전단체로 승인하는 방식에는 일정한 형식이
            없는바, 묵시적 승인의 의사가 추정될 수 있는 행위에 의해서도
            가능하다는 점(예를들면, 반군군함의 임검권의 묵인 등)
        -   묵시적 승인으로 간주될 수 있는 접촉은 이라크 중앙정부로 부터
            내정간섭이며 비우호적 행위라는 항의를 유발할 우려가 있다는 점

5. 결론
    o   이라크측과의 불필요한 마찰을 피하기 위해서는 간접적인 방식으로
        접촉하는 것이 일응 바람직하다고 봄.
    o   다만 쿠르드반군측이 아국정부와의 직접접촉을 고집하거나 억류인질
        석방교섭의 효율성을 확보하기 위해 직접 접촉이 불가피한 경우는
        상기 3항 나에서 언급한 "반란상태의 인정"으로서 아국인의 이익보호를
        위해 단지 사실상의 관계를 가지는 것 뿐이며 정식의 법적지위를
        부여하는 것이 아님을 분명히 해야할 것임.

0053

건 설 부

해 건 30600-*8059* (500-2907)   1991. 3. 27.

수 신 외무부장관

제 목 이라크 억류근로자 안전대책 강구

    1. 언론보도에 의하면 이라크에 잔류중인 현대인력 7명중 키루쿡
상수도공사 현장에 체재중이던 5명이 이라크의 쿠르드족 반군에 의하여 억류
되었다 하는 바

    2. 이라크 인근의 터키, 요르단, 이란주재 공관장으로 하여금 가능한
경로를 통하여 이라크 반군을 접촉, 정확한 상황을 파악하고 억류된 근로자들의
조속한 안전귀환이 이루어 질수있도록 최대한 노력을 경주토록 지급훈령하여
주시기 바랍니다. 끝.

건 설 부 장

건 설 경 제 국 장 전결

8371   0054

	분류번호	보존기간

발 신 전 보

번   호 : WTU-0133   910327 1942 FG   종별 : 지급

수   신 : 주 터어키   대사 · 총영사 (사본 : 주요공관→이환 대사)

WJO -0287   WIR -0275

방글라데시 대사

발   신 : 장 관   (중동일)

제   목 : 아국 근로자 억류

대 : TUW-0248

(서울 본사)

1. 한겨레 신문 제보에 의하면 3.27. 오후 동지 최영선 기자와 동아일보 기자
   1명이 대호 쿠르드 반군에 의하여 억류된 것으로 알려진 아국인 근로자 5인을
   이라크-터어키 접경 도시인 자코에서 직접 면담하였다 하는바, 이들 근로자는
   반군이 제공한 차량으로 자코에 도착, 터어키에 입국하려고 하나 국경이 폐쇄되어
   입국이 어려운 실정이라 함.

2. 상기 관련 귀 주재국 관계 당국과 접촉, 이들의 터어키 입국에 필요한 협조를
   구하고 귀관 직원을 국경에 출장토록 하여 PUK 측과 접촉을 시도하고 동 결과
   보고 바람. 끝.   // 신병인수를 위해 노력토록 하고

(중동아국장   이 해 순)

예 고 : 91.12.31. 일반

		보안 통제	72

0055

외 무 부

관리번호 91/386

종 별 : 지급
번 호 : TUW-0250
수 신 : 장관(중동일)
발 신 : 주 터 대사
제 목 : 아국 근로자 억류

일 시 : 91 0327 1923

대:WTU-0133
연:TUW-0248

1. 대호건 주재국 외무성반응은 아래와같음.

가. 현재 국경이 폐쇄되어있기는 하나 이는 이라크측이 폐쇄한것이며, 만일아국근로자를 터키영토로 방면시킨다면 터키입국에 아무런 문제가없음

나. 동근로자들이 여권을 소지하지 않았을경우에도 한국대사관에 연락 즉시여행증명서를 발급토록하여 입국조치하도록 하겠음.

다. 터키-이라크 국경을잇는 HABUR-ZAKO 국경다리가 이라크측에의해 현재 폭파되어있는 상태이므로 다리를통해 오는것은 어렵지만, 여타 방법으로 터키영내로 들어온다면 입국가능할 것임. 그간 다수 난민이 이라크에서 터키로 넘어왔음.

2. 따라서 아국근로자의 터키입국은 이라크측의 국경폐쇄 내지는 PUK 의 방면조치 여부가 문제인것으로 사료되는바, 아국 근로자 방면일자및 터키영내 입국장소를 아는대로 당관직원을 국경에 출장, 신병인수토록 하는것이 좋을것으로 사료됨.

(대사 김내성-국장)

예고:91.12.31. 일반

중아국   차관   1차보   2차보

PAGE 1

91.03.28   07:45
외신 2과 통제관 BW

0056

발 신 전 보

번 호 : WJO-0290   910328 0013   DA 종별: 지급 WIR-277

수 신 : 주 요르단, 터어키, 예멘 현영사 (사본 : 주WT방열화,대BA -BWI차)

발 신 : 장 관 (중동일)

제 목 : 아국근로자 억류

연: WTU-0133
대: JOW-0312

1. KBS 서울본사 TV 보도 (한국시간 2l:30)에 의하면 다마스커스에
본부를 두고있는 쿠르디스탄 애국동맹 (PUK) Kamal 대변인은
오늘 KBS 와의 전화회견에서 쿠르드 반군에 억류돼 있던
아국 근로자 5l경이 오늘저녁 (시리아 현지시간) 다마스커스에서
석방될 것이라고 밝혔으며, 아국근로자들이 어제 (현지시간) 이라크
북부 지역을 떠났으며 오늘 오후 시리아 국경을 통과 한것
이라 함.

2. 또한, 상기 대변인은 아국근로자들이 이라크 소요사태와
관련이 없기 때문에 석방되는 것으로 석방에는 아무런
조건이 없다고 하였다 함.

3. KBS 본사측은 상기 PUK 대변인과 전화회견을 한

KBS 박권훈 특파원(시리아 체류중)이 시리아가 아국과
미수교 상태이기 때문에 이들이 다마스커스에 도착 즉시
시리아에 파견되는 요르단 주재 아국 외교관과 현대 건설측에
인도 될 것이라고 말한 내용을 덧붙임도 하였음을 참고바람.
(중동아국장 이해순)

끝

예고문: 1991. l2. 3l 일반

0057

원 본

외 무 부

종   별 : 긴 급

번   호 : JOW-0320

수   신 : 장 관(중동일,중동이,기정)

발   신 : 주 요르단 대사

제   목 : 연:JOW-0312

일   시 : 91 0328 2230

1. 연호 김참사관과 현대 박과장 일행은 3.27. 14:00 다마스커스에 도착, 동일 16:00 체류호텔을 방문한 PUK 측 책임자 DR. KAMAL FUAD 를 면담한바, 동인발언요지 다음과 같음

   가. 이라크 키루쿠크 지역이 쿠르드 해방군의 점령하에 들어왔으나, 불안정한 교전지역으로 봄으로 현대근로자들을 안전하게 한국측에 인도하기 위해 이동하고 있으며, 현재 이라크령인 ZAKHO 에 있음

   나. 동근로자들은 쿠르드측의 게스트 이브로 그들은 안전하게 있고, 또한 인도하는데 하등의 조건이 있을수 없음

   다. 시리아국내에 들어오면 시리아 관계기관에 인도, 조속히 귀국토록 협조하겠음

2. 동 FUAD 씨와는 금 3.28 오후까지 3 차 전화및 15:00 재 면담한바 요지 다음과 같음

   가. 최근 동지역에 내린 폭우로(500)이라크 ZAKHO 로 부터 시리아 국경을 넘는 티그리스 강 지류가 범람하여 금일도 2 차례나 시도했으나, 성공치 못하여 명 29 일 오전에 재시도, 시리아 입국토록 할것임

   나. 시리아 국경초소인 QAMISHLY 의 PUK 연락책(ALI HAMIZ)에게 수시연락 무선통화할수 있도록 협조했으며, 현대근로자 도착 즉시 다마스커스로 후송될수 있도록 계속 협조하고, 아측에서 카미슐리에 갈 경우에 대비, 지원과 신원을 보증하는 소개장을 수교받음

3. 김참사관은 시리아내 아측 협조자를 통해 시리아 군경 당국으로부터 현대근로자 국경도착시 입국및 요르단으로의 출국에 대한 협조, 카미슐리-다마스커스간 수송편(긴급시 헬기 포함)등 제반편의를 제공받기로 약속받고 대기중임

4. 또한 당관 고용원 박응철에게 FUAD 의 친선를 휴대시켜 카미슐리에 파견, 현지

중아국	장관	차관	1차보	2차보	중아국	정와대	안기부	

PAGE 1

91.03.29   06:44   0058

외신 2과   통제관 FE

PUK 측 지역 책임자와 만나 현대 근로자 도착시 인수에 대비토록 대기케하였음

5. 동 근로자들이 3.29. 중 시리아에 입국하면 늦어도 3.30. 중에는 암만으로 출발할수 있을것임

6. 진전사항 추보위계임

(대사 박태진-국장)

예고:91.6.30. 일반

외 무 부

종 별 : 긴 급

번 호 : JOW-0320   WTU-0137   910329 0815 DQ

일 시 : 91 0328 2230
WIR -0281   WBA -0116

수 신 : 장 관(중동일,중동이,기정)

발 신 : 주 요르단 대사

제 목 : 연:JOW-0312

1. 연호 김참사관과 현대 박과장 일행은 3.27. 14:00 다마스커스에 도착, 동일 16:00 체류호텔을 방문한 PUK 측 책임자 DR. KAMAL FUAD 를 면담한바, 동인발언요지 다음과 같음

가. 이라크 키루쿠크 지역이 쿠르드 해방군의 점령하에 들어왔으나, 불안정한 교전지역으로 봄으로 현대근로자들을 안전하게 한국측에 인도하기 위해 이동하고 있으며, 현재 이라크령인 ZAKHO 에 있음

나. 동근로자들은 쿠르드측의 게스트 이브로 그들은 안전하게 있고, 또한 인도하는데 하등의 조건이 있을수 없음

다. 시리아국내에 들어오면 시리아 관계기관에 인도, 조속히 귀국토록 협조하겠음

2. 동 FUAD 씨와는 금 3.28 오후까지 3 차 전화및 15:00 재 면담한바 요지 다음과 같음

가. 최근 동지역에 내린 폭우로(500)이라크 ZAKHO 로 부터 시리아 국경을 넘는 티그리스 강 지류가 범람하여 금일도 2 차례나 시도했으나, 성공치 못하여 명 29 일 오전에 재시도, 시리아 입국토록 할것임

나. 시리아 국경초소인 QAMISHLY 의 PUK 연락책(ALI HAMIZ)에게 수시연락 무선봉화할수 있도록 협조했으며, 현대근로자 도착 즉시 다마스커스로 후송될수 있도록 계속 협조하고, 아측에서 카미슬리에 갈 경우에 대비, 지원과 신원을 보증하는 소개장을 수교받음

3. 김참사관은 시리아내 아측 협조자를 통해 시리아 군경 당국으로부터 현대근로자 국경도착시 입국및 요르단으로의 출국에 대한 협조, 카미슬리-다마스커스간 수송편(긴급시 헬기 포함)등 제반편의를 제공받기로 약속받고 대기중임

4. 또한 당관 고용원 박응철에게 FUAD 의 친선를 휴대시켜 카미슬리에 파견, 현지

중아국   장관   차관   1차보   2차보   중아국   정와대   안기부

사본→

PAGE 1   주 터어키, 이란, 방글라데시대사

91.03.29   06:44

추가배포→
공보관

외신 2과 통제관 FE
0060

PUK 측 지역 책임자와 만나 현대 근로자 도착시 인수에 대비토록 대기케하였음

    5. 동 근로자들이 3.29. 중 시리아에 입국하면 늦어도 3.30. 중에는 암만으로 출발할수 있을것임

    6. 진전사항 추보위계임

    (대사 박태진-국장)

    예고:91.6.30. 일반

관리
번호 91/405

외 무 부

종 별 : 긴 급

번 호 : JOW-0321   일 시 : 91 0329 2300

수 신 : 장 관(중동일,중동이,기정)

발 신 : 주 요르단 대사

제 목 : 아국근로자 시리아 입국

연:JOW-0320

1. 연호 현대근로자 5 명은 3.28 21:30 경 이라크 국경을 넘어 입국과 동시PUK 측으로 부터 시리아 당국에 인계되었음. 동근로자 일행은 티그리스강 지류인 NAHR DIZIH 강변에서 체류하다가 금 29 일 12:00 카미시리에 도착, 당관 고용원 박응철과 함께 시리아 군 정보기관에서 입국에 필요한 수속을 취하고 있으나,휴일인 관계로 행정처리가 지연되고 있음(방글라데시 근로자 7 명도 함께있음)

2. 김참사관및 현대 박과장은 현대근로자 대표 김한택 과장과 2.29 16:00 봉화 전원 무사함을 확인하였음(여권도 소지하고 있음)

3. 동일행은 입국수속이 완료되는대로 다마스커스로 차편 출발예정인바, 카미시리-다마스커스가 약 850KM 의 원거리인 관계로 3.30 중 다마스커스에 도착, 일단 휴식을 취한후 3.31 중 암만으로 출발 가능할것으로 보임(현대근로자의 요르단 입국문제는 (105)당국의 협조하에 별문제가 없을것임)

(대사 박태진-차관)

예고:91.6.30 일반

중아국	장관	차관	1차보	2차보	중아국	청와대	안기부	건설부

PAGE 1

91.03.30   06:29

외신 2과 통제관 CE

0062

抑留 現代 勤勞者 釋放

(3. 30)

1991. 3. 30.

外 務 部

이라크 쿠르드 反軍에 抑留돼있던 我國 現代
勤勞者 5名이 3.29. 釋放되었으며, 關聯事項을
다음과 같이 報告 드립니다.

---

1. 釋放 經緯 및 過程 (駐요르단 公館 報告)

   가. 3.27. 駐요르단 김균 參事官, 박웅철 雇傭員과
       現代 박課長이 抑留 現代勤勞者 5名에 대한 釋放
       交涉次 시리아 다마스커스에 到着하고, 滯留 호텔을
       訪問한 PUK(쿠르디스탄 애국동맹) 責任者 Dr. Kamal Fuad를 面談, 이들의
       早速한 釋放 協調 要請

   나. 同 PUK 責任者는 이들 勤勞者들을 이라크 터어키
       接境都市 자코에 安全하게 보호하고 있고, 또한
       我側에 인도하는데 하등의 條件이 없으며, 시리아
       關係機關에 인도, 早速히 歸國토록 協調 할것을
       約束함

   다. 이들 勤勞者들(방글라데시勤勞者 7名도 同行)은
       이라크 자코 地域으로 시리아 國境을 넘는
       시리아 입국 지역까지로 3.28. (21:30 현지시간)
       이라크 國境을 넘어 시리아 入國과 同時에
       쿠르디스탄 愛國同盟側으로 부터 시리아 當局에
       引繼됨

0063

라. 同 勤勞者 一行은 ~~티그라스강 지류 나흐르더자흐~~
~~江邊에 滯留中~~ 3. 29. 시리아 카미시리 到着,
駐요르단 公館 雇傭員 박웅철과 함께 시리아군
情報機關에서 必要한 入國 手續中이며, 이들
全員은 無事함이 確認됨

2. 措置事項

가. 同 一行의 시리아 入國 手續 完了 即時 上記 公館
雇傭員과 함께 다마스커스로 車便 出發 豫定임

나. 이들의 다마스커스 到着(3. 30)後 一時 休息을
취하게 하고, 시리아 派遣 駐요르단 김參事官 및
現代 박課長 引率아래 3. 31. (현지시간) 요르단
入國 措置 豫定.

- 끝 -

0064

외　무　부

관리
번호

종　별 :

번　호 : JOW-0322　　　　　　　　　　일　시 : 91 0330 1500

수　신 : 장관(중동일,중동이,기정)

발　신 : 주 요르단 대사

제　목 : 아국 근로자 귀환

　　　연:JOW-0321

　　1. 연호 현대근로자 5 명(현대고용 방글라데시 7 명 포함)은 3.29. 24:00 시리아
당국으로부터 입국협조를 끝내고 3.30. 02:00 경 카미시리를 출발 당관 고용원의
안내로 이동, 금일 11:30 경 다마스커스에 택시편으로 무사히 도착하였음

　　2. 동일행 12 명(방글라인 포함)에 대한 요르단 입국 문제는 관계부서(외무성및
내무성)와 교섭하여 비자없이 입국이 허용되도록 조치하였음

　　3. 현지 보고에 의하면 다마스커스에 도착한 일행 모두 건강한 상태이며 금일
오후에라도 암만으로 출발할수 있기를 희망하고 있어 금일 14:30 다마스커스를
출발,19:00 경 당지도착예정임(당관직원 1 명을 입국절차 협조차 국경파견)

　　4. 동일행의 당지 출국문제는 최단 항공편이 확보되는데로 추보예정임(3.31.
출국편 확보중임)

　　(대사 박태진-차관)

　　예고:91.6.30 일반

추가배포:
공보관실
천성부

중아국 2차보　　중아국　　영교국　　안기부　　노동부

PAGE 1

91.03.30　　23:28
외신 2과 통제관 CH
0065

외 무 부

종 별 :

번 호 : JOW-0322

일 시 : 91 0330 1500

수 신 : 장관(중동일,중동이,기정)

발 신 : 주 요르단 대사

제 목 : 아국 근로자 귀환

*예 요르단입국보고
→ 대략만 보려
(FAX)*

연:JOW-0321

1. 연호 현대근로자 5 명(현대고용 방글라데시 7 명 포함)은 3.29. 24:00 시리아 당국으로부터 입국협조를 끝내고 3.30. 02:00 경 카미시리를 출발 당관 고용원의 안내로 이동, 금일 11:30 경 다마스커스에 택시편으로 무사히 도착하였음

2. 동일행 12 명(방글라인 포함)에 대한 요르단 입국 문제는 관계부서(외무성및 내무성)와 교섭하여 비자없이 입국이 허용되도록 조치하였음

3. 현지 보고에 의하면 다마스커스에 도착한 일행 모두 건강한 상태이며 금일 오후에라도 암만으로 출발할수 있기를 희망하고 있어 금일 14:30 다마스커스를 출발,19:00 경 당지도착예정임(당관직원 1 명을 입국절차 협조차 국경파견)

4. 동일행의 당지 출국문제는 최단 항공편이 확보되는데로 추보예정임(3.31. 출국편 확보중임)

(대사 박태진-차관)

예고:91.6.30 일반

*추가배포→
공보관실.
건설부*

*사본→
주 터어키
이 란
방글라 에서 대사
송부됨*

중아국　2차보　　중아국　　영교국　　안기부　　노동부

PAGE 1

91.03.30　23:28

외신 2과　통제관 CH
0066

外務部 걸프戰 事後 對策班

題 目 : 抑留 現代 勤勞者 釋放

91. 3. 30.
中東 1 課

1. 釋放 經緯 및 過程 (駐요르단 公館 報告)

  가. 3.27. 駐요르단 김균 參事官, 박웅철 雇備員과 現代 박課長이 抑留
  　　現代勤勞者 5名에 대한 釋放 交涉次 시리아 다마스커스에 到着하고,
  　　滯留 호텔을 訪問한 쿠르디스탄 愛國同盟(PUK) 責任者 Dr. Kamal Fuad를
  　　面談, 이들의 早速한 釋放 協調를 要請함.

  나. 同 PUK 責任者는 이들 勤勞者들을 이라크 터어키 接境都市 자코에
  　　安全하게 보호하고 있고, 또한 我側에 인도하는데 하등의 條件이
  　　없으며, 시리아 關係機關에 인도, 早速히 歸國토록 協調 할것을
  　　約束함

  다. 이들 勤勞者들(현대소속 방글라데시勤勞者 7名도 同行)은 이라크 자코
  　　地域에서 시리아 國境을 지나려고 시도 하였으나, 폭우로 인한 동지역
  　　범람으로 시리아 入國이 遲延되던중 3.28.(21:30 현지시간) 이라크
  　　國境을 넘어 시리아에 入國 하였으며, PUK側으로 부터 시리아 當局에
  　　引繼됨

  라. 同 勤勞者 一行은 3.29. 시리아 카미시리에 到着, 駐요르단 公館 雇備員
  　　박웅철과 함께 시리아군 情報機關에서 必要한 入國 手續中이라 하며,
  　　이들 全員은 無事함이 確認됨

2. 措置事項

  가. 同 一行의 시리아 入國 手續 完了 卽時 上記 公館 雇備員과 함께
  　　다마스커스로 車便 出發 豫定임

  나. 이들의 다마스커스 到着(3.30)後 一時 休息을 취하게 하고, 시리아 派遣
  　　駐요르단 김參事官 및 現代 박課長 引率아래 3.31.(현지시간) 요르단에
  　　入國토록 措置할 豫定임.　　　　　　- 끝 -

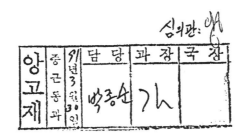

0067

外務部 걸프戰 事後 對策班

題 目 : 억류 현대근로자 석방

91. 3. 31.
中 東 1 課

1. 석방경위 및 과정 (주 요르단 공관 보고)

   가. 3.27. 주요르단 김균 참사관, 박웅철 고용원과 현대 박과장이 억류
       현대 근로자 5명에 대한 석방교섭차 시리아 다마스커스에 도착하고,
       체류 호텔을 방문중인 쿠르디스탄 애국 동맹(PUK) 책임자
       Dr. Kamal Fuad를 면담, 이들의 조속한 석방 협조를 요청 함.

   나. 동 PUK 책임자는 이들 근로자들을 이라크, 터어키 접경도시 자코에
       안전하게 보호하고 있고, 또한 아측에 인도하는데 하등의 조건이 없으며,
       아측에 인도하는데 하등의 조건이 없으며, 시리아 관계 기관에 인도,
       조속히 귀국토록 협조할 것을 약속함.

   다. 이들 근로자(현대소속 방글라데시 근로자 7명도 동행)은 이라크
       자코에서 3.28. 이라크 국경을 넘어 PUK측으로 부터 시리아 당국에
       인계돼 3.29. 시리아 카미시리에서 주요르단 공관원과 동행 시리아
       당국으로부터 입국 협조를 얻어 3.30 다마스커스에 도착하여 3.31.
       23:00 (한국시간) 요르단에 무사히 입국 하였으며, 일행 모두 건강한
       상태임.

2. 조치사항

   o 이들 일행의 요르단 출국을 위해 최단 항공편 주선중이며, 항공편
       확보되는 데로 귀국 조치 예정임.   끝.

0068

관리
번호

외 무 부

종 별 :

번 호 : JOW-0325   ~~WTU-0148~~   910401 0839 BX

일 시 : 91 0331 1800
WIR -0286   WBA -0121

수 신 : 장 관(중동일,중동이,기정)

발 신 : 주 요르단 대사

제 목 : 아국근로자 귀환 지연

연:JOW-0322

1. 연호 현대근로자 아국인 5명 및 방글라데시인 7명은 3.30. 17:00 경 요르단 접경 시리아 국경에 도착 출국수속을 하던중, 동인들이 이라크로부터 시리아 입국시 군당국의 검열 날인이 누락되어 출국에 다소 문제가 발생함. 김참사관은 공관 고용원의 급환으로 13:30 경 1시간 먼저 암만으로 출발하였었음

2. 이에 당관과 현대측은 아측 협조자와 긴밀히 협조 출국교섭을 하였으나 그때 책임자가 모두 퇴근하였었고 익일인 금 31일도 시리아의 공휴일이되어 동 문제의 최종 결재자인 내부장관과 이민국장 모두 휴일을 이용 지방출타중이어서 최종 허가를 받지못해 출국이 지연되고 있음

3. 아측 협조자는 명 4.1. 오전 상기 내부장관과 이민국장이 출근할것이므로 오전중 결말이 나서 곧 암만으로 출발할수 있을것이라함

4. 진전사항 및 귀국 항공편 추보 위계임

(대사 박태진-차관)

예고:91.6.30 일반

추가 배포 →
공보관실. 건설부

사본 →
주 터어키
이란
방글라데시 대사
송부요

중아국   장관   차관   1차보   2차보   중아국   청와대   안기부

외 무 부

종 별 : 긴 급

번 호 : JOW-0329   일 시 : 91 0401 2200

수 신 : 장관(중동일,중동이,기정)사본:주 방글라데시 대사

발 신 : 주 요르단 대사

제 목 : 아국 근로자 요르단 도착

연:JOW-0325

1. 연호 현대근로자 아국인 5 명및 방글라데시인 7 명은 4.1. 19:00 암만에도착함

2. 본직은 동아국 근로자및 현대 관계자등을 관전만찬에 초대, 그간의 노고를
위로하였음

3. 동일행의 귀국일정은 다음과 같음

4.2. 05:00 암만 출발(RJ606 편)

4.2. 20:30 바레인 출발(CX200 편)

4.3. 12:15 홍콩출발(CX410 편)

4.3. 17:50 서울도착(CX410 편)

4. 방글라데시 7 인도 4.2. 당지를 출발 4.3. 다카 도착 예정임

(대사 박태진-국장)

예고:91.6.30 일반

외 무 부

종 별 : 지 급

번 호 : JOW-0332 일 시 : 91 0402 1600

수 신 : 장 관(중동일,중동이,기정)

발 신 : 주 요르단 대사

제 목 : 현대근로자 귀국

연:JOW-0329

연호 근로자 일행의 항공편(RJ606) 당지 출발이 4.3. 07:00 로 연기되어, CX 410
편 4.4. 16:30 서울도착함

(대사 박태진-국장)

예고:91.6.30 일반

중아국   중아국   안기부

관리번호 91/435

외 무 부

종 별 : 지 급

번 호 : JOW-0333

일 시 : 91 0402 1600

수 신 : 장 관(중동일,중동이,기정)

발 신 : 주 요르단 대사

제 목 : 아국 근로자 귀환에 대한 협조

연:JOW-0329

1. 금번 아국 근로자 시리아 경유 무사귀환과 관련, 그간 적극 협력한 협조자 BASEL ESREB 및 TLAS 국방장관이 군정보부 기관, 내무성등에 직접 영향력을 행사하여 동건해결이 가능케 되었음에 따라 어떠한 형태로라도 아측의 동인들에 대한 사의표명이 전달되는 것이 바람직하겠음

2. 시리아와의 관계개전등을 감안, 금번 협조에 사의를 표하는 서한을 지면이 있는 차관 또는 본직명의로 발송함이 좋을것으로 사료되는바 검토후 회시바람(협조자에게는 방한초청 포함)

(대사 박태진-국장)

예고:91.6.30 일반

중아국   중아국   안기부

PAGE 1

91.04.02   23:57
외신 2과 통제관 DO

0072

<table>
<tr><td>분류번호</td><td>보존기간</td></tr>
<tr><td></td><td></td></tr>
</table>

발 신 전 보

번 호 : WJO-0334   910423 1628 DU   종별 : _____

수 신 : 주 요르단 대사. 총영사!

발 신 : 장 관 (중동일)

제 목 : 아국 근로자 귀환에 대한 협조

연 : JOW-0329, 0333

1. 대호 관련, 아국 근로자의 시리아 경유 무사 귀환에 적극 협력한 시리아
   협조자 BASEL ESRAB 및 시리아 TLAS 국방장관에게 사의를 표하는 귀직 명의
   서한을 작성, 적의 발송 조치 바람.

2. 협조자 ESRAB 방한 초청건은 현재로서는 거론하지 않는것이 좋겠음.

(중동아국장   이 해 순)

예 고 : 1991.6.30. 일반

중동2과장

<table>
<tr><td rowspan="2">앙
고
재</td><td rowspan="2">91
년4
월22
일</td><td rowspan="2">중
동1
과</td><td>기안자
성명</td><td></td><td>과 장</td><td>심의관</td><td>국 장</td><td></td><td>차 관</td><td>장 관</td></tr>
<tr><td>박종순</td><td></td><td></td><td></td><td>전결</td><td></td><td></td><td></td></tr>
</table>

보 안
통 제

외신과통제

0073

3. 특파원 동향

0074

발 신 전 보

분류번호	보존기간

번 호 : WJO-0364 900928 1840 CG 종별 :

수 신 : 주 요르단 대사. 총영사 (사본 : 주 이라크 대사) WBG-0485

발 신 : 장 관 대리 (중근동)

제 목 : 경향신문 기자 방문

경향신문 이종탁(LEE JONG TAK) 기자는 페만사태 취재를 위해 10.1.

12:45 CF 871편 귀지 도착 예정인바 아래와 같이 협조하여 주기 바람.

1. 바그다드에 조기 도착토록 편의 제공

2. 귀지에 적절한 호텔 예약

3. 주 이라크 대사관 연락등 여타 취재 편의 제공 . 끝.

(중동아국장 이 두 복)

앙 고 재	기안자 성 명	과 장	국 장	차 관	장 관

외신과통제

발 신 전 보

분류번호 보존기간

번 호 : WJO-0367   900929 1152   FA   종별 :

수 신 : 주 요르단 대사. 13/18/18/

발 신 : 장 관 (중근동)

제 목 : 경향 신문 기자 방문

연 : WJO - 0364

연호 이종 탁기자의 귀지 도착 일정이 10. 1. 18:30(RJ181)로
변경되었음. 끝.

(중동아국장 이 두 복)

앙고재		기안자 성명		과장	심의관	국장		차관	장관

보 안 통 제

외신과통제

0076

외 무 부

종 별 :

번 호 : BGW-0038

일 시 : 91 0109 1700

수 신 : 장관(공보,중근동)

발 신 : 주 이라크 대사

제 목 : 아국기자방문

대:BGW-0017

1. 대호관련 금 1.9 몇몇 아국언론사에서도 당관으로 전화, 당지취재계획을밝힌바있음(현재까지 KBS 3, MBC 4, 동아 1, 조선 1 명이 당지 입국 준비중으로 파악됨)

2. 상기와관련, 본직은 당지 잔류아국인을 최대한 철수시키려는 정부방침과본부의 걸프지역 여행자제 방침, 그리고 당지출발 항공편이 1.15 까지 만원이어서 출국이 매이 어려우며 주재국실정상 취재활동이 용이치 않은점등을 설명, 가급적 이시기에 당지에 입국치 말도록 권고하였는바, 여사한 사정에 비추어 본부에서도 아국기자의 당지입국은 자제하도록 조치해주시기를 건의함. 끝

(대사 최봉름-국장)

예고:91.6.30.까지

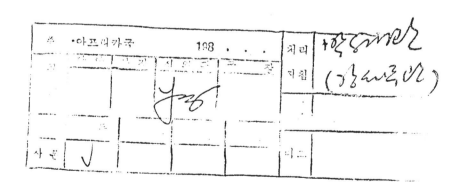

| 공보 | 차관 | 1차보 | 2차보 | 중아국 | 청와대 | 안기부 |

PAGE 1

외 무 부

종 별 : 긴 급

번 호 : JOW-0086

일 시 : 91 0120 1300

수 신 : 장 관(중근동,대책본부장,공보,기정)

발 신 : 주 요르단 대사

제 목 : 당지 취재 특파원 동향

1. 당지 체류 김관상 기장등 KBS팀 3인, 조선일보 김성용기자 및 정동영 기자등

MBC 팀 3인 계 7인은 금 1.20 오전 취재차 이스라엘에 입국함.

MBC팀은 명 21일 암만으로 귀환 예정이라함

2. 서울(2인), 한국, 경향, 중아, 국민, 동아 및 연봉기자등 8인들도 주재국 정부의

출국및 재입국 비자를 받고 명 21일 취재차 이스라엘 입국 예정임

(대사 박태진-국장)

중아국 안기부	장관 대책반	차관	1차보	공보	정문국	상황실	정와대	종리실

PAGE 1

91.01.20   20:35 BX

외신 1과 통제관

0078

요르단 체류 특파원 동정

(91.1.21 정신구 영사와 통화)

o MBC 4명 귀국예정 (1.21 암만 출발)

o 14 명 ~~귀국~~ 이스라엘 입국

o 잔여 4명은 요르단에 계속 잔류

양 교 제	년 근 과	월 일 임	담 당	과 장	국 장

0079

외교부 이남렬

KST 1. 22(화) 18:30 현재

MBC   KBS   카이로
정동영 L.A.특   이영일 L.A.   씨메 주섭일
조한민 London 한남주 L.A.Eng. 카이로
이미애 Audi
윤득한 Paris

MBC
4명 제네

이스라엘
서울   김국겸 룩셈부르그 ⊕   Tel Aviv
한국   이상철. 강병태,
경향   김종두 ⑩
중앙   백명복 ⑩
국민   연성덕(귀),
동아   박범희 ⑩
연통   득영준 ⑪
조선   김성용 ⑩
KBS   김한성 ⑩
      이행기 ⑭
      백희명

0080

걸프지역 특파원 현황

(91.1.22. 18:30시 현재)

언론사	요르단(암만)	이스라엘	이집트(카이로)
서 울		김주혁 류재림(사)	
조 선		김성용	
한 국		이상석 강병태	
세 계	¡		주섭일
동 아		반병희	
중 앙		배명복	
국 민		염성덕 김창용	
경 향		김종두	
연 통		유영준	
K B S	이영일 황성규(사)	김관상 이형기(사) 박희명(사)	
M B C	정동영 조항민(사) 이미애(사) 윤두환 (1.22 귀국예정) 강성주 이진숙 서태경(사) 황성희(사)		
계	10	14	1

※ (사) 사진기자

0081

외 무 부

종 별 :

번 호 : JOW-0107　　　　　　　　　일 시 : 91 0123 1700

수 신 : 장 관(중근동,대책반,공보,기정)

발 신 : 주 요르단 대사

제 목 : 체류기자현황

연: JOW-0100

　　1.21. 이스라엘에 입국했던 한국일보 이상덕, 경향신문 김종두, 국민일보 염성덕 기자가 1.23. 암만으로 귀환 함으로써, 금 23일 현재 체류기자는 그간 당지에 있던MBC (정동영, 조항민, 이미애, 윤두환) 4인 및 KBS (이영일, 황성규) 2인을 포함 계9명임

　　(대사 박태진-국장)

중아국 안기부	장관 공보처	차관	1차보	2차보	미주국	중아국	청와대	총리실

PAGE 1

외 무 부

종 별 :

번 호 : JOW-0112   일 시 : 91 0126 1100

수 신 : 장 관(중근동,대책본부장,공보,기정)

발 신 : 주 요르단 대사

제 목 : 체류기자 현황

연:JOW-0107

1.21. 이스라엘에 입국했던 동아일보 반병희기자가 1.25. 암만으로 귀환하였고 조선일보 설완식 기자가 서울로 부터(파리경유) 당지 도착함으로서 금 26일 당지 체류기자는   연호   기체류   기자   9명(MBC 정동영,조항민,윤두환,이미애,KBS이영일,황성규,한국   이상덕,경향   김종두,국민 염성덕)포함 11명임

(대사 박태진-국장)

중아국   공보   안기부   대책반

PAGE 1

91.01.27   00:29 DQ

외신 1과 통제관

0083

외 무 부

종 별 :

번 호 : JOW-0116   일 시 : 91 0127 0930

수 신 : 장 관 (중근동,대책본부,공보,기정)

발 신 : 주 요르단 대사

제 목 : 체류기자현황

연 : JOW-0112

1. 작 26일 MBC의 김영일, 최세훈 베를린 특파원이 당지에 도착함

2. 금 27일 현재 당지 체류 기자는 총 13명으로 다음과같음

MBC : 정동영, 조항민, 이매애 (LA특파원)

김영일, 최세훈 (베를린 특파원)

윤도환

KBS : 이영일, 황성규 (LA 특파원)

한국 : 이상석

조선 : 설완식

동아 : 반병희

경향 : 김종두

국민 : 염성덕

(대사 박태진-국장)

중아국	장관	차관	1차보	2차보	공보	정문국	정와대	총리실
안기부	공보처	대책반						

PAGE 1

외 무 부

종 별 :

번 호 : JOW-0122   일 시 : 91 0128 1220

수 신 : 장 관(중근동,대책본부,공보,정홍,기정)

발 신 : 주 요르단 대사

제 목 : MBC 특파원 국왕단독 인터뷰

연:JOW-0111

1. 당지 체류중인 MBC 정동영 특파원은 1.27 15:30 부터 후세인 국왕과 왕궁 국왕집무실에서 약 30분간 13개 항목의 걸프전쟁 전반에 관한 단독 인터뷰를 가졌음

2. 상기 인터뷰는 MBC 특파원 측에서 PRESSCENTER에 인터뷰 신청을 한후 당관에서 왕실 공보관에게 협조 요청하여 이루어 졌으나, 금번 이례적인 MBC 와의 단독 인터뷰의 허용은 연호 당지 교민(정인숙)의 국왕치료에 대한 국왕의 호의적인 특별배려도 작용하였을 것으로 보여짐

(대사 박태진-국장)

중아국	장관	차관	1차보	2차보	공보	미주국	정문국	청와대
총리실	안기부	대책반						

PAGE 1

91.01.28   20:42 DA

외신 1과 통제관

0085

외 무 부

종 별 :

번 호 : JOW-0127   일 시 : 91 0129 1430

수 신 : 장 관(중근동,대책본부,공보,기정)

발 신 : 주 요르단 대사

제 목 : 체류기자 현황

연:JOW-0116

국민일보의 염성덕 기자가 금 29일 11:00 당지발 항공편 (RJ107편) 비엔나,
프랑크프르트 경유, 귀국함으로써 당지 체류기자는 12명임

(대사 박태진-국장)

중아국   2차보   공보   중아국   정문국   안기부

91.01.30   01:18 CG

외신 1과 통제관

0086

외 무 부

종 별 :

번 호 : JOW-0131   일 시 : 91 0131 1000

수 신 : 장 관(중근동,대책본부,공보,기정)

발 신 : 주 요르단 대사

제 목 : 체류기자현황

연 : JOW-0127

1. MBC LA 특파원팀(정동영,조항민,이미애) 3인 및 MBC 윤도환 기자는 금 31일 11:00 당지발 항공편 (RJ107편) 비엔나 경유,각각 LA 및 서울로 향발함

2. 금 31일 현재 당지 체류 기자는 8명인바 명단은다음과 같음

KBS 이영일,황성규(LA 특파원)

MBC 김영일,최세훈(베를린 특파원)

한국 이상석

조선 설완식

동아 반병희

경향 김종두

(대사 박태진-국장)

중아국   공보   안기부   대책반

외 무 부

종 별 :

번 호 : JOW-0141

일 시 : 91 0202 1300

수 신 : 장 관(중근동,대책본부,공보,기정)

발 신 : 주 요르단 대사

제 목 : 체류기자 동향

연: JOW-0131

1.작 2.1. KBS 김진석, 김민수, 동아일보의 김광원및 한계레 신문의 김종구 기자가 당지에 도착함

2.금일 현재 당지 체류 기자는 상기 4인포함 총 12인임

(대사 박태진-국장)

중아국 안기부	장관	차관	1차보	2차보	공보	미주국	청와대	총리실

PAGE 1

91.02.02   22:24 DA

외신 1과 통제관

0088

외 무 부

종   별 :

번   호 : JOW-0145   일   시 : 91 0203 0940

수   신 : 장 관 (중근동,대책본부,공보,기정)

발   신 : 주 요르단 대사

제   목 : 체류기자현황

    연: JOW-0141

    1. KBS LA 특파원 이영일, 황성규 2인및 동아일보 반병희 기자는 금 3일 11:00
당지발 항공편(RJ 107)비엔나 경유, 각각 LA 및 서울로 향발함

    2. 금 3일현재 당지체류 기자는 9명인바 동명단은 다음과 같음

    MBC 김영일, 최세훈(베를린 특파원)

    KBS 김진석, 김민수

    한국 이상석

    조선 설완식

    한계레 김종구

    동아 김광원

    경향 김종두

    (대사 박태진-국장)

중아국   공보   안기부   대책반

PAGE 1   91.02.03   17:25 FC

외 무 부

종 별 :

번 호 : JOW-0149

일 시 : 91 0203 1500

수 신 : 장 관(중근동,대책본부,공보,기정)

발 신 : 주 요르단 대사

제 목 : 특파원 동향

1. 당지에서 취재중인 KBS, 한국, 조선, 동아, 한겨레, 경향등 일부 기자들은 이라크 입국을 위해 당지 이라크 대사관에 비자 신청중에 있는바, 당관으로서는 신변안전을 고려, 동국 입국 자제를 설득하고 있으나 비자가 나올경우, 서방기자들과 함께 일부 아국 기자들도 이라크에 입국 취재하게 될 가능성이 있음

2. 동아및 조선일보의 기자가 시리아 입국을 희망한바 있으나, 미수교 관련문제및 신변안전등을 감안한 당관의 권고로 시리아 입국 희망을 철회하였던바 있음

3. 이라크 입국취재는 종군 기자적 성격상 서방기자들과 함께 위험을 무릅쓰고 끝까지 주장할 경우 불가피 할것으로 보고있음

(대사 박태진-국장)

91.6.30 까지

중아국	장관	차관	1차보	2차보	공보처	청와대	총리실	인기부

外務部 걸프事態 非常對策 本部

題 目 : 요르단 체류 일부 특파원 이라크 입국 비자 신청   1991. 2 . 4 .

1. 현 황

o 91.2.3 현재 요르단에서 취재활동중인 9명의 아국 특파원중 KBS, 한국, 조선, 동아, 한겨레, 경향등 일부기자들이 이라크 입국을 위해 요르단 주재 이라크 대사관에 비자를 신청중임.

o 주요르단 대사관은 이들의 신변 안전을 고려, 이라크 입국 자제를 설득 중이나, 비자가 나올경우 서방기자들과 함께 일부 아국기자들도 이라크에 입국, 취재하게될 가능성이 있음.

o 이라크 입국 취재는 종군기자적 성격상 서방기자들과 함께 위험을 무릅쓰고 끝까지 주장 할 경우 불가피할 것으로 보임.

o 참고로, 동아 및 조선일보 특파원이 시리아 입국을 희망한바 있으나, 미수교 관련문제 및 신변안전등을 감안한 주요르단 대사관의 권고로 시리아 입국을 철회한바 있음.

2. 조치사항

o 요르단에 특파원을 파견하고 있는 각 언론기관에 최근 다국적군의 이라크 공습 강화, 이라크측의 이에 대응한 화학전 및 테러 가능성등을 설명하고 신변안전을 고려, 자사 특파원들이 이라크 입국을 자제토록 강력히 권고할 예정임. (공보관실)

o 연이나, 이라크 입국 취재가 종군기자적 성격으로 입국을 강행 할 경우 이라크내 아국 공관이 철수된 상황에서 이들의 신변보호가 불가능하다는 점을 주요르단 대사관을 통해 이들에게 주지시킬 예정임.

본부장 :

담 당	과 장	심의관	국 장	본부장

0091

관리	
번호	

분류번호	보존기간

발 신 전 보

번 호 : WJO-0149   910205 1105 FH   종별 : 긴급

수 신 : 주 요르단   대사.//총영사

발 신 : 장 관 (중근동)

제 목 :

대 : JOW-0149

　　　1. 대호관련, 귀지에서 취재 활동중인 아국 특파원들이 이라크 입국을
강행, 종군기자 성격으로 이라크내 취재 활동을 할 경우, 이라크 주재 아국
공관이 철수된 상황에서 이들의 신변보호가 불가능하다는 점을 이들에게 주지시켜,
이라크 입국을 자제토록 거듭 권유 바람.

　　　2. 본부에서도 상기 특파원의 이라크 입국을 자제하게끔 소속 본사에
강력 권고할 예정임. 끝.

　　　　　　　　　　　　　　　　　　　　　　(중동아국장 이 해 순)

예 고 : 91.6.30. 까지

		기안자 성명	과장	심의관	국장	차관	장관
앙고재	91년 2월 4일 중근동화	이종순			전결		

보 안 통 제 74

외신과통제

0092

요르단 및 이스라엘 특파원 동향 (91.2.5. 현재)

1. 요르단 특파원(9명)

   o   M B C   : 김영일, 최세훈

   o   K B S   : 김진석, 김민수

   o   한 국   : 이상석

   o   조 선   : 설완식

   o   한겨레   : 김종구

   o   동 아   : 김광원

   o   경 향   : 김종두

2. 이스라엘 특파원 (9명)

   o   KBS : 3명

   o   연통, 서울, 중앙, 경향, 조선, 국민 각 1명.   끝.

0093

91.2.5.

수신 : 각언론사 외신부장 또는 국제부장
참조 : 정치부장
발신 : 외무부 공보관
제목 : 걸프지역 취재 관련 협조 (4)

　　　　　주 요르단 대사의 보고에 의하면 현지에서 취재활동 중인 우리나라
특파원중 몇 분이 이라크 입국을 위해 요르단 주재 이라크 대사관에 입국
비자를 신청중이라 합니다.

　　　　　그러나 주지하시는 바와 같이 최근 다국적군의 대 이라크 공습이 계속
강화되고 있고, 전면 지상전이 언제 개시될지도 모르는 상황이며, 더우기 화학.
생물학전의 위험마저 따르고 있어 현 싯점에서 이라크에 입국한다는 것은 매우
위험하다고 판단됩니다. 　뿐만아니라 현재 이라크내에는 입국 특파원들의 신변
안전을 보장받을 수 있는 외교적 수단도 존재하지 않는 실정입니다.

　　　　　이러한 제반 사정을 고려하여, 앞으로도 당분간 우리 특파원들이
이라크에 입국하시는 일이 없도록 각 언론사의 각별하신 협조를 다시 한번
간곡히 부탁드립니다. 　　끝.

0094

_ _ _ 란민 한국특파원 현황

91.2.11 15:00
(공보정책실)

O 파 견 내 역
  - 요르단(암만) : 6개사 10명 (경향,조선,한국,   — 8.
                              한겨레,KBS, MBC)
  - 이스라엘(텔아비브,예루살렘) : 8개사 12명   —12
                              (중앙,경향,국민,조선
                              한국,연합,KBS,MBC)
  - 사우디(리야드,다란) : 3개사 17명(동아,KBS,MBC) 17
  - 이집트(카이로) : 1개사 2명(서울)
  - 시리아(다마스커스) : 1개사 1명 (동아)

O 동   향
  - (동아) 2.10 김광원(외신부)암만에서 다마스커스 이동
         2.11 연국희(외신부 차장),김철환(사진부)
              사우디(리야드) 도착
  - (MBC) 2.11 취재진 6명 사우디 도착
     * 취 재 진
       . 리야드 : 취재(구본학),카메라(심승보,박기태)
       . 다 란 : 취재(박수택),카메라(이상이,이문세)
     * 취재일정 : 약 1개월 예정이며 귀국일자는 미확정

  - (KBS) 2.11 취재진 4명 사우디(리야드) 도착
     * 취재진
       . 박성범(9시뉴스 현지진행) : 2.14 귀국예정
       . 김종률(PD),김필건(ENG),임정규(위성기술)
          : 2.17 귀국예정

0095

- 공군수송단 동행 취재진 18명 파견계획
  . 국방부 출입기자단측은 당초 출입기자단 15명
    전원과 카메라5명(자체선정)으로 취재진을 구성,
    공군 수송단 동행 취재를 국방부에 요청.
  . 출입기자단은 2.8 국군의료지원단 귀국관련
    문제로 징계조치된 세계일보 박광주기자를 제외한
    14명과 카메라"풀" 4명(자체선정)으로 취재진 확정
    (명단별첨)
  . 국방부측은 주한 사우디대사관에 동 취재진의
    비자신청중
    * 2.19 취재진 출발예정

○ 인원 변동

당초(1.15)	현재(2.11)	증 감
21 명	42 명	21

  * 증감내역(증원 22명, 철수 1명)
    . 동아 2명 증원
    . 경향 1명   "
    . 조선 1명   "
    . 한국 1명   "
    . KBS 11명   "
    . MBC 6명   "
    . 세계 1명 철수

첨 부 : 1. 공군수송단 동행 취재진 현황 1부.
        2. 각 언론사 "걸프"지역 특파원 현황 1부.

0096

외 무 부

종 별 :

번 호 : JOW-0172   일 시 : 91 0211 1200

수 신 : 장 관(중일,대책본부,공보,기정)

발 신 : 주 요르단 대사

제 목 : 기자체류현황

연:JOW-0159

1. 작 2.10 연합통신의 서옥석 방콕주재 특파원이 당지에 도착함

2. 금 2.11 현재 당지 체류기자는 총 12명인바 동명단은 다음과 같음

KBS:오건환,이철영(2명 부다페스트 특파원),김진석,김민수

MBC:김영일,최세훈(2명 베를린 특파원)

연통:서옥석(방콕 특파원)

한국:이상석

조선:설완식

한겨레:김종구

동아:김광원

경향:김종두

(대사 박태진-국장)

중아국 안기부	장관	차관	1차보	2차보	공보	청와대	총리실	안기부

PAGE 1

91.02.11   21:43 BX

외신 1과 통제관

0097

외 무 부

종 별 :

번 호 : JOW-0176

수 신 : 장 관(중일,대책본부,공보,기정)

발 신 : 주 요르단 대사

제 목 : 체류기자 현황

일 시 : 91 0213 1130

연:JOW-0172

1.금 2.13. 중앙일보의 진세근, KBS 의 김진화, 양용철 기자 3인이 당지에 도착함

2.동아(김광원), 한겨레(김종구), 경향(김종두)및 조선(설완식)의 4기자가 2.11 시리아를 방문, 경향및 조선은 2.12. 당지에 귀환하였으나 동아및 한겨레는 2.13. 항공편 사정에 따라 카이로 방문후 당지로 돌아올것이라 함

3.상기 4인은 당관에서 시리아 방문을 자제해줄것을 당부했음에도 대사관에 사전통보없이 다마스커스를 방문한 사례인바, 당지에서 기자들의 통제에 어려움이 있음

4.금 13일 현재 당지체류 기자는 총 13명임

(대사 박태진-국장)

중아국   1차보   공보   안기부   대책반

91.02.13   21:01 DQ

외신 1과   통제관

0098

외 무 부

종 별 : 지 급

번 호 : JOW-0184

일 시 : 91 0215 1300

수 신 : 장 관(중일,중이,대책본부,기정)

발 신 : 주 요 르 단 대사

제 목 : 반민.반다국적군 시위

연:JOW-0183

대:WJO-0176

1. 2.13. 다국적군의 민간인 공습에 대한 주재국 정부의 강력한 비난이 있자 약 300 여명의 시민들이 이에 동조 2.14. 오후부터 늦게까지 미대사관, 이집트 대사관 및 유엔기관앞에서 항의 시위를 전개하였으며, 일부 시위자들이 양대사관에 투석하여 이집트 대사관 유리창 일부가 파손되기도 함

2. 동 현장을 취재중이던 연합통신 서옥식 및 중앙일보의 진세근 기자를 시위자들은 일본인으로 오인, 일본에 대한 심한 욕설과 함께 한차례 발길질이 있었으며, 서기자의 카메라가 한 시위자에 의해 일시 탈취되었으나 즉시 경찰에서 이를 회수하여 주었음. 또한 영국의 체널 TV, 센데이 타임즈 및 중국기자(일본인으로 오인)도 유사한 폭언과 폭행을 당함

3. 취재 기자들에 대한 보호의뢰는 금 15일이 공휴일인 관계상 명일 취할 예정이며, 기자들에게도 각별 주의할것을 당부함.

(대사 박태진-국장)

사본→공보처 (FAX)

중아국	장관	차관	1차보	2차보	중아국	청와대	안기부

전 언 통 신 문

91.2.15. 16:25

수 신 : 외무부장관
발 신 : 공보처장관
제 목 : 특파원 안전 협조

1. 91.2.14. 요르단의 암만에서 현지인의 시위를 취재중이던 한국
    기자들이 폭행, 욕설, 카메라 탈취를 당하는등 불상사가 발생
    하였다고 보도 됐는바,

2. 현지에 특파되어 있는 한국기자들의 취재 활동과 신변 안전보호를
    위해 기자들에 대한 현지 사정 안내와 현지 정부에 대한 신변 보호
    요청등 필요한 조치를 취하여 주시기 바랍니다.   끝.

송화자 : 공보처 상황실   박찬계
수화자 : 외무부 대책반   서승열

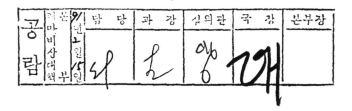

공람	접수마비상대책부	91년2월15일	담 당	과 장	심의관	국 장	본부장

0100

430 걸프 사태 재외동포 철수 및 보호 4: 이스라엘, 모리타니아, 걸프지역

수신 : 외무부, 아주국장님

발신 H1-014 SO5 외신(1022)

韓國기자들, 오늘 現지에서 反戰·平和데모에
參加 ─ 反戰示威의 反戰, 反戰示威位 위치 등

(중략)

米 KBS, MBC, SBS 報道

(YONHAP) 910215 1103 KST

P.1

FEB 15 '90 14:31

발 신 전 보

번   호 : WJO-0176   910215 1835   종별 : 암호 송신

수   신 : 주 요르단   대사. /총영사/

발   신 : 장 관 (중동일)

제   목 : 특파원 안전

　　　금 2.15. 연합통신, KBS, MBC 보도에 의하면 ◼.2.14. 요르단의 암만에서
현지인의 반미 시위를 취재중이던 아국 특파원들이 폭행, 카메라 탈취를 당하는등
불상사가 발생했다고 하는바 확인 보고 바라며, 귀지 취재중인 아국 특파원들이
안전에 유의하도록 주의 환기하고 필요시 주재국 정부에도 협조 요청 바람. 끝.

　　　　　　　　　　　　　　　(중동아국장   이 해 순)

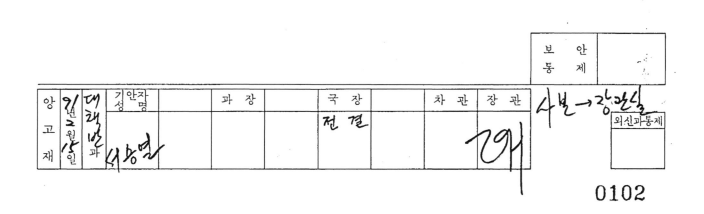

앙 고 재		기안자 성명	과 장	국 장	차 관	장 관	
				전 결			외신과통제

0102

외 무 부

종 별 :

번 호 : JOW-0189

일 시 : 91 0216 1600

수 신 : 장 관(중일,대책본부,공보,기정)

발 신 : 주 요르단 대사

제 목 : 체류기자 현황

연:JOW-0176

1.작 2.16 서울신문의 이창순 기자가 당지에 도착함으로써 당지 체류기자는 총 14 명임

2.동 명단은 다음과 같음

KBS:오건환,이철영(2명 부다페스트특파원),김진석,김민수,김진화,양용철

MBC:김영일,최세훈(2명 베를린 특파원)

연봉:서옥식

한국:이상석

조선:설완식

서울:이창순

경향:김종두

중앙:진세근

(대사 박태진-국장)

중아국	장관	차관	1차보	2차보	공보	미주국	정문국	청와대
총리실	안기부	공보처	재첫빈					

PAGE 1

특파원 동향(2.17 현재)

1. 사우디(13명)
- KBS 5명
- MBC 6명
- 동아일보 2명

2. 요 르 단(14명)
- KBS 6명
- MBC 2명
- 한국, 조선, 경향, 연합통신, 중앙, 서울 각1명

3. 이스라엘(3명)
- KBS, MBC, 국민일보 각1명

4. 기   타(2명)
- 동아, 한겨레 각1명, 2.11 시리아 입국, 2.13 카이로 방문후
  요르단 귀환 예정

0104

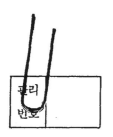

분류번호	보존기간

발 신 전 보

번   호 :   종별 :

수   신 : 주 사우디 대사 (사본영:사주 젯다 총영사)

발   신 : 장 관 (공보)

제   목 : 취재 협조

연 : WSB - 0326, 0333

걸프사태 취재목적으로 아래와 같이 국내언론사 특파원의 귀지 방문이 추진
되고 있으니, 가능한 취재편의 제공바람.
~~(연호에 따라)~~

1. 아래 4명의 귀 주재국 입국 비자는 2.17(일) 서울에서 발급된 바, 귀지
도착 일정은 추후 확인 통보 위계임.

　가. 중앙일보 김상도 (KIM, SANG-DO) 기자 및 김주만 (KIM, CHOO-MHAN) 기자
　나. 경향신문 최충웅 (CHOI, CHUNG-WOONG) 기자
　다. 조선일보 우태영 (WOO, TAI-YOUNG) 기자

2. 연합통신 권오연 (KWON, O-YUN) 기자는 2.15(금) 서울에서 입국비자를 취득,
2.18(월) 18:45시 SV-391편 젯다 도착, 약 1개월간 리야드 체류예정임. 끝.

(공보관 정의용)

중동아국장 :

앙고재	91년 2월 18일	공보과	기안자 김흥수	과 장	국 장 전결	차 관	장 관	보안통제	외신과통제

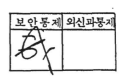

0105

외 무 부

종 별 :

번 호 : JOW-0192   일 시 : 91 0218 1200

수 신 : 장 관(중일,대책본부,공보,기정)

발 신 : 주 요르단 대사

제 목 : 체류기자 현황

연:JOW-0189

1.작 2.17 MBC 김영일및 최세훈 베를린 특파원이 임지로 출발하고, 동사 이대우및 전재철 뉴욕 특파원과 업무보조원(이준희, 학생)이 당지에 도착함

2. 2.18. 현재 당지 체류기자는 14명으로 변동없으나 MBC 업무보조원 1인 포함 15인이 됨

(대사 박태진-국장)

중아국 안기부	장관 공보처	차관 대책반	1차보	2차보	미주국	정문국	청와대	총리실

PAGE 1   91.02.18   21:28 DQ

외신 1과 통제관

0106

외 무 부

종 별 :

번 호 : JOW-0198   일 시 : 91 0219 1500

수 신 : 장 관(중일,대책본부,공보,기정)

발 신 : 주 요르단 대사

제 목 : 체류기자현황

연:JOW-0192

작 2.18 KBS 김진석, 김민수 기자가 카이로로 출발함으로서 금 19일 현재 잔류기자는 12명임 (MBC 업무보조원 불포함)

(대사 박태진-국장)

중아국   1차보   2차보   공보   정문국   안기부

PAGE 1   91.02.19   22:21 CG

외신 1과 통제관

0107

외 무 부

종 별 :

번 호 : JOW-0215

일 시 : 91 0225 1530

수 신 : 장 관(중동일,대책본부,공보,기정)

발 신 : 주 요르단 대사

제 목 : 체류기자현황

연: JOW-0198

1. 작 2.24. 한국일보의 배정근 기자가 이스라엘로 부터 당지에 입국함으로서 금25일 당지 체류기자는 총 13명임

2. 체류기자현황

KBS:오건환,이철영(부다페스트특파원),김진화,양용철

MBC:이대우,전재철(업무보조원 이준희)

연봉:서옥식

한국:이상석,배정근

조선:설완식

서울:이창순

중앙:진세근

(대사 박태진-국장)

중아국   안기부   공보처   대책반

PAGE 1

외 무 부

원 본

종　별 :

번　호 : JOW-0219　　　　　　　　　　　일　시 : 91 0228 1100

수　신 : 장 관(중동일,대책본부,공보,기정)

발　신 : 주 요르단 대사

제　목 : 체류기자 동향

　　1.당지 체류기자 대부분은 이라크 방문 취재를 위해 당지 동국대사관에 비자를 신청중에 있음

　　2.금 28일 종전이 임박한 차제에 동기자들이 비자를 받을시 그들의 이라크 입국을 막을수는 없을것으로 보이며, 오히려 동국 입국을 위해 당관에 측면 지원을 요청하고 있는 실정인바,본부입장 회시바람

　　(대사 박태진-국장)

중아국	장관	차관	1차보	2차보	미주국	정문국	청와대	총리실
안기부	공보처	대책반	당직실					

PACE 1　　　　　　　　　　　　　　　　　　　　　91.02.28　　21:03 DQ

외신 1과 통제관

0109

발 신 전 보

분류번호	보존기간

번 호 : WJO-0215   910301 0010   DQ종별 : _____

수 신 : 주 요르단   대사. ~~총영사~~

발 신 : 장 관 ~~~~~~~~~~ (중동일) 중동의)

제 목 : 체류기자 지원

대 : JOW - 0219

        걸프전 종전직후의 이락 국내 치안불안정이 예상되는점외에도 아국의
다국적군 지원~~~~등에 비추어 아국 언론인들의 이라크 입국시 신변안전이
대단히 염려되고 유사시 보호가 불가능한 상황에서 귀관으로서는 ~~~~~~~~~~~
~~~~~~~~~~~~~~~~~~~~~~~~~~~ 언론인들에게 이라크 치안이
어느정도 안정되었다고 판단될때까지 이라크 입국을 보류토록 권유~~~~~~ 바람.
~~~~~~~~~~~~~~~.   끝.

(중동아국장 이 해 순)

보안 통제	초

앙 고 재	91 년 월 일	중 동 1 과	기안자 성 명	과 장	심의관	국 장	차 관	장 관	4부→장관실 공보실 외신과 통제
				초	영	전결		서명	

0110

외 무 부

원 본

종 별 :

번 호 : JOW-0224   일 시 : 91 0302 1100

수 신 : 장 관(중동일,대책본부,공보,기정)

발 신 : 주 요르단 대사

제 목 : 체류기자 동향

연:JOW-0215

3.1. 동아일보의 성하운 MBC의 강성주, 서태경, 이진숙, 황성희 및 시사저널의 진철수 파리주재 특파원이 당지에 도착함으로서 금3.2. 현재 당지 체류기자는 총 19명임

(대사 박태진-국장)

중아국	장관	차관	1차보	2차보	미주국	정문국	청와대	총리실
안기부	공보처	대책반						

PAGE 1

91.03.02   19:13 DQ

외신 1과 통제관

0111

외 무 부

종 별 :

번 호 : JOW-0246   일 시 : 91 0309 1600

수 신 : 장 관(중동일,해기,공보,기정)

발 신 : 주 요르단 대사

제 목 : 체류기자 동향

연:JOW-0238

　　1.조선일보 설완식, 중앙일보 진세근 기자 3.9. 당지 출발하였으며, KBS 김진화, 양용철 양인은 3.7. 당지를 떠났음. 3.8. 당지 도착예정이던 연합통신 홍성표 베르린 특파 원 3.9. 현재 미착임

　　2.따라서 3.9. 현재 당지 체류기자는 연호에서 상기 4인을 제외한 14명으로 감소하였으며 서울, 경향이 가까운 장래에 떠날것으로 예상됨

　　(대사 박태진-국장)

중아국　　공보　　안기부　　공보처　/사본 조화보

91.03.10　　08:12 DA

외신 1과 통제관

0112

외 무 부

종 별 :

번 호 : JOW-0250   일 시 : 91 0309 1800

수 신 : 장 관(중동일,해기,해신,기정)

발 신 : 주 요르단 대사

제 목 : 외신동향

1.그동안 바그다드에서 취재중이던 외신기자들은 이락의 출국 종용을 받고 3.7-8중 육로 당지에 귀환하였음

2.외신기자들에 의하면 귀환 외신중 CNN, WTN, JORDAN TIMES 기자 등은 약 10일후 재차 이락 입국이 허용될 것이라고 하며 아국 기자들을 포함한 다수의 여타외신 기자들이 동기회에 이락 입국비자를 얻기위해 노력중임

3.바스라 지역에 불법입국, 취재중 이락 공화국 수비대에 의해 억류되었다 3.8. 바그다드에서 국제 적십자에 인계된후 사우디로 귀환했던 외신기자등 일부 인원이 3.9. 19:00 당지 INTERCONTINENTAL 호텔에서 회견을 가질 예정이라 함

(대사 박태진-국장)

중아국   1차보   정문국   안기부   공보처   공보처

91.03.10   08:30 DA

외신 1과 통제관

0113

외 무 부

종 별 :

번 호 : JOW-0254   일 시 : 91 0310 1700

수 신 : 장 관(중동일,해기,공보,기정)

발 신 : 주 요르단 대사

제 목 : 체류기자 동향

　　1. 한국일보 이상석, 서울신문 이창순 기자는 본사지시에 의해 3.11. 당지를
출발귀임 할 예정임. 양인 귀임후 당지 잔류 기자단은 TV 양사 7명, 한국,동아,경향
각1명, 한겨레 2명으로 6개사 12명으로 감소함

　　2. 한겨레 최영선, 진천규 기자및 동아 성하운 기자는 이락 반체제 단체회의 취재차
3.11-13간 레바논 방문 예정임

　　　(대사 박태진-국장)

중아국　　1차보　　공보　　안기부　　공보처　　2차보

PAGE 1   91.03.11   05:37 DQ

외신 1과 통제관

0114

외 무 부

종 별 :

번 호 : JOW-0330
일 시 : 91 0401 2200

수 신 : 장 관(중동일,중동이,공보,해기,기정)

발 신 : 주 요르단 대사

제 목 : 아국 기자단 동향

1. 당지에 체류중이던 기자단의 동향은 다음과 같음

가. 동아 성하운, 한겨레 최영건, 진천규 기자는 3.23.시리아 다마스커스에서 쿠르드측의 안내로 외신기자단 33명과 이라크 북부 쿠르드 점령 지역으로 들어가, 3.26.현지에서 현대근로자들을 접촉코 관련기사를 송고한것으로 추정됨

나. KBS 박원훈, 이상만 파리특파원 (3.26 다마스커스도착)및 MBC 이진숙, 서태경, 황 성희 기자 (3.27다마스커스 도착)는 현지에서 3.31. 까지 체류하면서 현대근로자 석방 관계 사항을 보도한후 동일 시리아북부 카미실리시를 방문, 시리아 당국및쿠르드족의 협조로 이라크내 쿠르드 점령지역으로 들어간것으로 추정됨

2. 금번 현대근로자 석방 교섭과 관련, 언론의 경쟁보도로 인해 접촉과정에서 차질이 발생할것을 우려, 당관으로서는 동인들에게 시리아방문을 만류했으나 KBS 는 공관에 하등의 문의나 통보도 없이 입국한 바 있음

(대사 박태진-국장)

KBS 외신부장 781-4190

중아국   1차보   공보   중아국   안기부   공보처

91.04.02   09:59 WG

외신 1과 통제관
0115

공　　보　　처

보도 35200 -3399　　　(720 - 4551)　　　1991. 4. 2

수신 외무부장관

참조 중동아프리카 국장 (중근동 과장)

제목 한국기자 3명 안전여부 및 소재지 확인 협조

　　1. 한겨레신문사 기자 2명과 동아일보사 기자 1명이 이라크 서북부 쿠르트 반군지역인 "자크"에서 취재중 연락두절 되었음을 당처에 '91. 4. 2 통보하여 왔는바, 동 기자들의 안전여부 및 소재지 확인 등 협조하여 주시기 바랍니다.

　　2. 기자 인적사항

　　　가. 최영선(1959. 5. 5일생)

　　　　　ㅇ 소 속 : 한겨레 신문사 민족국제부

　　　　　ㅇ 주 소 : 서울 노원구 상계6동 주공APT 208-1207

　　　나. 진천규(1959. 8. 6일생)

　　　　　ㅇ 소 속 : 한겨레 신문사 사진부

　　　　　ㅇ 주 소 : 서울 노원구 상계6동 주공APT 417-1402

　　　다. 성하운(1954. 6. 10일생)

　　　　　ㅇ 소 속 : 동아일보사 외신부

　　　　　ㅇ 주 소 : 서울 강남구 일원동 우성7차 APT 113-1004

　　3. 한겨레기자 이동경로

　　　3.24 - 25　　　이라크 입국

　　　　　　　　　　(암만 - 다마스커스 - 카마실라 - 자코)

　　　3. 26, 11:00　당시 만군지역 "자코"에서 위성전화로 본사와 첫 교신

　　　3. 27, 오전　　"자코"에서 현대직원 5명 탈출기사 송고, 이후 교신 끊김

　　4. 첨부 : 로이터 기사.　끝"

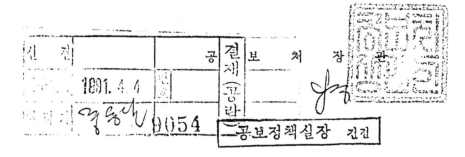

0116

수신: 외무부장관

참조: 중동아프리카국장 (중근동과장)

발신: 공보처 (공보정책실장)

제목: 한겨레신문 기자 2명 실종

1. 한겨레신문은 1991. 4. 2 이락크 서북부
   쿠르드 반군지역인 "자코"에서 취재중이런
   본지 기자 2명이 실종되었음을 당처에
   통보하여 왔는바, 소재지 및 안전여부
   확인등 협조 바람.

2. 기자인적사항
   가) 최병선기자 (1959. 7. 5 일생)
       주소: 서울; 노원구 상계6동
             주공APT 208-1201
       소속: 민족국제부

나, 진천규 기자 (1959. 8. 6 일 생)

주소: 서울. 노원구 상계동 수공시대
417-1402

소속: 사진부

3, 이동경로

3, 24~25   이락크입국
(암만 → 다마스쿠스 → 카미실라
→ 자코)

3. 26 11:00   당시 반군지역   자코에서
위성전화로 본사와 첫교신.

3. 27 오전   자코에서 헌지취원 5명
탈출기사 송고. 이후교신끊김.

4, 첨부: 로이터 기사.   /

a4359AL r
u i BC-GULF-TURKEY-JOURNALIS 04-01 0172
BC-GULF-TURKEY-JOURNALISTS
FIFTEEN WESTERN JOURNALISTS FLEE TO TURKEY FROM IRAQ:

DIYARBAKIR, Turkey, April 1, Reuter - Fifteen Western journalists covering fighting between Kurdish rebels and government forces in northern Iraq fled into Turkey on Monday, a Turkish official said.

But the official, who asked not to be named, said he could not confirm a report that 14 other journalists, one of them wounded, were trapped on the Iraqi side of the border and hiding from advancing Iraqi troops.

"Thirteen Western journalists have crossed from the Sendinli town in the southeastern Hakkari province, or the same route used by most Iraqi refugees," the official in the provincial capital of Diyarbakir told Reuters.

"They included four journalists from the American NBC television and reporters from the Washington Post, The Guardian and Observer newspapers," he said.

The official said a journalist for Cable News Network (CNN) and another from France's Le Monde newspaper had swum across the Hezil river to the Turkish side of the border at a point further west.

MORE STR AS NJP
Reut20:43 04-01

a4373ALL r
u i BC-GULF-TURKEY-JOURNALIS 04-01 0119
BC-GULF-TURKEY-JOURNALISTS =2 DIYARBAKIR

A resident at Ova village, on the northern bank of the river, said the two journalists had crossed despite warning shots from Turkish border guards. They told Turkish military officials that 14 other colleagues were waiting to cross from the Iraqi bank of the river, the resident added.

The group had waved a white flag on which the word "press" and "U.S. journalists" were written, the resident said.

"I do not know of another group of journalists waiting to come to Turkey. But then we don't know how many foreign reporters there are in northern Iraq," the official said.

The official said that the 15 journalists he knew of were in good health.

분류번호	보존기간

발 신 전 보

번 호 : WTU-0154   910402 2045 DO   종별 : 지급

수 신 : 주 터어키 대사. 총영사//

발 신 : 장 관 (중동일)

제 목 : 아국 기자 소재 파악

1. 4.2. 한겨레 신문 서울 본사 제보에 의하면 이라크 반군지역에서 이라크
   내전상황을 취재중이던 아래 자사 특파원이 3.27. 오전(한국시간) 자코에서
   현대 근로자에 대한 기사 송고후, 아직까지 연락이 없다면서, 동 특파원의
   소재 및 안위 여부 파악을 위해 협조하여 줄것을 요청하여 왔으며, 자사
   특파원 이외도 KBS, MBC, 동아일보등 아국기자들도 자사 기자들과 함께
   자코 지역에서 취재중 소식이 끊겼다고 제보하였음.
   가. 최영선 기자 (59.7.5. 생)
   나. 진천규 사진기자 (59.8.6. 생)

2. 귀 주재국 DIYARBAKIR 발 4.1.자 로이타 통신은 이라크 내전 상황을 취재중이던
   15명의 서방기자들이 4.1. (현지시간) 터어키로 탈출 하였고, 또다른 13명의
   서방기자들이 터어키 남동지역인 HAKKARI주 SEMDINLI(이라크 난민들이 이용하는
   도시)를 통과하였다고 터어키 관리 말을 인용 보도한바 있음.

3. 상기 관련, 현지 실정에 맞게 가능한 방법을 동원, 이들 아국 특파원의 소재
   파악 및 안전 여부 확인을 위해 노력하고, 결과 보고 바람. 끝.

(중동아국장   이 해 순)

예 고 : 91.6.30. 일반

보 안
통 제 7L

앙 고 재	91년 4월 2일	중 동 과	기안자 성 명 박종순	과 장 7L	심의관 양	국 장 전결 후견		차 관	장 관	외신과통제

757-치야
공보관   0120

외 무 부

관리 번호 91/434

종 별 :

번 호 : TUW-0271   910403 0956 FL

일 시 : 91 0402 1953

수 신 : 장관(중동일,구이)

발 신 : 주 터 대사

제 목 : 아국기자 소재파악

대:WTU-0154

1. 대호관련 당관은 주재국 관계당국및 미대사관측과 접촉한바, 이라크 북부지역으로부터 주재국 남동부 국경도시 SEMDINLI 에 20 명, SILOPE 에 19 명의 외국인 기자가 긴급피난해 왔는바, 명단 대조 결과 한국인 기자는 포함되어있지 않았음.

2. 주재국 당국에의하면 이라크 북부지역으로부터 월경하는 외국인 기자는 모두 받아들이기로 하였다하는바, 당관은 한국인 기자의 터키월경에 대비 편의제공등 협조를 요청하고 계속 긴밀 접촉하고 있음.

(대사 김내성-국장)

예고:91.6.30. 일반

중아국   차관   1차보   2차보   구주국

PAGE 1

91.04.03   05:08
외신 2과 통제관 DO

0121

외 무 부

관리번호 91/436

종 별 : 긴급
번 호 : TUW-0273
수 신 : 장관(중동일,구이)
발 신 : 주 터 대사
제 목 : 아국기자 소재파악

일 시 : 91 0402 2150

연:TUW-0271

당지주재 미대사관 공사가 본직에게 제보한바에 의하면, 이라크로부터 터키로 탈출해온 외국인 기자 1 명이 작 4.1 일 이라크 북부 이란과의 국경부근에서 한국인 기자 3 명(2 명은 기자, 1 명은 카메라맨, 이름은 모름)을 만났으며 이들은 이란으로 탈출코저 하였으나 이란 국경초소에서의 입국거부로 되돌아 간것을 보았다하면서 이들은 현재 이라크 북부에 있는것으로 안다고 전언해왔다함. 추가제보가 있는대로 보고위계임.

(대사 김내성-국장)

예고:91.6.30. 일반

사본→주이란대사 (지급)

중아국   차관   1차보   2차보   구주국   상황실

PAGE 1

91.04.03   05:05
외신 2과 통제관 DO
0122

외 무 부

종 별 : 긴 급

번 호 : TUW-0273   910403 0957 FL

일 시 : 91 0402 2150

WJO -0300

수 신 : 장관(중동일,구이)

발 신 : 주 터 대사

제 목 : 아국기자 소재파악

연:TUW-0271

당지주재 미대사관 공사가 본직에게 제보한바에 의하면, 이라크로부터 터키로 탈출해온 외국인 기자 1 명이 작 4.1 일 이라크 북부 이란과의 국경부근에서 한국인 기자 3 명(2 명은 기자, 1 명은 카메라맨, 이름은 모름)을 만났으며 이들은 이란으로 탈출코저 하였으나 이란 국경초소에서의 입국거부로 되돌아 간것을 보았다하면서 이들은 현재 이라크 북부에 있는것으로 안다고 전언해왔다함. 추가제보가 있는대로 보고위계임.

(대사 김내성-국장)

예고:91.6.30. 일반

중아국   차관   1차보   2차보   구주국   상황실

분류번호	보존기간

발 신 전 보

번   호 : WIR-0292   910403 1100   FL   종별 : 지급

WJO -0301   WTU -0155

수   신 : 주 이란, 요르단 대사. ~~총영사분~~ : (주터어키대사)

발   신 : 장 관 (중동일)

제   목 : 아국 기자 소재 파악

1. 4.2. ~~한겨레 신문~~ 동아일보밀 서울 본사 제보에 의하면 이라크 반군지역에서 이라크
내전상황을 취재중이던 아래 자사특파원이 3.27. 오전(한국시간) 자코에서 현대근로자에
대한 기사 송고후, 아직까지 연락이 없다면서, 동 특파원의 소재 및 안위 여부 파악을
위해 협조하여 줄것을 요청하여 왔음 ~~.~~

~~~~

가. 한겨레신문 : 최영선, ~~~~ 건천규 기자

나. ~~~~ 동아 일보 : 성하운

2. 주 터어키 대사 보고(4.2.현지시간)에 의하면 이라크에서 취재중이던
외국기자 39명이 터어키로 긴급피난 해 왔는데 명단대조결과 한국인 기자는
없었다고 하며, 또한 이들 탈출 외국기자중 1명이 4.1(현지시간) 이라크 북부 이란과의
국경부근에서 아국 기자 3명을 만났으며, 이들이 이란으로 탈출코저 하였으나 이란국경
초소에서의 입국거부로 되돌아 간것을 보았다면서 이들이 이라크 북부에 있는 것으로
안다고 전언해 왔다함.

3. 상기 관련, 이들 아국기자들이 귀주재국 국경을 통과 입국할 가능성도
있는바 현지 실정에 맞게 가능한 방법을 동원, 이들 아국 특파원의 소재파악과
안전여부 확인을 위해 노력하고, 이들의 귀주재국 입국에 대비 필요한 사전 준비를
취하고, 결과 보고 바람. 끝.

(중동아국장 이 해 순)

예고 : 91.6.30.일반

보 안 통 제	74

앙 고 재	91 년 4 월 3 일 중 동 1 과	기안자 성명 이종순	과 장 74	심의관 양	국장 전결	차 관	장 관	사본→강차관실 외신과통제 공보관실

0124

外務部 걸프事態 非常對策 本部

題目:

1991.

헌거레 이기자 15:45경 전화연락

셈단리 ~~경찰~~ 경찰에서 조사 마치는대로

4시간 떨어진 「완」에서 비행기편 앙카라로

갈 예정.

(동아) 성 하 운
SUNG, HA WOON

(한겨레)① 최 영선
CHOI, YOUNG SUN.

② 진 천규
JIN, CHEON GYU

0126

이라크內 取材 我國 特派員 3名 連絡 杜絕

1991. 4. 3.

外 務 部

이라크內 取材 我國 特派員 3名은 3.27. 以來 連絡이 杜絕 되었는바, 關聯事項을 다음과 같이 報告 드립니다.

---

1. 狀 況

o 이라크 反軍 占領地域에서 이라크 內戰 狀況을 取材中이던 한겨레新聞 所屬 최영선, 진천규 및 東亞日報 所屬 성하운 特派員이 3.27. 午前(韓國時間) 이라크 자코에서 現代 勤勞者에 대한 記事 송고後, 常今 連絡이 杜絕되고 있음. (한겨레 및 東亞日報 本社 提報)

o 最近 外國記者 39名이 터어키로 緊急 避難해 왔으나 韓國인 記者는 없었고, 4.1. (現地時間) 그중 1名의 外國記者가 이라크 北部 이란과의 國境 附近에서 我國記者 3名을 만났는데, 이들이 이란으로 脫出코져 하였으나 이란 國境 초소에서의 入國 拒否로 되돌아간 것을 보았다면서, 이들이 이라크 北部에 있는 것으로 안다고 傳言 하였음. (駐터어키 大使 報告)

0127

2. 措置事項

　o 이들 ~~我國 特派員의~~ 어라크 國境을 ~~通過~~ 터어키,
　이란 및 시리아 ~~入國~~ 可能性도 있어, 駐터어키,
　이란을 요르단 大使에게 ^{가능한 모든 방수단을 동원} 이들의 所在 把握 및 安全
　與否를 確認을 ^{하고} 위해 ~~努力하고,~~ 入國에 對備한 事前
　必要 措置를 講究토록 指示

　o ^{전화를 걸어} 中東阿局 審議官은 4.3. 午前 駐韓 이라크 大使代理를^{에게}
　~~接觸,~~ 이들의 所在把握 및 身邊 安全에 대한 協調를
　要請 ~~하였음.~~ (4.3)
　하였는 바, 가능한 대사대리는 이에 뒤져 협조한것을 약속함.

　　　　　　　　　　　　　　　　　　- 끝 -

0128

발 신 전 보

번 호 : WTU-0157   910403 1807 CO   종별 :

수 신 : 주 터어키 대사. 총영사 (사본 : 주이란, 요르단 대사)   WIR -0299 WJO -0305

발 신 : 장 관 (중동일)

제 목 : 아국 기자 소재 파악

연 : WTU-0155, 0154, WIR-0292, WJO-0301

대 : TUW-0273

한겨레 신문 본사는 연호 자사 최영선 특파원이 4.3. 15:45 경 본사에
전화로 연락, 연호 특파원 3명 전원이 이라크, 터어키 국경을 통과, 터어키에
입국하였으며, 이들이 셈 딘리 경찰에서 조사를 마치는대로 4시간 가량 소요되는
지역인 "완"에서 비행기편으로 앙카라로 갈 예정이라고 알려 왔음 제반 편의 제공 바람. 끝.

(중동아국장   이 해 순)

예 고 : 91.6.30. 일반

앙 고 재	91년 4월 3일	중동 1 과	기안자 성명 박종순		과 장	심의관	국 장 전결		차 관	장 관		보 안 통 제	

외신과통제

외 무 부

종 별 :

번 호 : JOW-0339   일 시 : 91 0403 1500

수 신 : 장 관(중동일,중동이,공보,해기,기정)

발 신 : 주 요르단 대사

제 목 : 아국 기자단 동향

연:JOW-0330

1.연호 KBS 박원훈,이상만 및 MBC 이진숙,서태경,황성희 기자는 금 4.3. 현재 다마스커스에 체류중인바, 금일 오후경 암만으로 향발 예정이라함

2.도착시 추보하겠음

(대사 박태진-국장)

중아국   1차보   중아국   안기부   공보처   공보처

PAGE 1   91.04.03   23:17 DQ

외신 1과 통제관

0130

관리번호 91/441

외 무 부

종 별 :

번 호 : TUW-0277   WJO-0309   910404 1855 FG

일 시 : 91 0403 1805

수 신 : 장관(중동일,구이,정일)

발 신 : 주 터 대사

제 목 : 아국기자 소재파악

연:TUW-0273

대:WTU-0155

1. 대호 동아일보 성하운 기자는 금 3 일오후 3 시 대호 한겨레신문 기자 2 명과 함께 무사히 터키에 입국하였다는 전화연락을 해왔음.

2. 동인에 의하면 이라크 북부에서 도보로 국경을 넘어 1 일 자정 터키 국경마을에 도착하였으며 주재국 군경의 보호하에 트럭을 이용 SEMDINLI 를 거쳐 이란 접경주인 VAN 에 금일 오후 도착 하였으며, 도착즉시 당관에 연락 하였다함.

3. 동인은 현재 그곳 호텔에 머물며 비행기 좌석 예약을 알아보는 중이라하면서 비행기편이 잡히는대로 안카라경유 짐이 있는 욜단 암만으로 향발 예정이라함. 현재 터키 국영항공 THY 가 파업중인 관계로 동인들에게 그사실을 알리고 교통편 확보등 당관과 계속 접촉키로하였음.

(대사 김내성-국장)

예고:91.6.30. 일반

중아국   구주국   정문국

PAGE 1

외 무 부

종 별 :

번 호 : JOW-0345   일   시 : 91 0404 1230

수 신 : 장관(중동일,중동이,공보,기정)

발 신 : 주 요르단 대사

제 목 :

연:JOW-0339

연호 KBS 및 MBC 기자 5인은 4.3. 오후 암만에 도착함.

(대사 박태진-국장)

중아국   중아국   안기부   공보처

PAGE 1   91.04.05   08:34 DA
외신 1과 통제관
0132

462 걸프 사태 재외동포 철수 및 보호 4: 이스라엘, 모리타니아, 걸프지역

외 무 부

종 별 : WJO-0315   910408 1527 DN

번 호 : TUW-0285

일 WIR시-0309 91 0405 1851

수 신 : 장관(중동일,구이)

발 신 : 주 터 대사

제 목 : 아국기자 욜단향발

연:TUW-0277

  1. 연호 아국인 기자일행 3 명은 금 5 일 버스편 안카라에 도착한바, 본직은
이들을 관저 오찬에 초청 그간의 노고를 위로하였음.

  2. 이들 일행 3 명은 금일오후 안카라에서 욜단항공편으로 짐이 있는 암만으로
출발하였음.

  (대사 김내성-국장)

  예고:91.6.30. 일반

외 무 부

종 별 :

번 호 : JOW-0350

일 시 : 91 0406 1530

수 신 : 장 관(중동일,중동이,기정)사본:주 터키 대사 - 경제국

발 신 : 주 요르단 대사

제 목 : 아국 기자단 동향

1. 동아 성하운, 한겨레 최영선 및 진천규 기자는 4.5. 당지에 도착함

2. 금 4.6. 현재 당지 체류기자는 상기 3인외 KBS의박원훈, 이상만 파리특파원, MBC의 이진숙, 서태경, 황성희 기자등 계 8명임

(대사 박태진-국장)

중아국 안기부

91.04.07 09:31 DU

외신 1과 통재관

0134

관리
번호 91/322

분류번호 | 보존기간

발 신 전 보

번   호 : WJO-0319   910409 1708   FN   종별 :

수   신 : 주 요르단 대사. 총영사//

발   신 : 장   관   (중동일)

제   목 : 이라크 취재 협조

1. KBS/TV 주불 특파원이며 현재 귀지 출장 취재중인 박원홍 특파원이 금 4.9.
    당부에 알려온바에 의하면 박 특파원 포함 자사 기자 3명이 이라크에 입국
    취재코자 하나 입국비자를 받지 못하고 있다하니 현지사정이 허락하는 한
    귀지에서 이라크 비자를 취득하도록 최대한 협조하고 결과 보고 바람.

2. MBC/TV는 귀지에서 이라크 비자를 취득하였다고 하는바 참고 바람. 끝.

                                        (중동아국장   이 해 순)

예   고 : 91.6.30. 까지

1991. 6 .30. 에 예고문에
의거 일반문서로 재 분류됨.

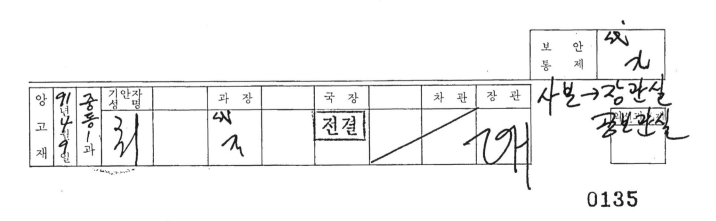

0135

관리
번호 91/373

외 무 부

종 별 :

번 호 : JOW-0368

일 시 : 91 0410 1530

수 신 : 장 관(중동일,공보)

발 신 : 주 요르단 대사

제 목 : 이라크 취재 협조

대:WJO-0319

대호관련, 주 이라크 대사관과 긴급접촉 KBS 팀에 대한 비자발급을 요청, 동대사관 ALI 공사가 본국정부에 긴급 조회 요청한 결과 4.10. 01:00 당지를 출발한 기자단외의 추가팀에 대한 ACCOMMODATION 등 여분이 없어 금번에는 어려우나 곧있을 차기팀에는 KBS 를 우선적으로 조치해 주겠다함

(대사 박태진-국장)

예고:91.6.31. 까지

중아국   공보

PAGE 1

91.04.10   23:33

외신 2과 통제관 DO

0136

외 무 부

종 별 :

번 호 : JOW-0370 　　　　　　　　　　 일 시 : 91 0410 1530

수 신 : 장 관(중동일,중동이,공보,기정)

발 신 : 주 요르단 대사

제 목 : 아국기자 동향

　　1. 한겨레의 최영선, 진천규 기자는 4.9, MBC이진숙, 서태경, 황성희 기자는 4.10. 새벽 이라크로, 동아의 성하운 기자는 4.10. 서울로 각각 출발함

　　2.4.10. 현재 당지 체류기자는 KBS 의 박원훈, 이상만 파리특파원 및 보조1명등 3명이며 이들도 4.12. 다른 KBS 팀과 교대할 예정이라 함.

　　(대사 박태진-국장)

중아국　　　공보　　　중아국　　　안기부

관리 번호	91/260

외 무 부

종 별 :

번 호 : JOW-0380   일 시 : 91 0413 1600

수 신 : 장 관(중동일,중동이,공보,기정)사본:주 요르단 대사

발 신 : 주 요르단 대사대리

제 목 : 아국기자 동향

    1.KBS 박원훈, 이상만 특파원 및 보조원 1 명은 금 4.13. 출발하였으며, 동사 정용석 런던 특파원이 작 12 일밤 당지에 도착함

    2. 금 4.13. 당지 이라크 대사관 공보관은 현재 바그다드에서 취재중인 MBC의 이진숙, 서태경, 황성희 기자 일행이 한국어로 취재 보도하므로 동국정부의 검열상 애로가 있을 알려왔음

    (대사대리 김균-국장)

    예고:91.6.30 까지

중아국   2차보   공보   중아국   정문국   안기부

외 무 부

종 별 :

번 호 : JOW-0401   일 시 : 91 0424 1130

수 신 : 장 관(중동일,중동이,공보,해기,기정)

발 신 : 주 요르단 대사대리

제 목 : 아국기자 동향

연:JOW-0380

1. 작 4.23. 이라크 비자를 발급받은 KBS 정용석 런던 특파원은 금 4.24. 새벽 바그다드로 출발함

2. 4.10. 이라크를 방문했던 MBC 이진숙, 서태경, 황성희 기자 일행이 작 4.23. 밤 암만으로 귀환함

(대사 대리 김균-국장)

예고:91.6.30 까지

중아국	차관	1차보	2차보	공보	중아국	청와대	안기부	공보처

91.04.24   21:01

외신 2과 통제관 CF

0139

외 무 부

종 별 :

번 호 : JOW-0405   일 시 : 91 0425 1230

수 신 : 장 관(중동일,중동이,공보,기정)

발 신 : 주 요르단 대사대리

제 목 : 아국기자동향

MBC 의 이진숙 기자외 2인은 작 4.24. 파리경유, 서울로 출발함
(대사대리 김균-국장)

외 무 부

종 별 :

번 호 : JOW-0422　　　　　　　　　　　일 시 : 91 0505 1700

수 신 : 장 관(중동일,중동이,공보,해기,기정)

발 신 : 주 요르단 대사

제 목 : 아국기자 동향

연:JOW-0401

　　4.24. 이라크를 방문하였던 KBS 정용석 런던특파원이 5.2 암만으로 귀환, 5.4.
런던으로 출발함으로서 당지 체류 아국기자는 없음

　　　　(대사 박태진-국장)

중아국　　1차보　　공보　　중아국　　안기부　　공보처

PAGE 1　　　　　　　　　　　　　　　　　　91.05.06　　01:39 DQ

4. 비상연락망

0142

분류번호	보존기간

발 신 전 보

WMEM-0005   910112 1301   FK

번   호 :   종별 :

수   신 : 주   전중동지역 공관장사 ~~흥영사~~

발   신 : 장   관   (마그, 중근동)

제   목 : 비상연락망

　

페르시아만 사태 관련, 전 중동지역 공관의 비상연락망을 재점검코자하니
우선 하기 전화번호 및 주소를 지급 전보보고바라며 각공관별 자체 비상연락망을
재점검 구성(교민, 상사포함) 하여 최단 파편 보고바람.

1. 대사관
2. 대사관저 및 전직원 자택
3. 주요 아국관련 기관

　　　　　　　　　　　　(중동아프리카국장 이 해 순)

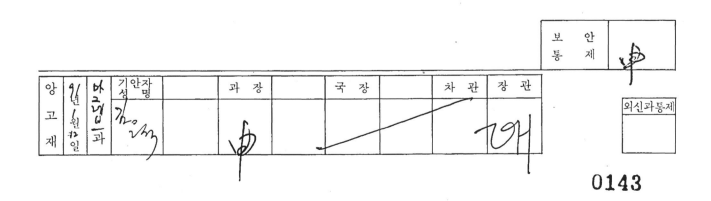

검토필(1991.6.30.

1991.12.3. 에 예고문에
의거 일반문서로 재 분류됨

		기안자성명		과 장	국 장	차 관	장 관		보 안 통 제	
앙고재	91년 1월 12일 마그근동과								외신과통제	

`0143`

외 무 부

종 별 :

번 호 : MOW-0011   일 시 : 91 0112 1230

수 신 : 장관(마그,중근동,신일)

발 신 : 주 모로코 대사

제 목 : 비상연락망

대:WMEM-0005

대호 전화번호및 주소 다음 보고함.

1. 대사관:751-767,751-966(41, AV. BANI IZNASSEN, SOUISSI, RABAT)

2. 대사관저:750-519(KM 2, BIR KACEM, SOUISSI, RABAT)

3. 직원주택:

박대원 참사관: 753-086(6, RUE DU RIF, SOUISSI, RABAT)

서형배 무관: 750-722(VILLA 21, LOT BALAFREJ ZKT AIT A'ZAL, SOUISSI, RABAT)

박현수 외신관: 750-830(LOT 83, O.L.M., SOUISSI, RABAT)

정성섭 행정관: 758-761(LOT AMBASSADOR NO. 262, SOUISSI, RABAT)

4. 주요 아국관련기관

-주식회사 대우 라바트지사: 774-931(53, RUE MOULOUYA ANGLE AV. DE FRANCE APT NO. 15, RABAT)

홍대식 대우지사장 주택: 756-338(12, RUE LARBI BEN ABDELLAH, RABAT)

-카사블랑카 무역관: 231-4232(TOUR HABOUS, AVE DES PAR CASABLANCA)

정성보 무역관장 주택: 220-3206(G 121, RESIDENCE MOULEY YOUSSEF AV. MOULEY YOUSSEF, CASABLANCA). 끝.

(대사 이종업-국장)

예고: 91.12.31 까지

검 토 필 (1991. 6. 20.)

91.12.31. 예고

중아국   중아국   신일

외 무 부

종   별 :

번   호 : CAW-0033   일   시 : 91 0112 1715

수   신 : 장관(마그,중근동)

발   신 : 주 카이로 총영사

제   목 : 비상연락망

대:WMEM-0005

대호, 비상연락망을 아래보고함.

1. 총영사관:3 BOULOS HANNA ST.DOKKI CAIRO TEL 3611234-8

2. 관저 및 직원주택

. 관저: 45, ST83, MADDI, CAIRO, TEL 3503163

. 공선섭 부총영사: 18, RD21, MADDI, CAIRO, TEL 3510316

. 홍운표 영사: FLAT NO 11, DIPLOMAT BILD,12 EL MESA ST, DOKKI CAIRO, TEL 3497995

. 정강홍 영사: APT NO18, ST 210, VICTORIA MADDI, CAIRO, TEL 3527320

. 송웅영 부영사: APT NO2, RD218, DIGLA, MADDI, CAIRO, TEL 353196

. 최용렬 부영사: FLAT NO 4, APT NO12, ST.13, MADDI, CAIRO, TEL 3501906

. 이호영(연수): 4, ZOUHRIA ST,.DOKKI, CAIRO, TEL 714299

. 이기석(연수): 101, 20ZAMZAM ST., MOHANDESSIN, CAIRO TEL 3493056

. 김동기(연수): 28, ABDEL RAHNAN HUKSEIN DOKKI, CAIRO, TEL 3609948

3. 주요기관

. KOTRA: 56, GAMET EL DOWAL ARABIA ST.MOHANDESSIN, CAIRO, TEL 715543,349690

. 한국학교: 11, RD261 NEW MADDI, CAIRO, TEL 3526223 끝.

(총영사 박동순-국장)

예고:91.12.31. 일반

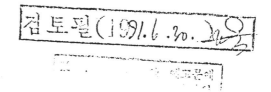

검토필(1991.6.30. 표웅)

중아국   중아국   신일

PAGE 1   91.01.13   16:41

외 무 부

종 별 : 지 급

번 호 : LYW-0020   일 시 : 91 0113 1400

수 신 : 장관(마그,중근동)

발 신 : 주 리비아 대사

제 목 : 비상 연락망

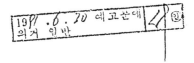

대:WMEM-0005

1. 대사관:833484,833054,831759

FAX 833503

2. 관저:830109

3. 무역관:34138,42889

4. 직원주택:김영기 참사관 40162, 조영호공보관 33495, 이선호 건설관 608039,
전용호 서기관 45791, 장재구노무관 41684, 전재천영사 44988, 박상규 건설관
605165, 송성근 영사 43842, 백인호무역관장 40792.

5. 주소:공관및 직원 공히 P.O.BOX 4781, TRIPOLI, LIBYA. 임.끝

(대사 최필립-국장)

예고:91.6.30.까지

19 91 . 6. 20 예고단에
의거 일반

중아국   중아국   신일

PAGE 1   91.01.13   21:33

외 무 부

종 별 :

번 호 : YMW-0017   일 시 : 91 0112 1800

수 신 : 장 관(마그,중근동)

발 신 : 주 예멘 대사

제 목 : 비상 연락망

대호 관련 아래와 같이 보고함.

1. 대사관:204522,204525

2. 대사관저:216745,216746

이 정재 1 등서:248397, 이 진웅 1 등서:216912, 오 윤영 영사:248484

강 정구 업무 보조원:대사관과 동

3. 주재국 외무성:202544-6, 주재국 외무성 의전장 자택:216891

4. 예멘 국가번호:967, 사아나 지역 번호:2. 끝.

(대사 류 지호-국장)

예고:91.12.31. 까지

검토필(1991.6.30.)

중아국   중아국   신일

관리
번호 91-
26

외 무 부

종   별 :

번   호 : SBW-0077   일   시 : 91 0113 1100

수   신 : 장 관(마그,중근동)

발   신 : 주 사우디 대사

제   목 : 비상연락망

대:WWEM-5

1. 대호 전화번호등 아래보고함

가. 전화번호

-대사관 4882211.-대사관저 4881844.-박명준 4881922.-백기문 4887742.-정우성 4887051.-양봉렬 4887017. 백성택 4880626.-이수용 4880838.-강동연 4881939.-이승국 4881120.-이영남   4887179.-노훈건   4887307.-서주환   4887418.-박화동 4880276.-김정규   4887435.-김헌수   4887768.-천동관   4657075.-김성집 4653241.-배경훈 4630890.-오세철 4658847

나. 주소(대사관및 직원포함)

EMBASSY OF THE REPUBLIC OF KOREA

P.O.BOX 94399 RIYADH 11693

SAUDI ARABIA

2. 교민회원사(건설업체, 상사, 교민포함)전화번호부는 파편송예정임.끝

(대사 주병국-국장)

예고:91.12.31 까지

검토필(1991.6.30.)

91.12.31.

중아국   중아국   신일

PAGE 1   91.01.13   21:42

외신 2과 통제관 CF

0148

외 무 부

종   별 :

번   호 : AGW-0019   일   시 : 91 0114 1200

수   신 : 장관(중근동,마그)

발   신 : 주 알제리 대사

제   목 : 비상연락망

대 WMEM-0005

대호 당관 비상연락망을 아래 보고함.

1. 대사관주소및 전화번호

2. RUE SHAKESPEARE, EL-MOURADIA, ALGER. T)590060, 591307, 592076

2. 관저

VILLA4, RUE 3 , PARC PARADOU, HYDRA, ALGER. T)602433

3 직원

-참사관 배상길 10, RUE DE CIRTA, HYDRA. T)606898.

-2 등서기관 이태희 9, RUE DIENOT, HYDRA. T)609902.

-3 등서기관 한동만 9 RUE LOUIS ROUGET, CHATEAUNEUF, EL-BIAR. T)788981.

4. 공관행정요원

-서훈석, 최운기 9B, RUE DE TIMGAD, HYDRA. Y)590393.

5. 대우실업및 대우건설

-대우실업 685453,685306

-대우건설 769136,766892-3. 끝

(대사 한석진-국장)

예고 1991.12.31 일반.

검 토 필 (1991. 6.30.)

중아국	장관	차관	1차보	2차보	중아국	정와대	안기부

관리 번호	91- 32

외 무 부

종 별 :

번 호 : YMW-0029　　　　　　　　　일 시 : 91 0114 1830

수 신 : 장 관(마그,중근동)

발 신 : 주 예멘 대사

제 목 : 비상 연락망

대:WYM-0005

연:YMW-0014

　　주재국 외무성은 1.13 24 시간 통화가 가능한 다음 전화번호를 당관에 통보하여
왔아오니 연호 당관 긴급 전화번호에 추가 바람.

　　외무장관 비서실장실:276608

　　,, 부실장실:276618

　　외무성의전장실:202557

　　의전실:202549 및 73532

　　(대사 류 지호-국장)

　　예고:91.12.31. 까지

검토필(1991.6.20.)

91.12.31.

중아국　　중아국　　신이

PAGE 1

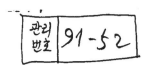
주 모 리 타 니 대 사 관

주모리총 1200 - 3   91.1.16.

수 신 : 장관

참 조 : 중동 아프리카국장

제 목 : 비상 연락망

       대 : WMEM - 0005

       연 : MTW - 0008

대호 당관 비상연락망을 별첨 송부합니다.

첨 부 : 비상연락망 1부.끝.

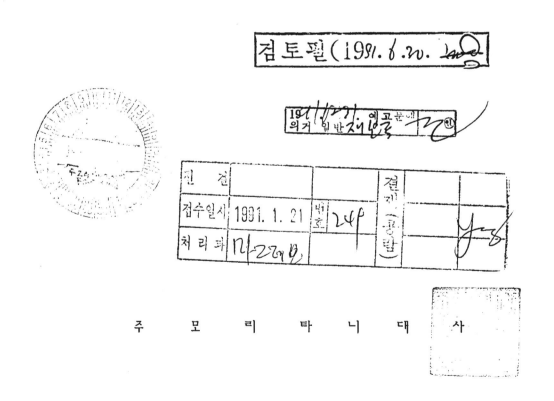

주 모 리 타 니 대 사

0151

0152

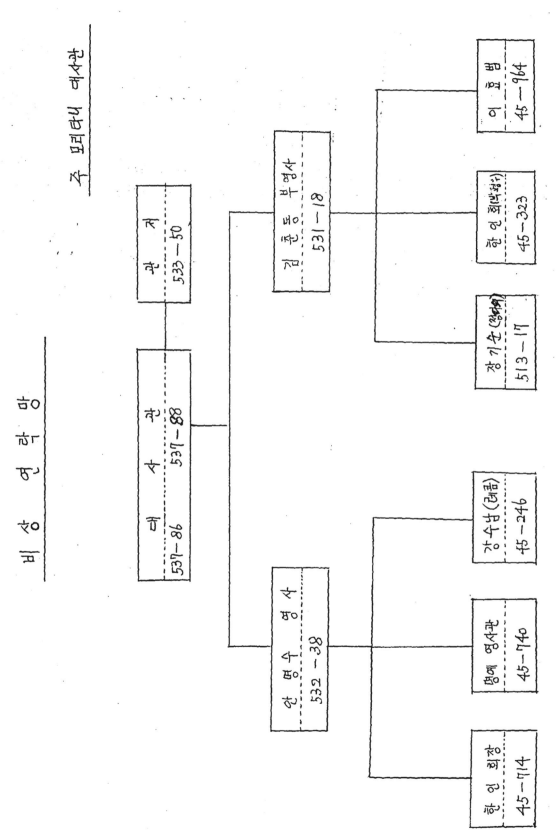

비 상 연 락 망

주 모리타니 대사관

관저 533-50	대 사 관 537-86 537-88					

인 수 명 532-38			김 준 병 531-18		
한 인 회장 45-714	명예 영사관 45-740	감 수 남 (태극) 45-246	장 기 수 (김상사) 513-17	한 인 회(박상무) 45-323	이 효 범 45-964

제 1 조 (조장: 이 효 범 45-964)   비상연락망
                                          (모리타니아 한인회)

이 효 범 ┬ 강 종 열 → 김 대 은 → 이 종 재·조 정 섭
         ├ 김 찬 영 → 안 성 도
         ├ 장 강 수 → 강 수 남 (김 성 찬 김 종 명)…
         └→ 권 찬 광
            송 재 천 → 김 광 은
            최 순 도
            박 충 선
            홍 정 천
            최 소 월 조 대 경 배 성 환

제 2 조 (조장: 박 평 우 45 - 723)

박 평 우 ┬ 고 운 석 → 해 우 최 찬 → 이 철 로 → 강 기 옥
         │   └ 백 종 기 → 보 문 섭 (45. 415)
         ├ 허 명 (45. 518) → 최 학 봉 → 김 영 산 → 최 희 철 → 김 영 훈
         │   └ 김 영 팔
         └ 강 영 호 (45. 710) → 래 콤 숙 소

제 3 조 (조장: 이 양 수)

이 양 수 → 정 기 평 → 운 운 찬 → 이 광 수 → TECHMAL

0153

제 4 조 (조장 : 염승효)

염승효 → 박성남 → 정창근 → 강명렬 → 강경란 ‑‑‑ ‑‑‑
      어망공장
      김북태 → 장서권 이대근 → 최재의

제 5 조 (조장 : 김확천 45.714)

      손만원 (45-736) → 삼창회 → 청송 (45:798) ‑‑‑
확천 ── 이석석 (45 411) → 문태연
      강덕환 → 홍성렬 → 손만우 → 검란감

6조 (조장 : 고철훈)

철훈 ⤸ 박성섭
     이달선 → 손상오 → 노재훈 ‑‑‑

0154

한국 조합원 비상 연락망

* 교신 주파수 VHF 17 30MEGA 672F

* 위성A 누약옷에서 LAS 전화
  27.9400 27.9313

선 순 명	소 속 선 박 명
1) PARIMCO	CH - 1. 2. 3 CHOR ALVALA ZAYD
2) ARPECO	ARPECO 1. 2. 3. 4. 5 LIMBARIK AGNETTR MAHANOVA, 8
3) AGMACO	SOPECHE 3. 5 SOMACOPP 4.5.1) ANNACIM BADER HOUNEIN
4) ALMP	ALMAP 1. 8. 9. 10. 11
) MANAMA	MANAMA 1. 2. 3. TICHITT 1. 4 SHAIP 1. 5 CHAMI-1 TERWEN TEYARET
) ALMACAM	ALMACAM , EL GALEM , RABIH SALEM ZEMOUR 1. 2
1) RABIH	RABIH 1. 2 RAJEB MAHANOVA 3 ANNAJA, GENASER 2. 3
2) ZHAR	ZHAR - 3 SALEKI ENNASER - 1 ZAKY BARAKAT YACOB RAGDAFF ATAR - 1 TIRIS HFC 1. 2 SIPECHE 1
9) SIP	SIP - 1 KHALED OUHUD UNION 1. 2 YASSINE TEWFIG TAHA 1
0) CIPA	CIPA 1. 2 ROSSO 1 RAJA 1 SOM AWRIPEC AL MOUNA MEDINA
11) HARTOBA	HARTOBA, RIGDALIN, BIR TER FAS, BIRIGHNI, SARAPA 1, EL HOUD

0155

한사람 십원낭비 4천만 4억낭비

주 보 스 톤 총 영 사 관

보스톤(총):0600-0068   1991.

수신 : 장관

참조 : 미주국장, 정보문화국장, <u>영사교민국장</u>

제목 : 걸프 사태 관련 공관 대비책 보고

대 : AM-0012

대호와 관련 당관은 별첨 비상 대책안을 마련 시행중임을 보고합니다.

첨부 : 동 대책안 1부.   끝.

, 주   스   톤   총   영

0156

✐ 비 상 대 책 안

1. 비상연락망 재확인   (별첨1)
2. 미 국무부 LIASION OFFICE 와의 연락체계 유지
   - CHARLES STEPHAN
   - JOHN M. MILKIEWICZ (SPECIAL AGENT)
     ADD.   :   U.S. DEPARTMENT OF STATE
                TIP O'NEILL BUILDING ROOM 100-A
                10 CAUSEWAY STREET
                BOSTON, MA 02222-1078
3. 경찰과의 협조 관계 유지
   - 청사
     - BOSTON POLICE DEPARTMENT
       154 BERKELEY ST., BOSTON, MA 02116   TEL. 247-4328
       MR. GERARD T. O'ROURKE
   - 총영사관저
     - WELLESLEY POLICE DEPARTMENT, WELLESLEY, MA 02181
     - JOHN K. FRITTS (TEL. 235-1212)
   - 장세돈 영사 자택
     - POLICE STATION IN BELMONT
       460 CONCORD AVE., BELMONT, MA 02178   TEL. 484-1212

0157

o   조윤수 영사 자택

   -   POLICE STATION IN CAMBRIDGE

       5 WESTERN AVE., CAMBRIDGE, MA 02139   TEL. 349-3300

o   각 직원 관할 경찰서 전화번호 상호 유지

   -   POLICE STATION IN WATERTOWN

       34 CREST ST., WATERTOWN, MA 02172   TEL. 923-1212

   -   POLICE STATION IN READING

       67 PLASANT ST., READING, MA 01867   TEL. 944-1212

   -   POLICE STATION IN BRIGHTON

       201 WASHINGTON ST., BRIGHTON, MA 02135   TEL. 247-4270

   -   POLICE STATION IN ARLINGTON

       120 MYSTIC AVE., ARLINGTON, MA 02174   TEL. 643-5528

4. 본부 연락망 확인 (별첨 2)

    o   폐만 비상대책본부 (본부장 :   제 2차관보)

       (서울 TEL. 730-8283/5,   FAX. 730-8286)

5. 인근 영사관과의 협조관계 유지 (별첨 3) (주미대사관, 뉴욕총영사관)

6. 테러대책 지침 숙지 및 준수

    o   90년도 대 테러 활동 세부 시행 계획에 의한 지침 시행

7. 망명자 처리지침 재 확인

8. 사증발급 심사 강화

9. 각 한인단체 및 학생회에 안전유의 및 비상시 당관 연락조치

0158

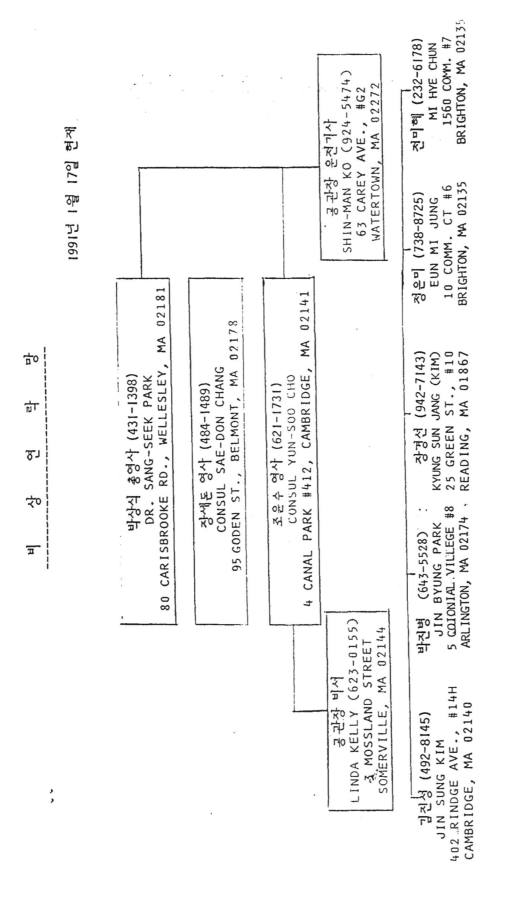

1991년 1월 17일 현재

비 상 연 락 망
─────────

박상식 총영사 (431-1398)
DR. SANG-SEEK PARK
80 CARISBROOKE RD., WELLESLEY, MA 02181

장세돈 영사 (484-1489)
CONSUL SAE-DON CHANG
95 GODEN ST., BELMONT, MA 02178

조윤수 영사 (621-1731)
CONSUL YUN-SOO CHO
4 CANAL PARK #412, CAMBRIDGE, MA 02141

총영사 운전기사 고신만 (924-5474)
SHIN-MAN KO
63 CAREY AVE., #G2
WATERTOWN, MA 02272

정은미 (738-8725)
EUN MI JUNG
10 COMM. CT #6
BRIGHTON, MA 02135

전미혜 (232-6178)
MI HYE CHUN
1560 COMM. #7
BRIGHTON, MA 02135

총영사 비서 LINDA KELLY (623-0155)
3 MOSSLAND STREET
SOMERVILLE, MA 02144

김진성 (492-8145)
JIN SUNG KIM
402 RINDGE AVE., #14H
CAMBRIDGE, MA 02140

박진병 (643-5528)
JIN BYUNG PARK
5 COLONIAL VILLAGE #8
ARLINGTON, MA 02174

장경신 (942-7143)
KYUNG SUN JANG (KIM)
25 GREEN ST., #10
READING, MA 01867

당 직 근 무 조 편 성
----

1. 폐만 사태 해결시까지 전직원은 업무상 목적 이외에 장기 여행을
    금지하며, 거주지 이탈시 상대방에게 연락토록 한다.

2. 하기 당직근무조는 일과후 및 공휴일에 집에서 당직토록하며, 비상연락
    접수시 영사에게 조기 연락하여 비상대응토록 한다.

1. 17 (목)	고신만 -	전미혜
1. 18 (금)	김진성 -	정은미
1. 19 (토)	박진병 -	장경선
1. 20 (일)	고신만 -	전미혜
1. 21 (월)	김진성 -	정은미
1. 22 (화)	박진병 -	장경선
1. 23 (수)	고신만 -	전미혜
1. 24 (목)	김진성 -	정은미
1. 25 (금)	박진병 -	장경선
1. 26 (토)	고신만 -	전미혜
1. 27 (일)	김진성 -	정은미
1. 28 (월)	박진병 -	장경선

✗ 폐만 사태 해결시까지 동 순서대로 계속 연장됨.

0160

부서	호실	교환	전화
공 보 관 실	811-3	2107	720-2687
	811-2	2108	720-2408
기 자 실	811-1	2238~39	720-2409~10
총 무 과 장 실	808	2116	720-2310
인 사 계	808	2117~18 2244	720-4653,2311
서 무 계	502	2119,2122	720-2198,732-2412
경 리 계	502	2120,2121	720-2414,2197,4656
외 환 계	517	2125~26	720-2322,2688
기획관리실장실	805	2127	720-2314,737-3743
제1,2조정관실	706-1	2199	720-2838,730-5911
기획예산담당관실	707-2	2128~29	720-2196,2303
재외공관담당관실	707-1	2130~31	720-2674,4539
국유재산담당관실	707-1	2130~31	720-2674,4539
행정관리담당관실	704	2132~33	720-2349,3641
법무담당관실	705	2135,2383	720-2946,733-2335
문서담당관실	709	2136~37	720-2313,734-1850 720-2686(FAX)
파 우 치 실	710	2138	720-3637,2388
전신담당관실	501	2124,2386	720-2524,736-3426
의 전 장 실	816	2141	720-2403,739-3415
의 전 관 실	809	2112	720-4914
의전담당관실	605-1	2143~44 2241	720-2404,2405 736-1339
특전담당관실	605-2	2145~46	720-2354,736-4754
아 주 국 장 실	815	2147	720-2316
심 의 관 실	602	2249	788-1140
동 북 아 1 과	602	2148~49	720-2531,2317
동 북 아 2 과	514	2150,2388	720-2350,730-6610
동 남 아 과	603	2151~52	720-2319,2017
서 남 아 과	604	2153,2395	720-2029,2318
미 주 국 장 실	815	2154	720-2320
심 의 관 실	602	2249	738-1140
북 미 과	607	2155~56	720-2321,4648
중 미 과	607	2157~58	720-2239,2324
중 미 과	608	2159,2299	720-2326,736-3236
남 미 과	606	2160,2393	720-2249,732-0213
구 주 국 장 실	814	2161	720-2347
심 의 관 실	304	2396	720-9141
서 구 1 과	609	2162~63	720-2325,2439
서 구 2 과	609	2164~56	720-2312,3967
동 구 1 과	608	2166,2387	720-2357,2377
동 구 2 과	516	2358~59	720-9210,9211
중동아프리카국장실	814	2172	720-4480
심 의 관 실	612	2246	736-4734
중 근 동 과	610	2168,2169	720-2327,3969
마 그 레 브 과	610	2171,2389	720-3870,3869
아프리카1과	611	2173,2174	720-2351,4749
아프리카2과	611	2175,2114	720-4170,4481
국제기구조약국장실	313	2177	720-2333
조약심의관실	717	2178	720-4571
국 제 연 합 과	614	2179~80	720-2334,2353
국 제 기 구 과	613	2181~82	720-2336,4050
조 약 과	615-1	2183~84	720-2337,4094
국 제 법 규 과	615-2	2185~86	720-4045,737-3150
외 교 사 료 과	513	2187	720-2028
외교정책자료실	617	2189	720-2187
문 서 보 존 실	617	2188	720-4855
국제경제국장실	813	2167	720-2645
심 의 관 실	809	2392	720-9212
경제협력1과	702	2191~92	720-2330,732-5697
경제협력2과	703	2295~96	720-4537,732-5698
기 술 협 력 과	703	2195~96	720-2328,2355
경제기구과	701	2197,2247	720-2329,2522
통 상 국 장 실	812	2190	720-3909
심 의 관 실	809	2381	720-9212
통 상 1 과	612-1	2193~94	720-2331,733-2778
통 상 2 과	612-2	2176,2394	720-4748,3367
통상기구과	502	2170,2391	720-2188,739-9142
정보문화국장실	812	2198	720-2338
정세분석관실	817	2115	720-3379
외신관리관실	706-2	2142	720-2838
정 보 1 과	716	2200,2201	720-2340,735-2317
전 산 타 자 실		2134	
정 보 2 과	709	2202,2298	720-4503
홍 보 과	708	2203,2204	720-2339,2521
문 화 과	708	2293,2294	738-9515,720-2220
외 신 1 과	714	2206	720-3636
외 신 2 과	714	2211	720-4667
외 신 접 수	712	2208	720-2341
평 문 문 의	712	2207	720-2341
비 밀 문 의	711	2210	720-2342
현 업 실	712	2208,2209	720-2341
전 신	711	2212	720-4875,739-5960
영사교민국장실	812	2213	720-2343
재 외 국 민 과	515	2214,2215	736-2830,720-2345
영 사 과	별관	2216,2217	720-2346,2360
해 외 이 주 과	별관	2397~99	720-2727~28,3729
여권관리과실	별관	2218	720-2335
여권1과장실	별관	2219	720-2736
행 정		2220	720-3780
내 규		2224	720-4287
해외여행안전대책반			720-0664
선 ?			720-2348,4956

부서	호실	교환	전화
밀 ?		2234	720-3581
민 원 상 담 실		2230	720-4285,2735
안 내		2222	720-3582
신 원 조 회			720-2402
영 사 확 인			720-3182
무 효 확 인		2232	720-4890
교 재 부		2229,2227	720-3580
기 재 실		2226	720-4934
여권과당직실			720-3582,4285
감 사 관 실	807	2109	720-4557
감사담당관실	512	2110	720-2315
비상계획관실	704	2139	720-2406
보 좌 관 실	별관	2140	720-2407
외교정책추진특별반실	809	2111	720-3185
실 장 실	515-1	2113	720-4044
외국어자료실	515-1	2384	734-8813
본 부 대 사	304	2396	720-2434
		2297	720-2114
본 부 대 사	809	2111	720-3185
본 부 대 사	별관(1)	2382,2390	720-4721,4722
본 부 대 사	별관(II)	2363~64	733-7589
인 관 실	809	2392	720-2358
연 ? 관	별관	2357	720-2913~14
차트및대기실	701	2205	
시 진 실	701	2123	
회 의 실	810	2240	720-2411
소 회 의 실	616	2242	720-2177
당 직 실	715		720-2311,732-2412 720-2340,2686(FAX)
외 빈 차 고			793-7511
장 관 공 관			794-6816,793-2734 795-5819(FAX)
운전기사대기실	별관2층	2673~4	720-2160
외 무 부 안 내	로비층	2243	
인 탁 산 실	705	2237	737-7969
국방부연락관실	515-2	2245	720-2120
외교안보연구원		교환798-1611~3	794-6811~5
원 장 실	용산구한남동723-48		798-0390
연 구 위 원 실			793-8890
연 구 실 장 실			793-8897
연 구 부 장 실			793-1407,795-8009
교 수 부 장 실			793-8930
총 무 과 장 실			793-8891
총 무 과			798-2267
교 학 과 장 실			793-5639
교 학 과			793-8167
외교연수?과			795-5848
기 획 조 사 과 장 실			794-8594
도 서 과 장 실			793-8298
당 직 실			798-2267
외 교 신 회			교환566-8101~6
사 무 총 장 실	강남구역삼2동710		566-8025
사 무 국			566-8026
외교지편집실			566-8108
휴 게 실			566-8107
외교관자녀기숙사			교환566-8101~6
총 무 처			교환738-6931~9
당직종사령실		3063	720-4411,737-2739
청사관리소관리계(19층회의실사용)	217	3006	720-4442
대 회 의 실	1905	3034	
제 1 회 의 실	1910	3027	
방 호 실	212	3038~39	720-4458
중앙청경비대		3053	
후문전경초소		2992	
중앙강시반(전기고장신고,승강기운행및안내방송)	지하1층	3029,3066	720-3535
전기보수반(전기고장신고)		3076	
통신실(구내전화고장이전신고)	지하3층	3030~31	
광화문전화국종합청사분국(일반전화고장,이전신고)		3088	720-2000,3000,2166
구 내 우 체 국		3087	738-0205,739-4662
구 내 농 협(이신,외환,재험지축,공제,국고등)	시하	3085	720-4751
구 내 농 협(예금,시공과금,카드등일반업무)	로비	2945	720-4751
국무위원식당	215	2975	720-4409
간 부 식 당	별관	2973	
KAL공무여행항공사무소	209	3110~11	738-9971,9972
제주관광여행사(철도,호텔,제주도관광,카페리예약)	209	3112	720-4139
외무실(일반과)	210	3028	720-2949
(치과)	210	3026	720-3877
사진,담배배점	보비	3089	
인 관 배 ?	?공?부민?		무공부교회738-4996~7

0161

직 원 전 화 번 호 부

1990. 9.

주 미 대 사 관

0162

부서명		N A M E	OFFICE	HOME
대 사	박동진	Tong-Jin Park	(202) 939-5600	(202) 939-5610
비서실	김홍균	Hong-Kyun Kim	939-5605	(703) 827-7339
	고현숙	Hyun Sook Ko	939-5607	(703) 820-7047
		Pamela Roberts	939-5606	(202) 333-2253
공 사	이승곤	Seung Kon Lee	939-5613	(301) 983-5347
	이병호	Byoung Ho Lee	939-5612	(202) 939-5600
	손명현	Myong Hyun Sohn	939-5611	(703) 538-4270
비서실	안기숙	Ki Sook Ahn	939-5644	(703) 931-7682
	(경 제)	Kimberly Tilock	939-5689	(202) 965-6043
총무과	유태현	Tae Hyun Yoo	939-5614	(703) 356-9746
	조태열	Tae Yul Cho	939-5647	(703) 506-1691
	장원삼	Won-Sam Chang	939-5636	(703) 790-8165
	김형진	Hyoung Zhin Kim	939-5637	(703) 237-5369
(전산실)	김양환	Yang Hwan Kim	939-5640	(703) 354-5587
	이근일	Geun Il Lee	939-5675	(703) 569-3984
	조영숙	Young Sook Cho	939-5638	(301) 770-7629
	권형식	Hyoung Shik Kim	939-5639	(703) 893-2168
	김진태	Jin Tai Kim	939-5645	(703) 256-4706
	김은숙	Eun Sook Kim	939-5674	(202) 686-1942
	진영선	Young Sun Jin	939-5645	(703) 569-3984
(파우치실)	양윤석	Yoon Suk Yang	939-5698	(703) 998-0797
	박교택	Koy Taek Park	939-5698	(703) 569-3984
		Pamela Long	939-6472	(703) 527-5254
(대기실)	김상군	Sang Goon Kim	939-5698	(703) 876-5765
	장기석	Gi Suk Jang	939-5643	(703) 237-8982
	이태성	Tae Sung Lee	939-5643	(703) 521-0656
	이계만	Gye Man Lee	939-5643	(703) 354-7487

0163

부서명	NAME		OFFICE	HOME
외 신 과	이윤제	Yoon Jae Lee	(202) 939-5664	(703) 448-6024
	임무범	Mu Berm Lim	939-5665	(703) 323-3953
	나민웅	Min Woong Na	939-5666	(703) 354-5882
정 무	유명환	Myung Hwan Yu	939-5615 232-2706	(703) 448-9715
	김영목	Young Mok Kim	939-5616	(703) 893-4018
	안호영	Ho-Young Ahn	939-5618	(703) 506-1480
	임성남	Sungnam Lim	939-5617	(703) 845-5625
	마영삼	Young Sam Ma	939-5621	(703) 241-7547
	최인돈	In Don Choi	939-5620	(301) 565-2519
	김경희	Kyung Hee Kim	939-5620	(703) 553-9435
		Jennifer Wiegleb	939-5619	(202) 362-3248
의 회	임성준	Sung Joon Yim	939-5622	(703) 356-2688
	길정우	Jeong Woo Kil	939-5649	(301) 424-4652
	노광일	Kwang Il Noh	939-5623	(703) 760-0761
	김정희	Jung Hee Kim	939-5625	(703) 671-0357
		Jeniffer Smith	939-5641	(202) 234-5095
		Chris Moore	939-5651	(202) 363-0434
정 무 2	김천웅	Chun Woong Kim	939-5628 328-7186	(703) 442-0994
	최덕만	Duk Man Choi	939-5629	(703) 734-2967
	이원희	Won Hee Lee	939-5631	(703) 790-9124
	이충목	Choong Mok Lee	939-5630	(703) 893-0299
	이연수	Yun Soo Lee	939-5631	(703) 734-8552
	상형근	Hyung Kun Sang	939-5632	(301) 330-8242
	김은희	Eun Hee Kim.Chun	939-5633	(703) 273-5973

0164

부 서 명	NAME		OFFICE	HOME
경 제	최영진	Young Jin Choi	939-5646	(703) 534-6954
	서용현	Yong Hyun Suh	939-5648	(301) 320-4561
	김중근	Joong-Keun Kim	939-5635	(703) 532-8944
	최경림	Kyonglim Choi	939-5650	(703) 461-0118
	민경은	Kyung Eun Min	939-5678	(703) 280-5447
		Pamela Foster	939-5678	(703) 780-6638
영 사 과	김명배	Myongbai Kim	939-5634	(703) 734-9266
	박흥신	Heung Shin Park	939-5655	(703) 356-7173
	정해욱	Hae Wook Cheong	939-5656	(703) 506-4786
	나경애	Kyung Ae Na	939-5657	(703) 256-9563
	정제범	Jae Beom Cheong	939-5661	(703) 823-5246
	최응순	Eung Soon Choi	939-5659	(703) 698-7271
	정영진	Young Chin Kim	939-5658	(703) 521-1581
	김미자	Me Ja Kim	939-5662	(703) 354-6806
	제복남	Bok Nam Jae	939-5660	(703) 521-2856
	Lisa Potter		939-5663	(703) 528-1223
			939-5654	
내무주재관	김정찬	Jung-Chan Kim	939-6461	(301) 770-1350
재 무 관	허노중	Noh-Choong Huh	939-5672	(703) 790-1181
뉴욕재무관	이용근	Yong Keun Lee	(212) 593-1852	(201) 818-1587
교 육 관	금승호	Sung Ho Kum	(202) 939-5679	(703) 241-4561
교 육 원	이종훈	Jong Hoon Lee	939-5680	(703) 352-2879
	장소윤	So Yoon Chang	939-5681	(703) 237-8982

0165

부 서 명	NAME		OFFICE	HOME
농 무 관	이영래	Young Rae Lee	939-5673	(301) 320-2153
상 무 과	이원호	Won-Ho Lee	939-5667	(703) 356-4879
	이희범	Hee-Beom Lee	939-5668	(703) 734-9109
	신원식	Won-Shik Shin	939-5669	(703) 790-0817
	김영주	Young-Joo Kim	939-5670	(703) 241-2395
	조미숙	Mi Suk Lee	939-5642	(703) 641-0058
		Valerie Ploumpis	939-6474	(202) 484-8617
건 설 관	민태정	Tae Jung Min	939-6476	(703) 448-3891
노 무 관	고인래	In-Nae Ko	939-6477	(703) 734-1460
통신협력관	이종순	Jong Soon Lee	939-6478	(703) 821-4245
공보관실	이찬용	Chan Yong Lee	939-5682	(703) 790-5988
	김광옥	Kwang Ok Kim	939-5684	(703) 790-1692
	이병서	Byong Suh Lee	939-5683	(703) 556-0876
	김희범	He Beom Kim	939-5699	(703) 534-3021
	민경국	Kyeung Guk Min	939-5685	(703) 204-4554
	이덕일	Duck Il Lee Choi	939-5687	(703) 538-4791
		Patrick E. Nieburg	939-5686	(703) 527-3599
		Melisa Bennett	939-5687	(202) 265-5819
총무처 주재관	하동원	Dong Won Ha	939-6483	(703) 204-1131
과 학 관	진해술	Hai Sool Chin	939-6479	(703) 356-3984
관 세 관	이강연	Gang Yon Lee	939-5677	(703) 759-5422
수 산 관	김경용	Kyung Yong Kim	(202) 939-6480	(703) 556-9386
해 무 관	김성수	Sung soo Kim	939-5676	(703) 893-6868
국회파견관	정호영	Ho Young Chung	939-6481	(703) 241-8028
주재관실	고명호	Myung Ho No	939-6482	(703) 552-0475
	유혜숙	Hae Soog Yoo	939-5671	(703) 256-4706

0166

부 서 명		N A M E	OFFICE	HOME
수석무관	김정환	Jung Hwan Kim	(202) 939-5690 232-4856	(703) 356-5664
비서실	배덕용	Duck Yong Lee	939-5691	(703) 425-3476
무 관 부	장호근	Ho-keun Chang	939-5693 797-0090	(703) 556-0593
	박세헌	Sae-hun Park	939-5692 232-1191	(703) 241-0428
	양국종	Kook Jong Yang	939-5694	(703) 506-0795
	김영주	Young Joo Kim	939-5695 483-1940	(703) 941-2974
	김일수	IL-Soo Kim .	(703) 524-9273	(703) 827-0273
	허정애	Jung Ae Chun	(202) 939-5696	(301) 864-5326
	이문구	Mun Ku Lee	939-5691	(703) 207-8649
군수무관부	이정수	Jeong-soo Lee	(703) 524-9274	(703) 734-0673
	주경로	Kyung-Ro Joo	524-9272	(703) 573-2266
	한광성	Kwang-sung Han	524-2975	(703) 256-8941
	고만영	Man-Young Ko	(513) 257-3663	(513) 879-0961
	전종범	Jong Bum Jun	(703) 524-9275	
	조용식	Yong-Sik Cho	(215) 697-3764	(215) 742-3373
	황두현	Doo-hyun Hwang	(703) 524-9278	(703) 256-5054
	박재균	Jae-Gyun Park	524-9277	(703) 658-4675
	김종건	Jong Kweon Kim	524-9275	(703) 876-0632
	이장한	Jang-Han Lee	527-1164	(703) 642-0356
	김국환	Kook Hweon Kim	524-9277	(703) 698-8407
	김국민	Kook-Min Kim	243-8484	(703) 521-3167
	김남숙	Nam-Sook Kim	524-9275	(703) 818-2525
	김국정	Kook-Jung.Kim	524-9274	(703) 553-0159
		Jan Cook	243-8484	(703) 548-3761

부 서 명		N A M E	OFFICE	HOME
연구 개발 무 관 부	김호권	Ho-Kwon Kim	(703) 243-2777	(703) 734-4962
	김영수	Young-Soo Kim	243-2778	(703) 641-8819
	유수영	Soo-Young Yu	243-2777	(703) 979-0371
N A M E			OFFICE	HOME
Korean Embassy 대표 전화			(202) 939-5600 939-5601 939-5602	
Korean Embassy Fax. No. (202) 797-0595				
Receptionist(2320 Mass.)Kyung Sook Choi (최경숙)			939-5603	(703) 237-8982
Receptionist(2370 Mass.)Kyung Sook Hong (홍경숙)			939-5604	(703) 760-9613
Ambassador's Residence 관저 관리 Jong Yun Kim (김종윤)			939-5609 939-5610	(202) 939-5610
신관 관리 Sung Soo Nam (남성수)				(202) 462-0980
구관 관리 Yong Woon Lee(임용운)				(703) 450-4544
별관 관리 In Yung Baek (백인영)				(202) 265-4280

0168

뉴욕총영사관 비상연락망

(1991. 1. 8)

영사관 (212)752-1700
문화원 (212)759-9550

주미대사관저 (202)939-5600
주미대사관 (202)939-5610
주유엔대표부 (212)371-1280
주유엔대표부관저 (212)980-0180
1호차 (212)359-8963
2호차 (89 링컨) (212)453-0655
3호차 (86 링컨) (212)301-6849
외무부당직 720-2311
720-2412

총 영 사
(212)472-7922

이우상 부총영사
(201)784-8198

온석훈 부총영사
(212)980-0121

최경보	한재철	이 온	김존길
(201)384-5032	(201)612-0217	(201)871-0027	(201)784-8279
이종군	권영국	이명재	오수동
(718)225-8637	(212)481-0296	(718)274-5370	(201)569-0284
전정수	이상필	이찬희	한창룡
(201)568-5348	(201)784-0994	(718)786-7346	(201)944-4796
이정필	송현숙	김재성	김인규
(201)768-5817	(718)760-1095	(718)224-3269	(718)565-5747
조홍	이정실	김선규	민숙기
(201)501-8124	(201)382-2531	(718)446-2954	(212)866-0109
유근	최윤희	한준섭	송효선
(201)784-1584	(718)937-1931	(718)463-4169	(718)706-6963
김용백	최복순	신정숙	고명임
(201)886-9344	(718)726-8338	(718)706-7270	(718)229-3136
온영지	박병남	백승미	Lois Adams
(201)784-0534	(718)898-3756	(718)274-4335	(212)755-7077
황정환	김성미	김경희	
(201)784-8151	(718)726-8028	(212)823-2539	Jenifer Kirin
문진상	이기호	임서남	(212)549-0120
(201)784-1083	(718)445-9041	(718)672-5314	
		박준옥	
(201)358-1346	(718)721-3015	(718)726-5829	
	홍영희	이정애	
	(718)458-6674	(718)592-8553	

백승우
(718)939-4550

이수정
(718)263-8045

****

재무관실 (212)593-1852
KOTRA (212)826-0900
영사관 (212)421-8804
회계법인 (201)585-0909
무한한인회 (212)749-5121
뉴한인회 (212)838-4949
(212)255-6969

NYC Commission (212)319-9300
Diplomatic Motor Vehicle Bureau
(212)685-1301
Fire, Police, Ambulance 911
KAL, 예약 (212)371-4820
INFor. (718)632-8730-5
Cargo. (718)632-8710

0169

2. Republic of Korea Mission to the UN (주유엔대표부)

Mission	886 UN Plaza #300 N.Y., N.Y. 10017	
Ambassador	Hong-Choo HYUN (현홍주 대사) * Car Phone	212-371-1280 212-980-0180
Ambassador	Kee Bock SHIN (신기복 대사) * Car Phone	212-301-0950 212-808-4932
Minister	Jong Hwan SONG (송종환 공사) * Car Phone	212-359-6588 201-891-1681
Minister	Yoon Kyung OH (오윤경 공사)	212-359-5313 201-768-6687
Counsellor	Jung Ho KEUM (금정호 참사관)	201-894-5440
Cultural & Informations Attache	Jang Hwan SUH (서정환 홍보관)	201-670-1819
Counsellor	Dae Won SUH (서대원 참사관)	201-848-8117
Counsellor	Jong Rak KWON (권종락 참사관)	201-768-5863
Counsellor	Jong Chan WON (원종찬 참사관)	201-784-1623
Attache	Yoon Hee KIM (김윤희 외신관)	201-307-8975
1st Secretary	Byung Se YUN (윤병세 서기관)	201-224-2984
1st Secretary	Chan Ho Ra (라찬호 서기관)	201-947-8547
2nd Secretary	Jae Hong YUH (유재홍 서기관)	201-346-0085
2nd Secretary	Young Min KIM (김영민 서기관)	201-766-9788
2nd Secretary	Jong Moon CHOI (최종문 서기관)	201-886-9234
Attache	Jin Young CHOI (최진영 외신관)	201-947-3627

(2)

UN대표부 기.부임 사항은 UN대표부에
확인 바랍니다.

0170

1. Korean Consulate General (주뉴욕총영사관)

Consulate General	460 Park Ave, 5th Fl.(57th St.) N.Y., N.Y. 10022	212-752-1700
Korean Cultural Service	5th Fl. (Above Address)	212-759-9550
Consul General (Ambassador)	Eui Sok CHAI (제의석 대사) * Car Phone	212-472-7922 212-359-8963
Deputy Consul General	Woo Sang LEE (이우상 부총영사)	201-784-8190-1(園정영)
Deputy consul General	Suk Hm YOON (윤석흠 부총영사)	212-980-0121
Director	Djun Kil KIM (김진길 문화원장)	201-784-8279
Consul	Kyong Bo CHOI (최경보 영사)	201-384-5032
Consul	Jae Chol HAHN (한재철 영사)	201-612-0217
Consul	Yung Kook KWON (권영국 영사)	212-481-0296 2園(정영(세커)
Consul	Sang Pal LEE (이상팔 영사)	201-784-0994
Consul	Chong Kun LEE (이종근 영사)	718-225-8637
Consul	Yoon LEE (이윤 영사)	201-871-0027
Consul	Chul Soo CHUN (전철수 영사)	201-568-5348
Consul	Soo Dong O (오수동: 문화원)	201-569-0284
Vice Consul	Chang Yull BYUN (변창률: 문화원)	201-944-4796
Consul	Jung Rok LEE (이정록: 구역)	201-768-5817
Consul	Jung Hong JO (조정홍: 구역)	201-501-8124
Vice Consul	Keun Sang RYOO (유근상: 구역)	201-784-1584
Consul	Yong Baik KIM (김용백: 내무)	201-886-9344
Vice Consul	Young Jik YUN (윤영직: 내무)	201-784-0534
Consul	Seung Jung BHANG (방승정: 세무)	201-784-8151
Educational Attache	Joon Hwan MOON (문준환: 교육)	201-784-1083
ConSul	Jio Sik Yon (연진식: 체무)	201-358-1346

(Miss 유)

617-348-3...

주 이 란 대 사 관

이란(총)2005-34   1991. 2. 6

수 신 : 외무부 장관

참 조 : 마그레브 과장

제 목 : 비상 연락망 송부

　　　　대 : WMEM - 0005

　　　대호, 당관 비상연락망을 별첨 송부합니다.

첨 부 : 비상연락망 3부.　끝.

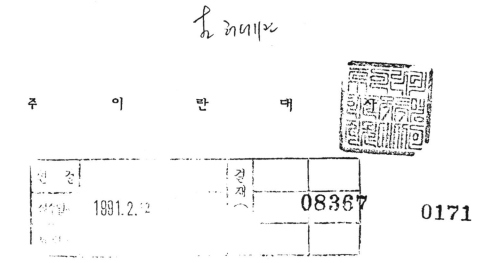

주 　이 　란 　대

연 건   결
              1991.2.   재   08367   0171

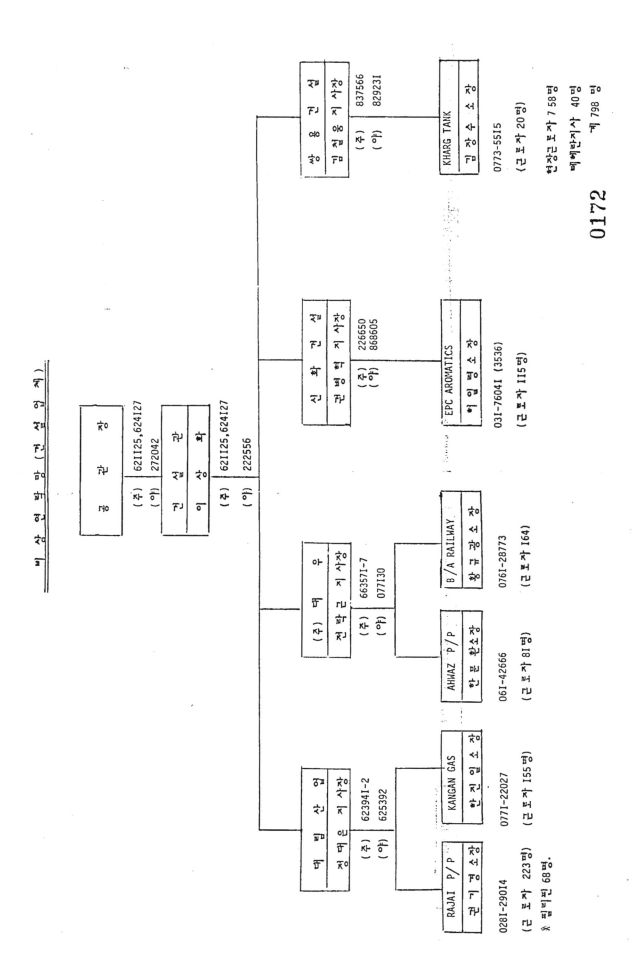

비상연락망(건설업체)

현 관	(주) 62II25,624I27
	(야) 272042

| 관 건 설 | (주) 62II25,624I27 |
| 화 이 | (야) 222556 |

용 결 광	건설현장소
	(주) 837566
	(야) 82923I

KHARG TANK
건설현장소
0773-55I5
(근로자 20명)

설 화 구 신	건설현장지사
	(주) 226650
	(야) 868605

EPC AROMATICS
건설현장소
03I-7604I (3536)
(근로자 II5명)

우 마	건설현장지사
	(주) 66357I-7
	(야) 07II30

AHWAZ P/P
한판환소장
06I-42666
(근로자 8I명)

B/A RAILWAY
황규성소장
076I-28773
(근로자 I64명)

의 산 마	건설현장지사
건 인 저	(주) 62394I-2
	(야) 625392

KANGAN GAS
현지사이장소
077I-22027
(근로자 I55명)

RAJAI P/P
건구소장
028I-29014
(근로자 223명)
※ 파견원 68명.

계 798 명
사막지역 40 명
베네테카테 명
현장근로자 7 58 명

0172

```
!  상무관 (대사관 62-1125/4127/1389, 자택 687543) !
```

1991. 1. 15. 현재

KOTRA 전화 ; 84-2925/8245		비 고 / 가 족 상 황
강석갑 관장	29-9319	처, 자녀2(13세,11세)
정광영 과장	26-3547	처, 자녀1(3세)

대 우 전화 : 663571-7		비 고 / 가 족 상 황
최낙석 전무	488-9413	(회 장) / -
최동규 과장	26-6514	처, 자녀2(3세,1세)
박종원 과장	488-2372	처, 자녀2(10세,5세)
김병찬 과장	427-5039	처, 자녀2(5세,1세)
이경노 대리	29-5413	처, 자녀1(4세)

럭키 금성 전화 :86-8273/8573/7365!		비 고 / 가 족 상 황
오광석 부장	83-0168	처, 자녀3(14세,12세,10세)
조기완 과장	488-6120	처, 자녀2(6세,2세)
김영언 과장	22-3810	처, 자녀1(3세)

삼성물산 전화 : 416-2148,62-6589/5866		비 고 / 가 족 상 황
임춘택 이사	22-3218	-
박찬영 차장	68-7200	처, 자녀1(10세)
안장호 과장	68-961	처, 자녀2(4세,1세)
한성호 과장	488-0536	처, 자녀2(6세,4세)
신창한 과장	-	-

삼성전자 전화 ; 85-4465/1659		비 고 / 가 족 상 황
이호근 과장	22-2992	처, 자녀2(6세,2세)
이종법 과장	-	-

선 경 전화 ; 85-8067/8078		비 고 / 가 족 상 황
김정평 이사	427-8067	-
최선주 과장	429-9783	처, 자녀1(4세)

금 성 전화 ; 22-0912/0913		비 고 / 가 족 상 황
이용로 과장	427-2555	부 회장 / 처, 자녀1(1세)
신정용 대리	-	처, 자녀1(2세)
이효복 대리	-	처

쌍 룡 전화 ; 89-4493/9790		비 고 / 가 족 상 황
황병구 부장	62-4677	처, 자녀2(16세,14세)
위명렬 과장	22-4819	처, 자녀1(4세)
길윤섭 과장	457-7226	-

한 일 전화 ; 62-2860		비 고 / 가 족 상 황
박칠봉 차장	85-5920	처, 자녀2(8세,6세)

해 태 전화 ; 62-9688		비 고 / 가 족 상 황
김회문 과장	68-8544	처, 자녀1(8세)
이강룡 과장	22-5918	처, 자녀2(4세,3세)

효 성 전화 ; 83-8396/8597		비 고 / 가 족 상 황
정건식 부장	85-4299	처, 자녀1(12세)
이회룡 차장	86-2405	처, 자녀2(13세,9세)

현 대 전화 ; 85-9570/5616		비 고 / 가 족 상 황
유풍 부장	488-8172	-0173

상사협의회 (주재원 및 가족) 총인원 : 85명 (상무관, KOTRA 재외하고 금성사 가족 주재원은 포함한 인원임)

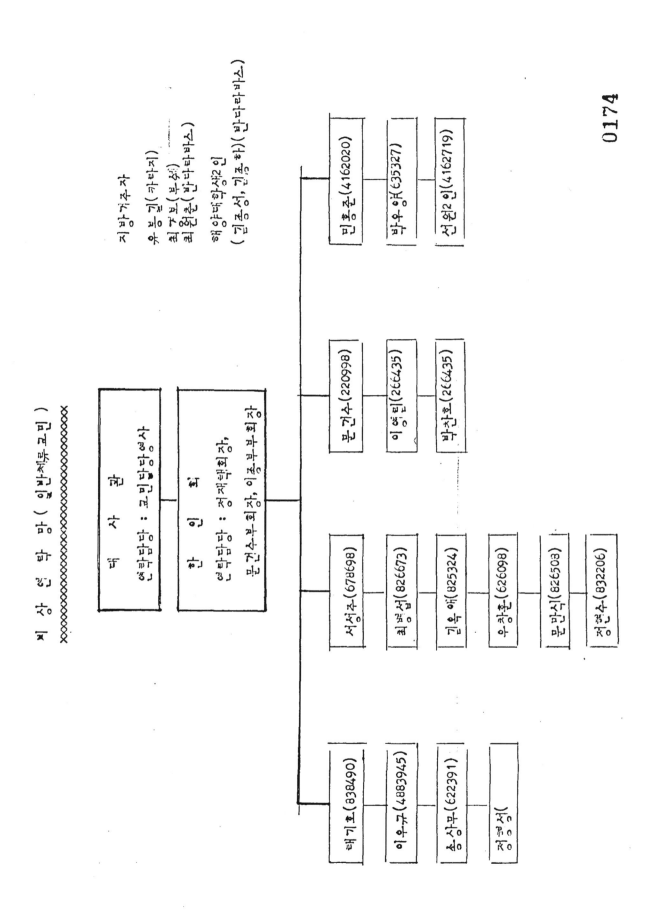

외교문서 비밀해제: 걸프 사태 14

걸프 사태 재외동포 철수 및 보호 4: 이스라엘, 모리타니아, 걸프지역

초판인쇄 2024년 03월 15일
초판발행 2024년 03월 15일

지은이 한국학술정보(주)
펴낸이 채종준
펴낸곳 한국학술정보(주)
주 소 경기도 파주시 회동길 230(문발동)
전 화 031-908-3181(대표)
팩 스 031-908-3189
홈페이지 http://ebook.kstudy.com
E-mail 출판사업부 publish@kstudy.com
등 록 제일산-115호(2000. 6. 19)

ISBN 979-11-6983-974-7 94340
      979-11-6983-960-0 94340 (set)